Dis-moi
que tu m'aimes

Du même auteur

Dis au revoir à maman, Presses de la Renaissance, 1981.
La Femme piégée, J'ai lu, 1983.
La Vie déchirée, Worldwide Library, 1985.
Le Dernier Été de Joanne Hunter, J'ai lu, 1998.
Les Amours déchirées, J'ai lu, 1999.
Qu'est-ce qui fait courir Jane ?, J.-C. Lattès, 1992.
Ne me racontez pas d'histoires, J.-C. Lattès, 1993.
Ne pleure plus, Fixot, 1996.
Vies éclatées, Robert Laffont, 1998.
Ne compte pas les heures, Robert Laffont, 2002.
Grande Avenue, Robert Laffont, 2003.
Jardin secret, Robert Laffont, 2004.
Lost, Robert Laffont, 2006.
Si tu reviens…, Robert Laffont, 2008.
Rue des mensonges, Robert Laffont, 2008.

Joy Fielding

[signature manuscrite]
20 février 2016
à 5 jours
du départ...

Dis-moi
que tu m'aimes

Traduit de l'anglais (Canada)
par Anna Souillac et Jean-Sébastien Luciani

Titre original
Someone is Watching

Tous droits de traduction, d'adaptation et de reproduction réservés pour tous pays.

Aux personnes que j'aime le plus au monde :
Warren, Shannon, Annie, Renee, Courtney, Hayden, and Skylar.

1

La journée commence comme d'habitude. Une simple journée d'octobre à Miami, sublime comme les autres, avec un grand ciel bleu, pas le moindre nuage à l'horizon et une température de vingt-six degrés attendue avant midi. Rien ne laisse à penser qu'aujourd'hui sera fondamentalement différent d'hier ou d'avant-hier, rien ne laisse à penser qu'aujourd'hui, ou plus précisément *ce soir*, ma vie changera pour toujours.

Je me réveille à 7 heures. Je prends ma douche et j'enfile mes vêtements – une jupe plissée noire et une chemise blanche en coton –, légèrement plus habillés que d'ordinaire. Je coiffe mes cheveux châtain clair, arrange les boucles qui m'arrivent au milieu du dos. J'applique un peu de blush sur mes joues et une pointe de mascara sur mes cils. Je me prépare un café et j'engloutis un muffin. À 8 h 30, j'appelle la réception pour que l'un des concierges aille chercher ma voiture au parking souterrain.

Je pourrais aller la chercher moi-même, ma Porsche argentée de collection, mais les concierges s'éclatent à la conduire, ne serait-ce que durant les trente secondes qui séparent ma place au troisième sous-sol de l'entrée de l'immeuble. Ce matin, c'est Elron qui est au volant. Il est presque beau dans son uniforme, un pantalon en toile kaki et une chemise verte à manches courtes.

– Journée chargée, mademoiselle Carpenter ? me demande-t-il en me cédant la place.

– Juste un jour de plus au paradis.

– Profitez-en, me dit-il en refermant la portière et en me saluant de la main.

Je roule en direction de Biscayne Boulevard, vers les bureaux de Holden, Cunningham & Kravitz où je travaille comme détective depuis presque deux ans. Le cabinet, qui compte environ trois cents employés dont cent vingt-cinq avocats, occupe les trois derniers étages d'une imposante tour en marbre au cœur du quartier d'affaires de la ville. D'habitude, j'aurais commencé par boire un autre café en échangeant des plaisanteries avec quiconque aurait traîné dans la salle de repos. Mais aujourd'hui, je suis attendue au tribunal, donc je me gare dans le parking souterrain, je range mon Glock et mon permis de port d'arme dans la boîte à gants et je prends un taxi jusqu'au 73 West Flager Street, où se trouve le palais de justice du comté de Miami-Dade. Il est presque impossible de se garer dans ce quartier et je ne peux pas perdre mon temps à chercher une place. J'ai été convoquée comme témoin de la défense dans une affaire d'espionnage industriel et j'ai hâte de monter à la barre. Contrairement à beaucoup de gens dans mon métier qui préfèrent garder l'anonymat, j'ai toujours aimé témoigner.

Sans doute parce que, en tant que détective, je suis souvent seule. Mon boulot consiste à obtenir des informations qui pourront être utiles lors d'un procès : enquêter sur des époux infidèles, des employés suspects, mettre en place une filature, prendre des photos, filmer des réunions secrètes, trouver et interroger des témoins potentiels, retrouver des héritiers qui manquent à l'appel… bref, rassembler des preuves. Certaines seront pertinentes et admissibles devant une cour, d'autres seront beaucoup moins acceptables mais pourront quand même s'avérer utiles. Après avoir regroupé toutes les informations nécessaires, je m'assois à mon bureau et rédige mon rapport. Parfois, comme aujourd'hui, on me demande de témoigner. Pour ça, il est essentiel de connaître un minimum le droit. J'ai beau avoir arrêté mes études avant d'obtenir mon diplôme, les années que j'ai passées à l'université de Miami à étudier la criminologie n'ont donc pas été une totale perte de temps. À en croire le site web sur lequel j'ai obtenu ma licence de détective, cette profession requiert d'être intelligent, bien informé, tenace, méthodique, ingénieux et discret. J'essaie d'être tout ça à la fois.

Quand j'arrive au tribunal, il y a déjà une longue file de gens qui attendent devant le portillon de sécurité. Une fois celui-ci passé, j'ai droit au voyage en ascenseur le plus lent du monde pour monter jusqu'au vingt et unième étage. C'est amusant de se dire qu'à sa construction, en 1928, cet immeuble de vingt-sept étages était non seulement le plus haut de Floride, mais aussi du sud de l'Ohio. Chose étonnante, on remarque encore de loin sa façade en marbre parmi les gigantesques bâtiments en verre qui l'entourent et l'avalent. Rien à voir avec l'intérieur qui, lui, est nettement moins impressionnant. La rénovation du hall a été interrompue, faute de moyens, et la plupart des salles d'audience sont aussi défraîchies que leur odeur le laisse à penser.

– Déclarez vos noms et profession, m'ordonne le greffier tandis que je monte à la barre et que je jure de dire la vérité, toute la vérité et rien que la vérité.

– Bailey Carpenter. Je travaille comme détective privée pour Holden, Cunningham & Kravitz.

– Comment allez-vous, Bailey ? me demande Sean Holden, une fois assise. Sean est mon patron, mais c'est aussi l'un des fondateurs du cabinet, et son avocat vedette, à seulement quarante-deux ans. Je le regarde reboutonner sa veste bleue à rayures en me disant qu'il est vraiment impressionnant. Il n'a pas une beauté classique, ses traits sont un peu grossiers, ses petits yeux noisette un peu trop francs, ses cheveux bruns un peu trop bouclés, ses lèvres un poil trop charnues. Juste un petit peu trop de tout, ce qui suffit généralement à déstabiliser la partie adverse.

L'affaire d'aujourd'hui est relativement simple : notre client, le propriétaire d'une chaîne de boulangeries réputée de la région, est poursuivi pour licenciement abusif par une ancienne employée. Il contre-attaque en affirmant que cette femme a été licenciée pour avoir divulgué des accords confidentiels à son principal concurrent. Elle a déjà déclaré que ces rendez-vous avec ledit concurrent étaient innocents, que son mari et elle le connaissaient depuis l'enfance et que ces rencontres, qui sont toutes détaillées dans mon rapport et déposées en tant que preuves, n'avaient pour but que d'organiser un anniversaire surprise pour les quarante ans de son mari. Elle est même allée jusqu'à déclarer être une femme honnête qui ne trahirait jamais sciemment la confiance de son employeur. C'était ça son erreur. Les accusés ne devraient jamais faire de zèle.

Sean me pose plusieurs questions d'apparence innocentes sur mon travail, avant de se concentrer sur la raison de ma présence.

– Vous savez que Janice Elder a déjà témoigné sous serment qu'elle est, je cite, « une honnête femme incapable de ce genre de trahison ».

– Oui, je sais.

– Et vous êtes ici pour contredire cette déclaration ?

– J'ai la preuve qu'elle n'est ni complètement honnête ni totalement incapable de trahison.

L'avocat de la défense bondit sur ses pieds.

– Objection, Votre Honneur.

– Mme Elder a elle-même ouvert la voie à ce genre de questions, répond aussitôt Sean.

Le juge tranche rapidement en notre faveur.

– Vous avez dit que vous aviez la preuve qu'elle n'était « ni complètement honnête ni totalement incapable de trahison » ? me demande Sean, en répétant mot pour mot ce que j'ai dit.

– C'est exact.

– Quelle est cette preuve ?

Je reprends mes notes même si je n'en ai, en réalité, pas besoin. Cela fait plusieurs jours que Sean et moi répétons mon témoignage, je sais exactement ce que je vais dire.

– Dans la soirée du 12 mars 2013, j'ai suivi Mme Elder jusqu'à l'hôtel Doubleday Hilton de Fort Lauderdale...

Du coin de l'œil, je vois Janice Elder s'entretenir à la hâte avec son avocat. Je remarque la panique dans ses yeux.

– Objection, répète l'avocat.

De nouveau rejetée.

– Continuez, mademoiselle Carpenter.

– Elle s'est rendue à la réception pour récupérer la clé d'une chambre. Chambre 214, réservée au nom de M. Carl Segretti.

– Putain, c'est quoi cette histoire ! s'exclame un homme depuis le banc qui se trouve juste derrière Mme Elder.

Il s'agit de Todd Elder, le mari de Janice. Il s'est levé d'un seul coup, le choc et la colère se mélangeant sur son visage, mélange qui a fait virer sa peau mate au rouge écarlate, comme si on y avait mis le feu.

– Tu couches avec Carl derrière mon dos ?

– Objection, Votre Honneur. Ceci n'a absolument rien à voir avec l'affaire.

– Bien au contraire, Votre Honneur...

– Espèce de salope de menteuse.

– Silence dans la salle !

– Bon sang, tu baises mon cousin ?

– Garde, veuillez emmener cet homme.

Le juge fait retentir son marteau.

– L'audience est suspendue pour une demi-heure.

– Beau travail, me dit Sean du bout des lèvres quand je passe à côté de lui en sortant de la salle.

Même de dos, je peux sentir Mme Edler me fusiller du regard.

Une fois dans le couloir, je consulte mon téléphone en attendant de savoir si on va me rappeler à la barre. J'ai un message d'Alissa Dunphy, une associée junior du cabinet, qui me demande d'enquêter sur la possible réapparition de Roland Peterson, un bon à rien de père qui a préféré quitter Miami du jour au lendemain il y a quelques mois plutôt que de payer à son ex-femme les milliers de dollars de pension alimentaire qu'il lui devait pour elle et leur enfant.

– Eh bien, on ne peut pas dire que ce fut une agréable surprise, dit une voix derrière moi tandis que je jette mon téléphone dans mon immense sac en toile.

La voix en question est celle de l'avocat de Janice Elder. Il s'appelle Owen Weaver, il doit avoir la trentaine, juste quelques années de plus que moi. Je remarque ses dents blanches parfaitement alignées, elles jurent un peu avec son grand sourire à la fois tordu et chaleureux.

– Je ne fais que mon travail, lui dis-je, sans avoir vraiment l'air désolée.

– Êtes-vous obligée de le faire aussi bien ?

Son sourire qui s'étend jusqu'aux oreilles et la douceur de ses yeux noisette me disent qu'on ne parle plus vraiment de l'affaire.

– Rendez-moi un service, dit-il.

– Si je peux.

– Dînez avec moi, continue-t-il, en confirmant mes soupçons.

– Quoi ?

– Un dîner ? Avec moi ? Le restaurant de votre choix ? Samedi soir ?

– Vous m'invitez à dîner ?

– Vous avez l'air surprise.

– C'est-à-dire qu'au vu des circonstances…

– Vous parlez du fait que vous venez de réduire mon affaire en miettes ?

– Entre autres.

– Il faut quand même qu'on se nourrisse.

– C'est vrai aussi.

La porte de la salle d'audience s'ouvre d'un seul coup et Sean Holden avance d'un pas décidé vers moi.

– Excusez-moi un instant… mon patron…

– Bien sûr.

Owen Weaver sort une carte de visite de la poche de sa veste bleu marine et me la tend.

– Appelez-moi.

Il sourit, d'abord à moi, puis à Sean.

– Laissez-moi discuter dix minutes avec ma cliente, lui dit Owen avant de s'en aller.

Sean acquiesce.

– C'était quoi, ça ?

Je glisse la carte dans mon sac et hausse les épaules, comme pour dire que cette conversation était sans importance. Sean se retourne vers la salle d'audience, je l'imite. Le mari de Mme Elder est debout à côté de la porte, seul, impassible, les poings serrés, les bras le long du corps, les muscles tendus, prêt à exploser. Il croise mon regard et murmure le mot *salope*, comme pour transférer sur moi la colère qu'il éprouve contre sa femme. Ce n'est pas la première fois que je suis la cible d'une colère déplacée.

Quand l'audience reprend une demi-heure plus tard, on apprend que Mme Elder accepte de retirer sa plainte si notre client en fait autant. Il maugrée mais finit par céder et tout le monde rentre chez soi mécontent, ce qui, je l'ai appris, est le signe d'un accord réussi. Sean et moi sommes contents, en tout cas.

– Il faut que j'y aille, me dit-il en sortant du tribunal. On se voit plus tard. Oh, et, Bailey… ajoute-t-il en arrêtant un taxi et en s'y engouffrant. Félicitations. Tu as vraiment fait du beau boulot.

Je regarde le taxi disparaître dans les embouteillages avant d'en arrêter un à mon tour pour retourner vers Biscayne Boulevard. Malgré notre victoire au tribunal, je suis un peu triste. Je crois que j'espérais mieux qu'une pseudo-tape dans le dos. Un déjeuner aurait été le bienvenu, me dis-je, en retrouvant ma voiture dans le parking souterrain. Je monte dans la voiture, ouvre la boîte à gants et range mon arme dans mon sac, elle atterrit sur la carte d'Owen Weaver. Je me demande si je dois accepter son invitation. J'ai passé bien trop de samedis soir toute seule depuis que j'ai rompu avec mon petit ami.

Vingt minutes plus tard, en tournant au coin de la 129e, au nord de la ville, je me demande toujours si je dois accepter ou non l'invitation. Je gare ma voiture dans une rue calme et résidentielle, puis je marche en direction d'un immeuble jaune citron tout au bout d'un alignement de résidences du même style – des bâtiments à l'ancienne, pastel, avec peu d'étages. C'est là que vit Sara McAllister. Sara était la compagne de Roland Peterson à l'époque où il s'est enfui de Miami au lieu de subvenir aux besoins de son enfant. Mon instinct me dit qu'elle pourrait très bien être la raison de son retour ; j'ai bien l'intention de découvrir si c'est le cas.

Au bout de la rue se trouve une petite parcelle de terrain recouverte de buissons, un endroit à la fois retranché et isolé malgré sa proximité avec la chaussée. Je n'aurais pas pu rêver d'une meilleure planque. Je jette un rapide coup d'œil autour de moi pour m'assurer que personne ne me regarde, je sors les jumelles de mon sac et me glisse dans les buissons. J'arrache quelques tulipes corail en m'accroupissant au milieu des fleurs, puis je pose les jumelles sur mon nez. Je vise l'appartement du deuxième d'un bâtiment de quatre étages et ajuste les deux focales jusqu'à ce qu'elles fusionnent en une seule image.

Les rideaux du salon de Sara MacAllister sont ouverts, mais les lumières étant éteintes, il est difficile de distinguer quoi que ce soit à l'intérieur, à l'exception d'un abat-jour blanc près de la fenêtre. On dirait qu'il n'y a personne, ce qui n'est pas surprenant. Sara travaille comme vendeuse chez Nordstrom et ne finit en général que vers 18 heures. Je ne découvrirai pas grand-chose à cette heure-ci, alors je décide de revenir plus tard dans la soirée.

J'ai deux rendez-vous prévus cet après-midi ainsi qu'une tonne de paperasse à terminer. Je veux aussi appeler Heath, mon frère. Je n'ai aucune nouvelle de lui depuis une semaine et je ne peux pas m'empêcher de m'inquiéter. Je jette un dernier coup d'œil autour de moi, dans cette vieille rue écrasée par un soleil de plomb, comme arrêtée dans le temps, aussi figée qu'une photo.

Je vois quelque chose briller à travers une fenêtre en face, l'ombre de quelqu'un qui recule. Est-ce qu'on me regardait ?

Je brandis à nouveau mes jumelles, mais il n'y a personne à l'horizon. Ma paranoïa est sûrement due à une déformation professionnelle. Je quitte les buissons, enlève un hibiscus qui est venu se loger sur l'épaule de ma chemise blanche et nettoie mes genoux pleins de terre. Je me dis qu'il faudra que j'enfile une tenue plus appropriée avant de revenir ce soir. Ce soir. Quand je pourrai me servir de la nuit comme d'un bouclier.

Je suis assez stupide pour croire que cela suffira à me protéger des regards encore plus indiscrets que le mien.

2

Voilà ce dont je me souviens : l'air chaud de la nuit, l'obscurité qui m'enveloppe aussi délicatement qu'un châle en cachemire, une brise légère qui effleure les buissons dans lesquels je me cache et leurs fleurs corail qui se sont refermées pour la nuit. Je me souviens vaguement de leur parfum tandis que j'observe à travers mes jumelles l'appartement de Sara McAllister au deuxième étage, les genoux douloureux d'être restée trop longtemps dans la même position, les orteils engourdis. Il est presque minuit, je suis là depuis des heures et la lassitude s'empare de mon cerveau comme un boa constrictor affamé. Je me dis que si je ne vois pas quelque chose − *n'importe quoi* − d'ici quelques minutes, je rentrerai chez moi.

C'est alors que je l'entends − un craquement de branche peut-être, bien que je n'en sois pas sûre, qui m'avertit d'une présence derrière moi. Je me tourne pour regarder, mais c'est déjà trop tard. Une main gantée me couvre aussitôt la bouche pour étouffer mes cris. Je sens le goût du cuir, vieux, usé, terreux. Et puis ces mains, partout me semble-t-il, sur mes épaules, dans mes cheveux, m'arrachant les jumelles. Des poings s'abattent sur mon estomac et sur le côté de mon crâne, rendant le monde flou autour de moi. Le sol se dérobe sous mes pieds. On m'enfile brutalement une taie d'oreiller sur la tête. Je ne peux pas respirer et je panique. *Garde ton sang-froid*, me dis-je, en m'efforçant de retrouver mon équilibre et de contrôler la peur qui m'envahit. Enregistre bien tout ce qui est en train de se passer.

Sauf que tout se passe trop vite. Mais même avant qu'on ait placé la taie sur ma tête, que le coton blanc ait remplacé la noirceur de la nuit, je n'ai pu distinguer qu'une forme vague. Un homme probablement, mais jeune ou vieux, gros ou mince, noir, basané ou blanc, je serais incapable de le dire. Est-ce que l'homme que je guettais m'attendait ? Est-ce qu'il m'a repérée dans les buissons en attendant son heure ?

Je me rassure en me disant que c'est une bonne nouvelle. S'il s'agit de Roland Peterson, il voudra simplement m'effrayer. S'il me tuait, il aurait encore plus de problèmes et il en a déjà suffisamment comme ça. Il va me secouer un petit peu, me coller la peur de ma vie, mais ensuite il disparaîtra. Plus vite j'arrêterai de me débattre, plus vite il me laissera tranquille.

Sauf qu'il ne me laisse pas tranquille. Il me retourne et tire sur mes vêtements, ses doigts arrachent les boutons de ma chemise noire et soulèvent mon soutien-gorge au-dessus de mes seins. Je crie « Non ! » quand je réalise ce qui est en train de se passer. Un autre poing s'écrase contre ma mâchoire, remplissant ma bouche de sang. « Arrêtez. S'il vous plaît. Ne faites pas ça. » Mais mes suppliques sont étouffées et, s'il les entend malgré tout, elles ne font rien pour arrêter ou même calmer sa férocité. La seconde d'après, il tire mon jean et descend ma culotte le long de mes hanches. Je lance des coups de pied avec rage et je crois que ma botte cogne sa poitrine, mais je n'en suis pas sûre. Il est possible que ce soit seulement dans ma tête.

Que se passe-t-il ? Où sont les habitants du quartier ? Je connais déjà la réponse. Il n'y a personne. Les gens qui vivent ici ont, pour la plupart, dépassé la soixantaine. Personne ne sort après 10 heures du soir, encore moins aux environs de minuit. Même le plus zélé des promeneurs de chiens a couché Médor il y a des heures.

Je sens toute la force du bras de cet homme me bloquer le cou et les épaules, m'épinglant comme un papillon sur un mur, pendant que son autre main fouille dans son pantalon. J'entends le bruit écœurant d'une braguette qui s'ouvre, puis encore des froissements et un emballage qu'on déchire. Je comprends qu'il va enfiler un préservatif, j'envisage de profiter de cette distraction, quand un crochet à l'estomac me coupe le souffle et anéantit toute tentative de fuite. L'homme ouvre rapidement mes jambes et me pénètre de force. Je sens le froid soudain du préservatif lubrifié quand il me déchire à l'intérieur, ses mains glissent pour attraper mes fesses. J'ordonne à mon corps de se déconnecter, mais je suis impuissante, je sens chaque pénétration brutale. Après ce qui semble une éternité, il finit enfin. Il me mord le sein droit en jouissant et je hurle. Quelques secondes plus tard, ses lèvres s'approchent de mon oreille et son souffle pénètre les minces fibres de la taie d'oreiller. Il sent le bain de bouche, la fraîcheur mentholée. « Dis-moi que tu m'aimes », grogne-t-il. Ses mains gantées se referment sur ma gorge. « Dis-moi que tu m'aimes. »

J'ouvre la bouche, j'entends le mot « connard » s'échapper d'entre mes lèvres. Il serre ma gorge encore plus fort. Mes narines se dilatent contre le tissu rêche de la taie et je suffoque de terreur, j'essaie de respirer, j'avale du sang. *Je vais mourir ici*, me dis-je, sans savoir combien de temps je vais réussir à rester consciente. Je vois mon père et ma mère et, pour la première fois, je suis heureuse qu'ils ne soient pas là pour avoir à supporter ça. Les pouces de l'homme écrasent ma trachée. De petits vaisseaux sanguins explosent dans mes yeux comme des feux d'artifice. Et puis, enfin, miséricordieusement, les ténèbres de la nuit se glissent sous mes paupières et je ne vois plus rien.

Quand je reviens à moi, l'homme est parti.

La taie d'oreiller qui me couvrait la tête a disparu et l'air nocturne me caresse le visage comme une petite langue de chat. Je reste allongée un moment, incapable de bouger. J'essaie de rassembler mes pensées éparpillées parmi les fleurs d'hibiscus arrachées tout autour de moi. Le goût du sang frais inonde ma bouche, une douleur lancinante perce entre mes jambes et mes seins meurtris sont couverts de bleus. Je suis nue à partir de la taille et, malgré mes yeux enflés et à moitié fermés, je peux voir les filets de sang qui se dessinent le long de mes cuisses.

Lentement, je remets mon soutien-gorge en place, ramasse ma chemise et récupère mon jean au milieu des buissons endommagés. Ma culotte a disparu, ainsi que mon sac en toile et, avec lui, mon pistolet et mon permis de port d'arme, mon portefeuille, mon téléphone portable, mon appareil photo, les clés de ma voiture et de mon appartement. Je réussis cependant à retrouver mes jumelles.

J'entends une voix crier « Aidez-moi », et je reconnais à peine cette voix comme étant la mienne. « Quelqu'un, s'il vous plaît, à l'aide. » Je me débats avec mon jean, puis tente de me redresser, mais j'ai les jambes en coton et elles cèdent, alors je rampe jusqu'à la rue où je me souviens d'avoir garé ma voiture.

Par miracle, ma Porsche argentée est toujours là. Sûrement trop voyante pour qu'on la vole. Probablement pas la voiture idéale pour quelqu'un qui exerce mon métier, mais elle appartenait à ma mère et je n'ai aucune intention de m'en séparer. Je m'agrippe à la poignée comme si c'était une bouée de sauvetage et j'essaie de me hisser sur mes pieds. Le système d'alarme perfectionné explose aussitôt dans une cacophonie de klaxons, de sirènes et de sifflets. Je m'effondre sur la chaussée, adossée à la portière, les jambes étendues devant moi. Je regarde vers l'appartement que j'épiais et vois un homme apparaître à la fenêtre. Je lève instinctivement mes jumelles. Mais elles sont trop lourdes et je suis trop faible. Elles tombent à côté de moi, claquent contre le bitume. Puis plus rien.

Après ça, je me réveille à l'arrière d'une ambulance.

– Ça va aller, dit un ambulancier.

– Ça va aller, répète une autre voix.

Ils se trompent.

C'était il y a deux semaines. Je suis rentrée chez moi depuis. Mais ça ne va pas du tout. Je ne dors pas, du moins pas sans puissants médicaments, et je ne mange pas. Quand j'essaie, je vomis. J'ai perdu presque cinq kilos que je ne pouvais pas me permettre de perdre, étant déjà trop maigre au départ. Pourtant je ne fais pas exprès. Je n'ai jamais fait partie de ces femmes qui suivent des régimes et font attention à ce qu'elles mangent. Et je déteste faire du sport. À vingt-neuf ans, j'ai toujours été naturellement mince. On m'appelait « sac d'os » au lycée. J'ai été la dernière fille de la classe à porter un soutien-gorge. Même si, quand mes seins ont fini par sortir, ils sont devenus si gros et ronds que c'en était presque suspect. « Des implants, c'est certain », a murmuré une avocate de Holden, Cunningham & Kravitz à ses collègues le mois dernier, alors que je les dépassais dans le couloir. Enfin, je crois que c'était le mois dernier. Je ne suis pas sûre. J'ai perdu la notion du temps. Une autre ligne dans ma liste « ce que j'ai perdu ». Juste en dessous de « confiance en soi ». Juste au-dessus de « santé mentale ».

J'ai perdu toute mon allure aussi. Avant, on me trouvait jolie. Grande aux yeux gris-bleu, les pommettes saillantes, des dents légèrement en avant qui donnaient à mes lèvres l'air d'être plus charnues qu'elles ne le sont vraiment, des cheveux épais et bruns.

Désormais, j'ai les yeux vitreux qui pleurent en permanence, cernés de bleus, les joues creuses et égratignées, et les lèvres gercées. Elles sont même déchirées par endroits car je les mords, une habitude que j'avais enfant et qui est revenue depuis quelques jours. Mes cheveux, autrefois grande source de joie et de fierté, tombent sans vie autour de mon visage, asséchés par trop de lavages, comme ma peau, presque écorchée par toutes les douches que je prends. Mais même avec trois, parfois quatre douches par jour, je ne me sens jamais propre. C'est comme si je m'étais traînée dans la boue pendant des semaines et que la crasse s'était incrustée si profond dans les pores de ma peau qu'elle avait infiltré mon sang. Je suis contaminée. Toxique. Un danger pour tous ceux qui me regardent. Pas étonnant que je ne me reconnaisse pas dans un miroir. Je suis devenue une de ces femmes qui font peine à voir, de celles qu'on aperçoit aux coins des rues, les épaules voûtées, les mains tremblantes et tendues qui demandent l'aumône, le genre de femme qu'on évite. Le genre de femme à qui on reproche secrètement son sort.

Cette femme est devenue ma colocataire et ma compagne de chaque instant. Elle me suit d'une pièce à l'autre, comme le fantôme de Marley chez Dickens, elle erre sur le marbre beige de mon grand trois-pièces. Elle et moi habitons au vingt-deuxième étage d'une tour en verre ultramoderne à Brickell, une zone de Miami qu'on appelle souvent le « Wall Street du Sud ». En plus d'être le cœur financier de la ville, ce quartier est peuplé de centres commerciaux haut-de-gamme, d'hôtels de luxe, sans parler de la bonne dizaine de milliers de résidences chics qui offrent un panorama à la fois sur la ville et sur l'océan. À travers l'immense baie vitrée de mon salon, on a une vue imprenable sur la Miami River. Les fenêtres de ma chambre, toutes aussi grandes, donnent, elles, sur l'arrière d'autres tours en verre.

Malheureusement, de nombreux appartements sont vides, la récente crise économique ayant particulièrement frappé le marché de l'immobilier en Floride. Malgré ça, une autre tour est en train de pousser en face de chez moi. Il y a des grues partout. « L'oiseau le plus populaire du pays », disait souvent ma mère pour plaisanter. Miami avait déjà suffisamment de tours en verre, selon moi. Mais qui suis-je pour trouver à y redire ? J'en habite une aussi, après tout...

J'ai emménagé l'an dernier. Mon père m'a acheté cet appartement, tout en répétant qu'il aurait été ravi que je reste à la maison pour toujours. Mais il a fini par accepter qu'il était certainement temps pour moi d'être indépendante. Ma mère était morte depuis deux ans. J'avais un travail. J'avais un petit ami. J'avais toute la vie devant moi.

Bien sûr, c'était avant.

Nous voilà à maintenant.

Maintenant, je n'ai plus rien. J'ai mis mon travail entre parenthèses, je n'ai plus de petit ami et mon père est mort d'une crise cardiaque foudroyante il y a quatre mois, en me laissant orpheline. Enfin, je crois qu'il est mort il y a quatre mois. Comme je l'ai dit, j'ai perdu la notion du temps. C'est ce qui arrive quand on passe ses journées chez soi, qu'on sursaute chaque fois que le téléphone sonne et qu'on ne quitte son lit que pour prendre sa douche ou aller aux toilettes. Quand vos uniques visites sont celles de la police ou du seul de vos frères et sœurs qui n'a pas intenté une action en justice contre vous pour remettre en cause le testament de votre père...

Merci, mon Dieu, j'ai Heath, mon frère, même s'il ne m'aide pas vraiment. Il s'est effondré à l'hôpital quand il est venu me voir la première fois après l'agression. Il s'est évanoui et a failli se cogner la tête contre le bord du lit. La scène était presque comique. Les médecins et les infirmières m'ont délaissée une seconde pour se précipiter vers lui. « Il est tellement mignon », ai-je entendu murmurer une infirmière. Je ne peux pas lui reprocher d'avoir été momentanément distraite par le physique avantageux de Heath. Mon frère, mon aîné de onze petits mois, est de loin le plus beau des enfants de mon père. Ses cheveux bruns tombent dans ses yeux d'une couleur incroyable, un vert profond, les cils qui les bordent sont incroyablement longs et féminins. Toutes les femmes tombent amoureuses de lui. Les hommes aussi, d'ailleurs. Et Heath n'a jamais su dire non. À qui que ce soit. À quoi que ce soit.

À l'hôpital, on m'a auscultée minutieusement puis on m'a annoncé que j'avais eu de la chance. Un choix de mots discutable, ce qui s'est sans doute vu sur mon visage parce qu'ils ont aussitôt ajouté que par « chance » ils parlaient du fait que mon agresseur avait utilisé un préservatif et n'avait pas éjaculé en moi. Je n'ai donc pas eu à prendre un de ces horribles traitements contre le sida, ni de pilule du lendemain pour parer à une grossesse non désirée. Il m'a épargné ça. Quel violeur prévenant. L'inconvénient, c'est qu'il n'a laissé aucune trace derrière lui. Donc aucune ADN à passer dans les ordinateurs perfectionnés de la police scientifique. À moins que je ne puisse donner une information supplémentaire aux inspecteurs, à moins que je ne me souvienne de quelque chose, *de n'importe quoi…*

– Réfléchissez, m'a dit doucement dans mon souvenir le gentil policier en uniforme, la nuit de mon agression. Vous souvenez-vous de quoi que ce soit au sujet de cet homme, n'importe quoi ?

J'ai secoué la tête et j'ai senti mon crâne se fissurer. Ça m'a fait mal, mais essayer de parler faisait plus mal encore.

– Est-ce qu'on peut tout reprendre, juste une dernière fois, mademoiselle Carpenter ? m'a demandé une autre voix, de femme, celle-là. Parfois, plus on repense à quelque chose, plus on arrive à se souvenir. Quelque chose qu'on ne croyait pas important…

Mais bien sûr, ai-je pensé. Important. Tu parles.

– Vous vous appelez Bailey Carpenter et vous habitez au 1228 First Avenue. C'est exact ?

– Oui, c'est ça.

– C'est dans le centre-ville, ça. On vous a trouvée dans le nord de Miami.

– Oui. Comme je vous l'ai dit, je surveillais un appartement là-bas. Je suis enquêtrice pour Holden, Cunningham & Kravitz.

– C'est un cabinet d'avocats ?

– Oui. J'étais à la recherche d'un homme du nom de Roland Peterson qui a quitté la ville il y a deux ans. Nous représentons son ex-femme et nous avons appris que M. Peterson était peut-être revenu en ville pour rendre visite à son ex-petite amie.

– Donc vous espionniez l'appartement de la petite amie ?

– Oui.

– Pensez-vous que Roland Peterson soit l'homme qui vous ait agressée ?

– Je ne sais pas. Allez-vous l'arrêter ?

– En tout cas, nous allons vérifier.

Je me suis dit que Roland Peterson, qu'il soit l'homme qui m'ait violée ou simplement un père démissionnaire, devait certainement être déjà bien loin de Miami.

– Pouvez-vous décrire l'homme qui vous a agressée ?

J'ai de nouveau secoué la tête et j'ai eu l'impression que mon cerveau s'échappait par mon oreille gauche.

– Prenez quelques minutes, m'a conseillé la femme.

J'ai remarqué qu'elle était habillée en civil, ce qui voulait probablement dire qu'elle était inspecteur.

– Je sais que ce n'est pas facile, mais si vous pouviez essayer de vous revoir dans ces buissons…

L'inspecteur Marx est-elle à ce point naïve ? Ne se rend-elle pas compte que je serai dans ces buissons pour le reste de ma vie ?

Je me souviens d'avoir pensé qu'elle était trop menue, trop frêle pour être officier de police, ses yeux vert clair trop doux, trop gentils.

– C'est juste que tout s'est passé si vite. Je sais que c'est un cliché. Je sais que j'aurais dû être plus prudente, faire plus attention à ce qui se passait autour de moi…

– Ce n'était pas votre faute, m'a-t-elle interrompue.

– Mais j'ai fait du judo et du taekwondo, dis-je, ce n'est pas comme si je ne savais pas me défendre.

– Tout le monde peut être pris par surprise. Avez-vous entendu quoi que ce soit ?

– Je ne sais pas, lui ai-je répondu, en essayant de me souvenir et de ne pas me souvenir à la fois. J'ai *senti* quelque chose. Un léger bruissement dans l'air. Non, attendez. J'ai bien *entendu* quelque chose, peut-être un pas, peut-être une branche cassée. J'ai voulu me retourner et puis…

L'officier m'a alors tendu un mouchoir sorti de nulle part. Je l'ai attrapé mais l'ai déchiré avant même de pouvoir m'essuyer les yeux avec.

– Il a commencé à me frapper. Il me donnait des coups de poing au ventre et au visage. Je n'ai rien pu faire. Il a enfilé une taie d'oreiller sur ma tête. Je ne voyais plus rien. Je ne pouvais plus respirer. J'avais tellement peur.

– Avant qu'il ne vous frappe, avez-vous remarqué quelque chose ? Sa carrure ? Sa taille ?

J'ai essayé de revoir cet homme. J'ai vraiment essayé. Mais je n'ai vu que la noirceur de la nuit suivie de la blancheur étouffante de la taie d'oreiller.

– Avez-vous pu voir ce qu'il portait ?

Encore et toujours, je secoue la tête.

– Il devait porter du noir. Et un jean. Il portait un jean. J'ai entendu le bruit de sa braguette et j'ai eu envie de hurler pour étouffer ce bruit.

– Bien. C'est très bien, Bailey. Vous avez *vu* des choses. Vous êtes *capable* de vous souvenir.

Je me suis sentie bêtement fière de moi et j'ai réalisé à quel point j'avais envie de faire plaisir à cette femme aux yeux si doux et si verts.

– Pouvez-vous me dire de quelle couleur il était, s'il était noir, blanc ou latino ?

– Blanc, ai-je dit. Peut-être latino. Je crois qu'il était brun.

– Autre chose ?

– Il avait de grandes mains. Il portait des gants en cuir.

J'ai de nouveau senti le goût du cuir usé et ravalé mon envie de vomir.

– Avez-vous une idée de sa taille ?

– Je crois qu'il était de taille moyenne.

– Vous souvenez-vous s'il était gros, mince, costaud ?

– Moyen, ai-je répété.

Est-ce qu'il est possible d'être moins précise que ça ? J'ai été entraînée à remarquer les moindres détails. Mais tout cet entraî-nement a volé en éclats au premier coup de poing.

– Il était très fort.

– Vous vous êtes débattue.

– Oui. Mais il a continué à me frapper, donc je n'ai jamais pu m'approcher suffisamment pour l'atteindre. À aucun moment je n'ai pu voir son visage. Tout était flou. Et puis il a enfilé cette taie d'oreiller sur ma tête…

– Avez-vous remarqué ses chaussures ?

– Non. Oui ! me suis-je corrigée, en revoyant dans un flash la célèbre virgule Nike incrustée dans le tissu de ses chaussures. Il portait des baskets Nike noires.

– Une idée de sa pointure ?

– Bon sang, non. Je ne sers à rien. Absolument à rien. Je ne sais rien.

– Si, vous savez, m'a corrigé l'officier. Vous vous êtes souvenue des baskets.

– La moitié de la population de Miami porte des baskets comme celles-ci.

– A-t-il dit quelque chose ?

– Non.

– Vous êtes sûre ?

– Il n'a rien dit.

C'est à ce moment-là que j'ai senti les lèvres de l'homme s'approcher de mon oreille et sa voix pénétrer la taie d'oreiller aussi violemment et horriblement qu'il me pénétrait moi. *Dis-moi que tu m'aimes.*

Tout mon corps s'est mis à trembler. Comment avais-je pu oublier ça ? Comment mon esprit avait-il pu effacer quelque chose d'aussi évident et essentiel, d'aussi important ?

– Il vous a dit de lui dire que vous l'aimiez ? a répété l'inspecteur Marx, incapable de cacher sa surprise et son dégoût.

– Oui. Il l'a dit deux fois.

– L'avez-vous fait ?

– Fait quoi ?

– Lui dire que vous l'aimiez ?

– Non. Je l'ai traité de connard.

– Bien, a-t-elle conclu et, une fois encore, j'ai senti un élan de fierté.

– OK, Bailey. C'est très important. Pouvez-vous me dire à quoi ressemblait sa voix ?

Avant que j'aie le temps de répondre, elle a précisé :

– Est-ce qu'il était américain ? Est-ce qu'il avait un accent ? Est-ce que sa voix était grave ou aiguë ? Est-ce qu'il avait un cheveu sur la langue ? Est-ce qu'il avait l'air jeune ou vieux ?

– Jeune, ai-je répondu. Enfin, pas vieux, en tout cas. Mais pas adolescent non plus, ai-je précisé en essayant de me souvenir de la façon dont on pouvait identifier un adolescent. Il murmurait – en fait, c'était plus un râle. Je n'ai entendu ni accent, ni cheveu sur la langue.

– Bien. C'est très bien, Bailey. Vous vous en sortez très bien. Est-ce que vous pensez que vous reconnaîtriez sa voix si vous l'entendiez à nouveau ?

Oh, mon Dieu, ai-je pensé, le cœur au bord des lèvres à cause de la panique. Faites que je n'aie pas à entendre à nouveau sa voix.

– Je ne sais pas. Peut-être. Comme je vous l'ai dit, il murmurait.

Une autre bouffée de panique. Une nouvelle montée de larmes. Un autre mouchoir.

– S'il vous plaît, je veux juste rentrer chez moi.

– Nous n'avons plus que quelques questions.

– Non. Plus de questions. Je vous ai tout dit.

Pour résumer, je lui avais dit que l'homme qui m'avait violée était probablement un Blanc de taille moyenne et de poids moyen, entre vingt et quarante ans, brun, avec un faible pour les baskets Nike noires. Bref, je ne lui avais rien dit du tout.

– OK, a-t-elle acquiescé, malgré la réticence dans sa voix. Est-ce que ça vous va si on vient vous voir chez vous demain ?

– Pour quoi faire ?

– Au cas où vous vous souviendriez d'autre chose. Parfois une bonne nuit de sommeil…

– Vous croyez que je vais réussir à dormir ?

– Je crois que les médecins vont vous prescrire quelque chose qui pourra vous y aider.

– Vous croyez que quelque chose pourra m'aider ?

– Je sais que vous n'en avez pas l'impression pour l'instant, a-t-elle répondu en posant une main amicale sur mon bras ; je dois me forcer à ne pas reculer quand elle me touche. Mais vous *finirez* par surmonter tout ça. Votre vie *redeviendra* normale.

Ses certitudes m'épatent autant que sa naïveté. Ai-je un jour eu une vie normale ?

Résumons l'histoire de ma famille. Mon père, Eugene Carpenter, s'est marié trois fois et s'est reproduit sept fois : un garçon et une fille avec sa première femme, trois garçons avec la deuxième, puis Heath et moi avec la troisième. Homme d'affaires et investisseur prospère ayant fait fortune sur les marchés financiers, en achetant souvent au prix le plus bas pour revendre au plus haut, mon père a plus d'une fois attiré l'attention de la brigade financière à cause de sa chance suspecte. Mais malgré tous leurs efforts, ils n'ont jamais pu prouver quoi que ce soit ressemblant à de la malversation ou à une malhonnêteté de sa part. Ce fut une grande fierté pour mon père et une tout aussi grande frustration pour son fils aîné, l'assistant du procureur général, qui avait lancé une procédure contre lui. Mon père a par conséquent coupé les ponts avec lui et en a profité pour le déshériter par la même occasion. D'où le procès contre son testament, dont Heath et moi sommes les seuls bénéficiaires. Nos autres demi-frères et sœur se sont joints à la procédure pour réclamer ce qu'ils estiment leur être dû.

Je ne peux pas dire que je leur en veuille. Mon père était, au mieux, un piètre mari pour leurs mères et un père indifférent pour eux. Il avait, en outre, un sens de l'humour tordu, voire cruel. Il a appelé les trois fils qu'il a eus avec sa deuxième femme Thomas, Richard, et Harrison[1], et bien qu'il ait toujours affirmé que c'était involontaire, du moins jusqu'à ce que Harry ne vienne au monde, une chose était sûre : il montait constamment ses fils les uns contre les autres. Je crois que sans cette action en justice, aucun des trois ne se parlerait encore aujourd'hui.

Aussi incroyable que cela puisse paraître, Heath et moi avons connu un tout autre père. Il était aimant et présent et nous avons eu une enfance idyllique. Je me dis que c'est grâce à ma mère. De dix-huit ans sa cadette, il a souvent affirmé que c'était la première femme qu'il ait vraiment aimée, celle qui lui avait appris à être un homme. Et je crois qu'il nous aimait comme il l'aimait elle. Le père dont je me souviens était tendre et généreux, un homme au cœur doux et farouchement protecteur. Quand ma mère est morte il y a trois ans d'un cancer des ovaires à l'âge tragique de cinquante-cinq ans, il a été dévasté par le chagrin. Pourtant, il ne nous a jamais laissés tomber, il n'a jamais cherché à redevenir l'homme qu'il avait été, l'homme que nos demi-frères et sœur avaient connu.

Il a toujours été là pour moi.

Et puis, soudainement, il ne l'a plus été.

L'homme que je pensais invincible est mort d'une crise cardiaque à l'âge de soixante-seize ans.

C'était il y a quatre mois.

Depuis, j'ai rompu avec mon petit ami, Travis, et je me suis embarquée dans ce que la plupart des gens considéreraient comme une aventure pas très judicieuse avec un homme marié. Non pas que l'un ait un rapport avec l'autre. Mon histoire avec Travis se

---

1 En anglais, ces trois prénoms donnent les surnoms courants suivants : « Tom, Dick, Harry ». Or, cette expression est l'équivalent en français de « Pierre, Paul, Jacques », qui désigne à la fois tout le monde et personne. Appeler ses trois enfants ainsi fait résonner une certaine moquerie à leur égard.

détériorait depuis un moment. J'étais sous le choc de la disparition soudaine de mon père, je traversais une nouvelle période de crises d'angoisse quotidiennes. J'avais déjà connu ça après la mort de ma mère, ces moments où mes jambes étaient en coton, où mes poumons ne pouvaient plus aspirer assez d'air pour que je respire. J'ai essayé de cacher ces crises, avec un grand succès. Mais il y a eu un homme qui ne s'est pas laissé berner aussi facilement. « Est-ce que tu vas me dire ce qu'il se passe, m'a-t-il demandé. Ce qu'il se passe *vraiment* ? » Et c'est ce que j'ai fait. À contrecœur d'abord, puis de façon compulsive, comme si une fois que cette vanne-là avait été ouverte, il était impossible de la refermer. Il est rapidement devenu mon ami le plus proche, mon confident et enfin, sans doute inévitablement, mon amant.

Je savais dès le départ qu'il ne quitterait jamais sa femme. Elle était la mère de ses enfants et il ne s'imaginait pas devenir un père à temps partiel, aussi malheureux que fût son mariage. Il disait que si sa femme et lui se disputaient rarement, c'était parce qu'ils vivaient chacun leur vie ; et même si on les voyait souvent ensemble en public, chacun vivait dans un coin séparé de la maison. Ils ne faisaient plus l'amour depuis des années.

Est-ce que j'y crois ? Suis-je aussi naïve ? Je ne sais pas. Je sais seulement que, quand je suis avec lui, quand nous sommes ensemble, je suis à la fois où et qui je veux être. C'est aussi simple – aussi compliqué, aussi complexe, aussi affreux – que ça.

Quand je pense maintenant aux fois où on a fait l'amour, à la douceur de ses doigts caressant mon corps, à sa langue s'enfonçant doucement en moi, à son savoir-faire qui me conduisait à l'orgasme, il me paraît impossible qu'un acte si plein d'amour et de tendresse puisse, en d'autres circonstances, déborder de rage et de haine, que ce qui donne tant de plaisir puisse aussi infliger tant de douleur. Je me demande si je pourrai un jour de nouveau aimer la caresse d'un homme, ou si, chaque fois qu'un homme me pénétrera, je sentirai un violeur déchirer ma chair, si, chaque fois que les lèvres d'un homme s'approcheront de mes seins, je tremblerai d'horreur et de dégoût. Je me demande si je pourrai un jour apprécier le sexe de nouveau ou si c'est encore quelque chose qu'on m'a enlevé pour toujours.

Quand ils m'ont ramenée chez moi de l'hôpital, après tous les examens et des heures d'interrogatoire, mon frère était si traumatisé qu'il a dû fumer quatre joints de suite avant de pouvoir se calmer. « On devrait appeler Travis », marmonnait-il sans cesse. Et puis il est tombé de sommeil. Bien que Travis et moi ne soyons plus ensemble, il sont toujours amis tous les deux – ils étaient amis avant que Travis et moi ne formions un couple. En fait, c'est Heath qui nous a présentés. Il ne comprend toujours pas pourquoi nous avons rompu. Je préfère ne pas lui donner les raisons de notre séparation, il est déjà assez contrarié comme ça.

Je suis debout face à la fenêtre de ma chambre, dans l'appartement que je ne quitte jamais. Je regarde d'un air absent l'arrière d'une demi-douzaine de tours en verre identiques, les yeux vides de mon reflet me regardent en retour et mes doigts sont resserrés autour des jumelles qui sont presque devenues une extension de mes mains. Elles sont largement ébréchées sur le côté, à l'endroit où elles ont frappé le sol après l'agression. Mes doigts cherchent instinctivement la brèche, comme ils le feraient d'une croûte sur une plaie. Je pose les jumelles sur mes yeux et j'entends la voix de ma mère : *Dis-moi ce que tu vois.* Je me concentre sur les chantiers alentour, je regarde un ouvrier se disputer avec un collègue, ses doigts pointant avec colère la poitrine de l'homme, puis un troisième qui intervient.

Lentement, je pose mes yeux ailleurs, les deux cercles des jumelles se joignent et se séparent tandis que mon regard se déplace d'un étage à l'autre, en réajustant en permanence la mise au point. Je finis par m'arrêter sur l'immeuble juste derrière le mien, je glisse d'une fenêtre à l'autre, j'envahis la vie des gens sans qu'ils s'en doutent, sans qu'ils aient le moindre soupçon. J'enregistre leurs petites habitudes, je viole leur intimité, je les amène à moi en gardant une distance de sécurité.

Le téléphone à côté de mon lit sonne et je sursaute, mais je ne fais pas un geste pour répondre. Je ne veux parler à personne. Je suis fatiguée de répéter aux gens que ça va aller, que ça va de mieux en mieux au fil des jours.

Ça ne va pas et ça n'ira pas.

J'appuie les jumelles sur mon visage, regarde l'univers à distance. Je ne veux pas m'approcher plus du monde extérieur.

3

On dit souvent qu'il ne sert à rien de s'énerver contre les choses qu'on ne peut pas contrôler. Je le pensais moi aussi avant. Jusqu'à ce qu'on diagnostique un cancer à ma mère. Jusqu'à ce que je voie, impuissante, la maladie lui arracher ses forces, son sourire et finalement sa vie. Jusqu'à ce que mon père succombe à une crise cardiaque, quelques semaines après un bilan de santé impeccable. Jusqu'à ce qu'un homme me surprenne accroupie au milieu d'un bosquet d'arbustes parfumés, qu'il m'arrache mes vêtements, ma dignité et ce qu'il pouvait encore me rester de paix intérieure. Je sais désormais que le contrôle est, au mieux, une illusion inoffensive, au pire, un leurre dangereux.

Je n'ai jamais eu beaucoup d'amis. Je ne suis pas sûre de savoir pourquoi. En général, je suis plutôt sociable. Je m'entends bien avec les gens. Je suis à l'aise pour bavarder – trop à l'aise peut-être. Je le suis moins avec les sujets importants. Je n'ai jamais ressenti le besoin de m'asseoir pour parler de mes sentiments. Je n'ai jamais eu envie de parler en détail de relations privées. Jocelyn, mon amie du lycée que je n'ai pas vue depuis des années, disait que je me comportais plus comme un garçon pour ces choses-là, que je parlais plus volontiers de banalités que d'histoires personnelles. Elle disait que, même si j'étais une oreille attentive, je ne parlais jamais de mes problèmes, je ne laissais jamais personne s'approcher vraiment de moi. Elle disait que j'avais du mal à faire confiance, probablement parce que ma famille avait autant d'argent et qu'elle n'était pas soudée. Je ne suis pas sûre que ce soit vrai. Je crois que je ne suis simplement pas très douée quand il s'agit de laisser quelqu'un s'approcher de moi. Peut-être étais-je simplement plus à l'aise pour observer que pour participer. Mais c'est juste ma façon d'être. C'est peut-être ce qui fait de moi une aussi bonne détective.

Quoi qu'il en soit, Jocelyn a disparu depuis longtemps. Elle a pris une année sabbatique après le lycée pour voyager en Europe, puis elle est partie dans l'Ouest pour poursuivre ses études à Berkeley. Je suis restée ici, en Floride. On s'est perdues de vue, bien qu'elle m'ait demandé de l'ajouter comme amie sur Facebook il y a quelques années. Je comptais accepter, mais c'était à l'époque où ma mère était en train de mourir et je n'ai jamais pris le temps de le faire.

Aussi cliché que ça puisse paraître, ma mère a toujours été ma meilleure amie. Je n'arrive toujours pas à croire qu'elle ne soit plus là. Elle me manque tous les jours. Mais, même si ses câlins et ses baisers apaisants sur mon front me manquent douloureusement, je lui suis infiniment reconnaissante de ne plus être là pour me voir aujourd'hui. Même ses baisers ne pourraient pas me guérir.

Au bureau, je suis devenue amie avec Alissa Dunphy, pour qui je travaillais la nuit de mon agression, et avec Sally Ogilby, l'assistante de Phil Cunningham, le meilleur avocat du droit de la famille du cabinet. Mais je les vois rarement en dehors du travail. Alissa est enchaînée à son bureau, déterminée à être nommée associée avant ses trente-cinq ans, et Sally est mariée, maman d'un petit garçon de trois ans et enceinte de son deuxième enfant, une fille cette fois, qui naîtra dans quelques mois. Ça ne lui laisse pas beaucoup de temps libre. Sa vie est bien remplie. Nos vies sont toutes bien remplies.

Correction : *étaient*.

Ma vie était bien remplie. Ma vie était tout un tas de choses.

Alissa m'appelle tous les jours depuis l'agression, elle me répète constamment à quel point elle est désolée, à quel point elle se sent responsable, me demande s'il y a quoi que ce soit qu'elle puisse faire pour m'aider à traverser cette période difficile. Je lui dis que non, il n'y a rien à faire et je peux presque l'entendre soupirer de soulagement.

– Tu me diras… me dit-elle avant de raccrocher… si tu as besoin de quoi que ce soit…

J'ai besoin de récupérer ma vie. J'ai besoin que les choses redeviennent comme avant. J'ai besoin de découvrir qui m'a fait ça.

La police pense que c'était une agression au hasard, sans préméditation, un cas typique de « mauvais endroit, au mauvais moment ». Ils me posent quand même la question : pourrait-il y avoir quelqu'un sur qui j'ai enquêté, n'importe qui, dont le mariage a sombré à cause de mes photos, dont l'affaire a coulé à cause d'informations que j'aurais révélées au grand jour, qui me déteste suffisamment pour me faire ce qu'on m'a fait ?

Je pense à mon témoignage au tribunal le matin de mon agression, le venin dans le regard de Todd Elder adossé au mur, devant la salle d'audience, le mot *salope* craché en silence entre ses lèvres. Il correspond au profil du violeur. Tout comme Owen Weaver, me dis-je en me souvenant de son petit numéro de charme, de son sourire et de ses dents éclatantes. Je frissonne en imaginant ces dents déchirer mon sein. Est-ce que c'est possible ?

Vous souvenez-vous de quoi que ce soit au sujet de cet homme ? Je m'interroge tous les jours, en répétant la question de l'officier de police.

Je fouille dans mon esprit, je gratte les moindres recoins en essayant d'être aussi tenace, aussi méthodique et aussi créative dans ma vie privée que je l'étais dans ma vie professionnelle. Mais je ne trouve rien. Je ne vois rien.

– Ç'aurait pu être pire, m'a dit une des infirmières. Il aurait pu vous sodomiser. Il aurait pu vous forcer à vous servir de votre bouche.

– J'aurais préféré qu'il le fasse, me suis-je entendue répondre. Je lui aurais arraché la queue d'un coup de dents.

– Il vous aurait tuée.

– Ç'en aurait quand même valu la peine.

Est-ce que cette conversation a vraiment eu lieu ? Ou est-ce que je ne fais que l'imaginer ? Et si elle a vraiment eu lieu, qu'ai-je occulté d'autre ? Qu'y a-t-il d'autre dans cette histoire de trop terrible pour que je le voies, de trop horrible pour que je m'en souvienne ?

Voici à quoi ressemblent mes journées depuis le viol : me réveiller à 5 heures du matin après peut-être une ou deux heures de sommeil. M'extraire d'un de mes cauchemars récurrents – un homme masqué qui me poursuit dans la rue, une femme qui observe de son balcon et ne fait rien ; des requins qui tournent autour de moi dans une eau placide. Sortir du lit et fouiller dans le tiroir du haut de ma table de nuit, trouver la grande paire de ciseaux que j'y garde depuis mon agression et commencer la ronde matinale de mon appartement.

Quelle que soit son identité, l'homme qui m'a violée m'a volé mon arme et je ne l'ai toujours pas remplacée. Mais ça ne me gêne pas. J'ai décidé qu'il y avait quelque chose de plus viscéral, de plus personnel et de plus satisfaisant dans une paire de ciseaux. Chaque fois que je pense à ma vengeance contre l'homme qui m'a agressée – et j'y pense aussi souvent que je respire –, je ne m'imagine pas l'abattre. Je m'imagine le poignarder comme il m'a poignardée. Et même si je ne peux pas utiliser mon corps comme arme, je peux quand même déchirer sa chair comme il a déchiré la mienne, les ciseaux comme une extension de mon bras, de ma rage.

Voilà ce que je suis devenue. Voilà la femme qu'il a faite de moi.

Les ciseaux brandis devant moi, je vérifie sous le lit, même si le sommier est trop bas pour que quelqu'un se cache dessous. Puis je remonte le long couloir en marbre, décoré de tableaux hérités de mes parents – une série de cœurs colorés de Jim Dine, un nu de Motherwell, un Gottlieb abstrait, rose et noir, un Calder orange et noir qui ressemble un peu à une dinde. Je fouille rapidement la seconde chambre, celle qui me sert de bureau, je jette un œil sous la table en verre aux pieds en marbre noir sur laquelle repose mon ordinateur, et derrière le canapé convertible en velours côtelé où Heath dort parfois. Je regarde dans le placard et dans la salle de bains attenante, vérifie la petite armoire sous le lavabo avant de continuer dans le couloir vers les toilettes. Après m'être assurée que personne n'était accroupi derrière la porte, je marche jusqu'au placard de l'entrée, à la recherche de pieds qui dépasseraient des manteaux pendus. Je m'assure que le verrou de la porte d'entrée est bien fermé et m'en vais vérifier la cuisine en passant par le salon.

Deux canapés modernes, blancs et arrondis, se font face au milieu de la pièce rectangulaire, une grande table basse de marbre trône entre les deux sur un tapis en cuir informe. Des coussins violet vif décorent les canapés. Ils sont assortis au fauteuil en velours installé sur la ligne invisible qui sépare le salon de la salle à manger. Une dizaine de citrons en plastique remplissent une corbeille à fruits rectangulaire en métal posée au centre de la table en verre. Une douzaine de roses en soie se dressent dans un long vase vert citron sur la desserte contre le mur qui fait face à la fenêtre, sous un tableau représentant deux femmes sans visage, main dans la main, sur une plage déserte. Je ne me souviens pas du nom du peintre. Un artiste du coin, je crois.

Près de la fenêtre, un palmier artificiel monte presque jusqu'au plafond. L'arbre a l'air aussi naturel que les palmiers alignés le long de la rue en bas de chez moi. Des orchidées blanches, artificielles elles aussi, pendent d'une applique murale près de la porte de la cuisine. Tout le monde pense qu'elles sont vraies et on me félicite de savoir si bien les entretenir. Les gens ont l'air choqués quand je leur avoue que je les préfère aux vraies plantes. J'explique que c'est plus simple et que ça ne demande aucune attention. Vous n'avez pas à vous en occuper. Et elles ne meurent jamais.

Bien sûr, j'ai de vraies fleurs aussi. Dans les premiers jours qui ont suivi mon viol, j'ai reçu au moins six bouquets. Pour la plupart de mes collègues. Les fleurs sont dispersées dans l'appartement. Sean Holden m'a fait envoyer deux douzaines de roses et Travis un grand bouquet de chrysanthèmes violets. Il s'est souvenu que j'adorais cette couleur, mais il a oublié que je détestais les chrysanthèmes. Peut-être l'a-t-il fait exprès, ou peut-être ne lui ai-je simplement jamais dit.

Après m'être assurée que personne ne se cachait derrière les rideaux brodés du salon prêt à me bondir dessus, je retourne dans ma chambre et je fouille parmi les vêtements accrochés dans ma penderie. Je m'assure qu'il n'y a personne dissimulé derrière les jeans et les robes. J'inspecte la salle de bains principale : les toilettes, la cabine de douche en verre, même la baignoire en émail blanc avec ses pieds en griffes de cuivre, au cas où quelqu'un se serait recroquevillé à l'intérieur, comme un serpent dans une corbeille, attendant pour frapper. Je fais de même avec le panier en osier posé à côté de la baignoire, je soulève le couvercle et pique son contenu avec mes ciseaux.

Je répète ce circuit au moins trois fois par jour, même s'il m'arrive de varier l'ordre. Une fois absolument certaine que personne n'a pu infiltrer mon sanctuaire de verre au milieu des nuages, je fais couler la douche. Pendant que la vapeur remplit la pièce, je retire mon pyjama et me glisse dans la cabine.

Je prends les ciseaux avec moi.

Je ne regarde pas vraiment mon corps nu. Je ne supporte pas la vue de mes seins. Les poils au niveau de mon sexe me dégoûtent. Je n'ai rasé ni mes jambes ni mes aisselles depuis l'agression. Tout me fait mal. Mes côtes, mes poignets, mon dos. Même ma peau. Je reste sous le jet d'eau chaude puissant jusqu'à ce que je ne puisse plus sentir ma chair. Je ne me regarde pas dans le miroir embué quand je sors. J'utilise une serviette rêche pour me sécher, puis je me frictionne vigoureusement. Je jette mon pyjama dans le panier à linge sale, en enfile un propre et retourne dans ma chambre, ciseaux à la main.

La pièce est plongée dans l'obscurité. Le soleil ne s'est pas encore levé. Je garde les stores baissés jusqu'au lever du jour.

On ne sait jamais qui peut être en train de regarder.

*
* *

Je détecte sa présence avant de le voir, je le sens avant même qu'il ne se penche au-dessus de moi. Je reconnais tout de suite son odeur : le bain de bouche frais et mentholé. Soudain, je sens tout le poids de son corps sur le mien, son poignet sur ma gorge qui bloque ma respiration, qui étouffe mes cris.

– Dis-moi que tu m'aimes, ordonne-t-il en me pénétrant de force, mettant le feu à ma chair, comme s'il me triturait avec une torche.

– Dis-moi que tu m'aimes.

– Non !

Je hurle, mes poings martèlent son torse, mes pieds frappent ses cuisses, mes doigts griffent son cou, sans réussir à l'agripper. Je m'agite désespérément dans mon lit.

J'ouvre les yeux.

Il n'y a personne.

Je m'assois. Il faut plusieurs minutes avant que ma respiration reprenne un rythme à peu près normal. La télé est toujours allumée. J'attrape la télécommande sur la table de nuit et je l'éteins. Je n'ai pas la moindre idée de l'heure qu'il est, du jour qu'on est, ni du nombre d'heures écoulées depuis que je me suis endormie.

Le téléphone sonne et je sursaute. Je fixe le combiné jusqu'à ce que cesse son affreux hurlement. L'horloge à côté de mon lit indique qu'il est 8 h 10. Je suppose que c'est le matin, même si ça n'a pas vraiment d'importance. Je me lève, attrape les ciseaux que j'ai rangés dans le tiroir du haut de ma table de nuit et commence une nouvelle ronde dans l'appartement. Alors que je pose le pied dans le couloir, le téléphone sonne à nouveau. Je l'ignore.

Le téléphone sonne, s'arrête et sonne encore pendant les dix minutes qu'il me faut pour m'assurer que l'appartement est vide. Il sonne toujours quand je reviens dans ma chambre. Sûrement la police, me dis-je, en attrapant le combiné juste quand il s'arrête de sonner. Je hausse les épaules et reste plantée là plusieurs minutes, mais il refuse de sonner à nouveau.

Je sors à peine de la douche quand j'entends des voix puis des bruits de pas, des gens qui se déplacent dans mon appartement. J'attrape mon immense peignoir blanc en éponge pendu au crochet à côté de la douche et l'enfile. Je brandis les ciseaux devant moi en entrant dans la chambre et j'essaie de me persuader que ce n'est que mon imagination. Impossible qu'on ait pu entrer dans mon appartement. Il n'y a personne qui marche dans l'entrée. Personne qui murmure devant la porte de ma chambre.

Sauf qu'il y a quelqu'un.

Une voix fend l'air :

– Bailey ? Bailey, tu es là ?

Suivie d'une autre, celle d'un homme :

– Mademoiselle Carpenter ? Est-ce que tout va bien ?

Mes genoux tremblent. J'ai la gorge sèche. La pièce tourne autour de moi.

Soudain, une femme apparaît sur le pas de la porte, la tête d'un jeune homme s'agitant derrière son épaule gauche. La femme mesure environ un mètre soixante, elle a des cheveux blonds et courts et de grands yeux marron. Son ventre est énorme, lourd de l'enfant qu'elle porte.

– Sally ? dis-je en marmonnant.

J'essaie tant bien que mal de retrouver ma voix en baissant les ciseaux.

– Est-ce que tout va bien ? demande le jeune homme derrière elle.

Je le remets seulement maintenant et reconnais Elron, un des concierges qui travaillent à la réception.

– Nous n'avons pas arrêté d'essayer de vous appeler.

– J'étais sous la douche, dis-je, en essayant de me retenir de crier. Comment êtes-vous entrés ?

– C'est ma faute, explique aussitôt Sally. J'ai complètement paniqué quand tu n'as pas répondu au téléphone. J'ai eu peur qu'il te soit arrivé quelque chose, que tu aies peut-être…

Elle n'a pas besoin de finir sa phrase. Nous savons toutes les deux ce qu'elle a voulu dire.

– Je suis vraiment désolé, mademoiselle Carpenter, dit Elron, mal à l'aise. On ne voulait pas vous faire peur.

– Ne sois pas en colère contre lui, reprend Sally. C'est moi qui l'ai forcé.

J'acquiesce. Le règlement de la copropriété stipule que la réception ait un double des clés de tous les appartements en cas d'urgence.

– Qu'est-ce que tu fais là ?

– Tu ne te souviens pas ? Hier soir au téléphone, je t'ai dit que je passerais ce matin en allant au bureau.

– Ça m'est sorti de la tête.

En réalité, je n'ai aucun souvenir de ce coup de fil.

– Ce sont des ciseaux ? demande Sally, en écarquillant encore un peu plus les yeux.

Je glisse les ciseaux dans une des poches de mon peignoir.

– Encore désolé d'avoir fait irruption chez vous, s'excuse Elron en reculant dans le couloir jusqu'à la porte avant de la refermer doucement derrière lui.

– C'était une longue douche, remarque Sally.

– Désolée.

– Ne t'excuse pas. C'est moi qui ai paniqué et qui ai débarqué chez toi. Est-ce que tu as pris ton petit déjeuner ? J'ai apporté des muffins.

Elle tient un sac en papier brun.

Je fais du thé et nous nous asseyons à la table de la salle à manger pour déguster nos gâteaux. Nous faisons comme si c'était une journée normale, comme si nous étions des personnes normales ayant une conversation normale.

Je l'interroge :

– Tu as déjà choisi un prénom pour le bébé ?

Sally est là depuis à peu près vingt minutes et je ne crois pas que nous ayons déjà abordé le sujet, bien que je n'en sois pas sûre. Je n'ai écouté que d'une oreille.

– Pas encore. Mais je crois qu'on avance.

Elle continue, puisque je suis incapable de poser les questions d'usage.

– J'ai proposé Avery à Bobby, et il ne s'est pas mis dans une colère noire. Tu sais à quel point mon cher époux préfère les prénoms classiques, comme pour Michael.

Michael est leur fils de trois ans. Sally voulait l'appeler Rafael, comme le joueur de tennis Rafael Nadal, ou Stellan, du nom d'un acteur suédois qu'elle a toujours admiré, mais son mari a exigé un prénom plus traditionnel. Il voulait Richard ou Steve. Ils ont fini par se mettre d'accord sur Michael juste au moment où la tête du bébé sortait, et Sally n'est toujours pas convaincue qu'ils aient fait le bon choix. « J'avais les jambes grandes ouvertes, le docteur avait la main enfoncée quasiment jusqu'à ma gorge, m'a-t-elle confié un jour. Je hurlais à pleins poumons. Il faut bien admettre qu'il a profité d'un moment de faiblesse. »

Je grimace en imaginant le tableau.

– Tu n'aimes pas le prénom ? demande Sally.

– Quoi ?

– Je pensais aussi à Nicola ou Kendall.

– Avery, ça me plaît bien, lui dis-je.

L'image s'estompe mais s'attarde à la périphérie de mon esprit où elle rejoint une ribambelle d'images du même genre.

– Ah oui ? Ça me fait vraiment plaisir. Avery, c'est mon préféré. Qu'est-ce qui ne va pas, tu n'aimes pas ton muffin ? Ils ont dit qu'il y avait plein de canneberges à l'intérieur, et pas seulement sur le dessus, là où on peut les voir.

Les canneberges ont un goût de caoutchouc aigre. Mais je préfère mentir :

– C'est délicieux.

Les fruits se collent à mon palais, comme si on les y avait cloués et, même en poussant avec insistance avec ma langue, je suis incapable de les en déloger.

– Je déteste ça, quand tu crois que tu vas avoir ton muffin plein de canneberges et qu'en fait, il n'y en a que quelques-unes sur le dessus, reprend Sally. C'est vraiment une arnaque.

Elle sourit.

– Tu as l'air d'aller beaucoup mieux aujourd'hui. Tu as bien dormi ?

– Beaucoup mieux, dis-je, pour reprendre ses mots.

Elle tend le bras au-dessus de la table pour caresser ma main.

– Tout le monde au bureau me demande de tes nouvelles.

– C'est gentil.

– Ils m'ont dit de te passer le bonjour.

– Tu leur donneras le mien.

Silence. Elle finit rapidement son thé, tapote du bout du doigt les quelques miettes qui traînent sur la table, les porte à sa bouche.

– Bon, je crois que je vais y aller.

Je me lève aussitôt.

– Merci d'être passée me voir.

– Oui, et de t'avoir flanqué une sacrée frousse.

– Ça va, maintenant.

– Tu as l'air d'aller mieux, répète-t-elle, mais l'enthousiasme exagéré de sa voix trahit son mensonge. Les bleus sont quasiment partis.

Uniquement ceux que tu peux voir, dis-je en moi-même.

– Bon, dit-elle, en s'avançant pour essayer de me prendre dans ses bras – par chance, son ventre proéminent l'empêche de s'approcher trop près. On se voit bientôt.

– Ça marche.

– Des projets pour le reste de la journée ? enchaîne-t-elle tandis que j'ouvre la porte.

– Rien de particulier.

– Il fait un temps superbe, me dit-elle, comme si c'était inhabituel, alors qu'il fait toujours un temps superbe à Miami. Tu devrais peut-être sortir, aller te balader.

– Peut-être.

Elle fait un geste vers mes cheveux mouillés.

– Tu ferais mieux de les sécher avant d'attraper froid.

Quel est l'intérêt de les sécher alors que je vais reprendre une douche dans quelques heures ?

Je ferme la porte derrière elle, la regarde à travers le judas se dandiner jusqu'aux ascenseurs. Puis je marche jusqu'aux toilettes et je vomis thé et muffins.

4

Je me souviens de la première fois qu'un garçon m'a touché les seins. Il s'appelait Brian, il avait dix-sept ans et il était en terminale dans un lycée voisin. J'avais quinze ans, j'étais surexcitée qu'il m'ait remarquée, et encore plus qu'il m'ait invitée à sortir. Nous allions à une fête et j'avais décidé de porter la jolie robe bordeaux que ma mère venait de m'acheter. C'était une robe sans manches, avec un col en dentelle blanche et des boutons en perle sur le devant. Je l'adorais parce que je trouvais qu'elle grossissait mes seins qui étaient, en réalité, encore relativement petits. Est-ce pour ça que Brian s'est cru autorisé à les toucher ? Est-ce que ma robe lui a donné l'impression que je voulais qu'il me caresse ? Est-ce pour ça qu'il s'est mis dans une telle colère quand j'ai frappé sa main ? Et qu'il m'a aussitôt ramenée chez moi, se sentant humilié ? Et qu'il m'a insultée et traitée – entre autres – d'allumeuse quand je suis descendue de sa voiture ?

Ce souvenir en fait ressurgir un autre encore plus vieux. J'ai douze ans, peut-être treize. L'école est finie et je suis sur le point de monter dans un bus pour rejoindre ma mère dans le centre-ville. Je porte mon uniforme d'écolière – un pull vert sur une chemise d'un blanc éclatant, une jupe verte assortie, des chaussettes montantes et des mocassins noirs. On ne peut pas vraiment dire que la tenue soit affriolante. En levant la jambe pour monter dans le bus, je sens quelque chose effleurer mes fesses. La caresse dure, refuse de s'arrêter, je me retourne et plante mes ongles dans cette main importune. Un petit homme chauve, la cinquantaine, se frotte la main en souriant, honteusement d'abord, puis de façon plus assumée, avant de reculer et de disparaître dans la foule qui attend encore sur le trottoir. Je titube jusqu'au fond du bus, j'ai envie de vomir. Il m'a fallu des années avant de réussir à ne plus penser à cet homme, à sa caresse déplacée, et à son sourire encore plus déplacé qui disait : « N'aies pas l'air si choquée, petite. Tu sais que ça t'a plu. »

Le pensait-il vraiment ? C'est la question que je me pose, debout face à la fenêtre de ma chambre, en fixant la rue en bas à travers mes jumelles. Un homme adulte peut-il vraiment penser qu'une enfant prenne du plaisir à ce qu'un inconnu la caresse sans son consentement ? Ai-je fait quelque chose en montant dans le bus qui l'aurait encouragé à me peloter ainsi ? Lui ai-je souri de façon provocante ? Ai-je levé la jambe un peu trop haut, exposé un peu trop ma cuisse de petite fille ? Lui ai-je envoyé le moindre signe qui ait pu lui faire croire qu'il avait le droit de me toucher ?

Voilà à quoi je pense tout en suivant avec mes jumelles deux jeunes femmes qui zigzaguent entre les voitures, qui essaient de traverser malgré le feu rouge. Il est 17 heures environ et il fait encore jour, enfin pas aussi jour que la semaine dernière au même moment. Nous sommes à la mi-octobre et nous passerons bientôt à l'heure d'hiver. « L'automne derrière, entends-je dire ma mère. Le printemps droit devant. » Avant, c'était le genre de phrase qui me mettait de bonne humeur. Désormais, je me dis : Quelle différence ça peut bien faire ? Toutes les heures se ressemblent de toute façon.

J'essaie de me souvenir de ce que j'ai fait aujourd'hui. Je crois que Sally est passée me voir ce matin, puis je me souviens que non, c'était hier. La journée a été relativement calme. Pas de visite. Pas de coup de téléphone. À vrai dire, c'est même moi qui ai appelé la police ce matin, et non l'inverse. Un changement dans mes habitudes, enfin, si on peut parler d'habitudes. La conversation, elle, est toujours la même, en revanche. La police a rayé de la liste des suspects l'homme que j'épiais ce soir-là, Roland Peterson. Et sa petite amie – ex-petite amie, a-t-elle insisté – a juré que son nouveau compagnon, l'homme que j'ai vu à la fenêtre, a passé toute la soirée avec elle. Il a donc un alibi, tout comme Todd Elder. Nous voilà revenus à la case départ. Je leur demande s'ils ont la moindre nouvelle piste, si leur enquête pour retrouver l'homme qui m'a violée a avancé, et eux me demandent en retour si je me souviens de quoi que ce soit qui pourrait les aider. La réponse est la même pour les deux questions : non.

Le policier me promet de rester en contact avec moi et je raccroche. Je ne veux aucun contact avec qui que ce soit.

Il se passe quelque chose dans la rue. Une altercation entre deux hommes assez jeunes. Je pointe mes jumelles dans leur direction, les regarde se balancer des coups de poing tandis que les gens s'écartent autour d'eux. Personne n'intervient, ce qui est sans doute plus sage. Combien d'articles ai-je lus sur de bons samaritains qui se faisaient tuer en essayant d'intervenir dans une bagarre ?

Est-ce que quelqu'un regardait le soir de mon agression ? Ce n'est pas la première fois que je me pose la question. Quelqu'un a-t-il vu ce qu'il se passait et a choisi de ne pas intervenir par peur des représailles ? Quelqu'un a-t-il vu ou entendu quelque chose qui pourrait aider à identifier l'homme qui m'a violée ? Quelqu'un sait-il quelque chose mais préfère se taire ?

Selon la police, qui affirme avoir interrogé tous les habitants du quartier, la réponse est non. Bien sûr, je sais d'expérience que la police n'est pas toujours aussi rigoureuse qu'elle le prétend et que les témoins d'un crime ne sont pas toujours aussi sincères et francs qu'ils devraient l'être. Ça ne veut pas dire qu'ils ont un mauvais fond. Ça ne veut pas dire qu'ils s'en moquent. Ils ne veulent simplement pas qu'on vienne perturber leur vie. S'ils peuvent garder une certaine distance pour être sûrs de ne pas avoir d'ennuis, ils se tairont.

Je ne les juge pas. Je ne les blâme pas non plus. J'ai fini par comprendre que la distance avait quelque chose de rassurant.

Le téléphone sonne et je sursaute. On dirait que j'ai parlé trop vite, et que la journée ne sera pas si calme. Je réponds tout de suite ; je ne veux pas que les événements d'hier se reproduisent.

– Bonjour, mademoiselle Carpenter. C'est Elron, de la réception.

Mon cœur se met à battre à toute vitesse en entendant la voix masculine désincarnée qui me parle au creux de l'oreille. Je sens mon violeur se pencher sur moi. *Dis-moi que tu m'aimes.* Je me calme en me rappelant que c'est toujours de cette façon qu'Elron se présente – *C'est Elron, de la réception* –, comme si je connaissais une multitude d'Elron, et que ça avait l'habitude de m'amuser.

– Votre frère est là.

Je me demande pourquoi il me prévient. Tout les gens qui travaillent ici connaissent Heath. Ils savent qu'ils n'ont qu'à le faire monter.

– Pas Heath, dit Elron, comme si j'avais pensé à haute voix. J'entends la voix d'un autre homme.

– Passez-moi ça. Bailey ? ordonne-t-il de sa plus belle voix d'assistant du procureur. C'est Gene. Dis à ce clown de me laisser monter.

Oh, mon Dieu, me dis-je, en laissant tomber ma tête en avant. Je n'ai pas vu Gene – de son nom de baptême Eugene, l'aîné de mon père qui a donc hérité de son prénom – depuis l'enterrement de papa. Je ne lui ai pas parlé depuis qu'il a lancé ses poursuites contre nous. Là, je n'ai pas la force d'écouter ses menaces et ses conneries.

– Je suis un peu fatiguée.

– Ne m'oblige pas à appeler les renforts.

Je ne sais pas exactement qui sont censés être les renforts mais je sais qu'il ne partira pas avant de m'avoir vue.

– Faites-le monter, dis-je à Elron.

Je repose le téléphone sur son socle, mes jumelles sur la table de nuit et me dirige vers la porte d'entrée. Gene est déjà là quand je l'ouvre.

– Bon sang, pourquoi tu ne m'as pas dit que tu t'étais fait violer ? me demande-t-il avant même que j'aie fini d'ouvrir complètement.

Je me pousse pour le laisser entrer, puis ferme immédiatement la porte et la verrouille à double tour.

– Ce n'est pas quelque chose que j'ai envie de crier sur les toits, m'entends-je lui répondre, en détestant le tremblement dans ma voix.

– Je suis ton frère.

– Tu me fais un procès.

– Ça n'a rien à voir.

Je suis ébahie par sa capacité à compartimenter. Est-ce que c'est comme ça qu'il a réussi à lancer une enquête sur son propre père en l'accusant de fraude ?

– Veux-tu quelque chose à boire ? dis-je, pour meubler, sans être vraiment sûre d'avoir quoi que ce soit à lui offrir.

– J'ai dû attendre que la police m'en parle, des semaines après l'agression.

– Je suis désolée. Je suppose que j'aurais dû…

– Oui, tu aurais dû. Je suis l'assistant du procureur, pour l'amour de Dieu. Et non, je ne veux rien boire. Comment vas-tu ?

Sa voix se radoucit, ses yeux bruns se plissent sous le poids de ce que j'aimerais prendre pour de l'inquiétude, mais qui a sans doute plus à voir avec une certaine suspicion. Je le conduis dans le salon et comprends à cet instant qu'il n'est pas convaincu par mon histoire.

– Pas génial, dis-je.

– Peut-être que ça irait mieux si tu t'habillais.

Je regarde mon pyjama bleu en flanelle, en essayant de me souvenir de la dernière fois que je me suis changée. Hier peut-être. Ou peut-être avant-hier.

– Tu as vraiment une sale tête, me dit-il.

– Merci.

– Désolé. Je suis juste contrarié. Tout ça est très contrariant.

Sans blague… mais je préfère garder cette pensée pour moi.

– Écoute, je ne suis pas venu pour qu'on se dispute.

Gene marche jusqu'à la fenêtre du salon et je remarque, pour la première fois, qu'il boite légèrement. C'est un homme grand, costaud, il a la carrure d'un joueur de football américain, ce qui n'est pas surprenant, je suppose, vu qu'il a pratiqué ce sport à la fac et qu'il était bien parti pour entamer une carrière professionnelle avant que les ligaments croisés de son genou droit ne l'obligent à renoncer. Ou peut-être qu'il s'agissait de son genou gauche, me dis-je en le regardant s'arrêter et se tourner vers moi. Il serait sans doute un peu plus beau s'il avait l'air moins dur. Hélas, il coiffe ce qu'il lui reste de cheveux bruns en brosse et ses lèvres tombent toujours vers le bas, même quand il sourit – ce qui n'arrive pas souvent, en tout cas, pas en ma présence. Il déboutonne la veste de son costume bleu marine, on aperçoit sa bedaine à l'étroit dans sa chemise bleue. Il trifouille sa cravate à rayures bleues trop large. Je ne me souviens pas d'avoir vu un jour Gene sans cravate.

– Bel appartement, dit-il.

– Merci.

– Tu as bon goût.

– Merci.

– Bon, alors, qu'est-ce qui s'est passé, putain ?

On repassera pour l'entrée en matière.

– Tu sais ce qui s'est passé. Tu m'as dit que tu avais parlé avec la police.

– Je veux l'entendre de ta bouche.

Je ne peux pas. Je ne peux pas sans cesse revivre mon agression pour mettre tout le monde au courant.

– Est-ce que cette visite est personnelle ou professionnelle ?

– À ton avis ?

– Je te pose la question.

– Je suis ton frère…

– … qui me fais un procès, lui dis-je encore une fois.

– Que s'est-il passé, Bailey ?

Je sais à son ton qu'il continuera de poser la question jusqu'à ce qu'il obtienne une réponse.

Je lui résume l'essentiel de l'agression. Les mots me restent coincés dans la gorge et je dois forcer ma langué à les prononcer. Je regarde les yeux de Gene s'écarquiller puis se plisser. Je remarque les creux de son front quand ses sourcils se froncent, consternés. Je regarde ses lèvres tomber.

– Tu ressembles plus à ta mère qu'à notre père, dis-je, après avoir fini mon histoire.

Il a l'air décontenancé.

– Comment sais-tu à quoi ressemble ma mère ?

– J'ai vu une photo d'elle un jour, dans un des albums de papa.

– Je ne savais pas qu'il avait des albums.

– Si. Plusieurs.

– Ça me plairait de les voir un jour.

Je me demande s'il me fera un procès si je refuse de les lui montrer.

– Comment va ta mère, d'ailleurs ?

Je ne connais pas la mère de Gene. Je ne l'ai jamais rencontrée. Mais j'ai toujours trouvé qu'elle avait un visage doux. Peut-être qu'elle est juste photogénique.

– Elle va bien. Elle profite de sa retraite et de ses petits-enfants.

Gene a deux fils, de sept et neuf ans. Je n'arrive pas à me souvenir de leurs prénoms ni de la dernière fois que je les ai vus, je crois que le cadet était encore un bébé.

– Comment vont tes garçons ?

– Très bien. Mais c'est de toi qu'on parle, se reprend-il, comme s'il venait de se rappeler la raison de sa visite.

– Il n'y a rien à ajouter.

J'étais le genre de personne qui avais plein de choses à dire avant. J'avais des opinions sur tout et des passions. J'étais compliquée, pleine de contradictions. Et puis j'ai été violée.

– C'est juste que je ne comprends pas, dit-il.

– Qu'est-ce que tu ne comprends pas ?

– Comment ça a pu arriver.

Je recommence mon résumé, comment j'étais cachée dans les buissons, comment l'homme s'est glissé derrière moi, comment il m'a maîtrisée. Est-ce que Gene n'écoutait pas la première fois que je lui ai dit tout ça ?

– Bon sang, mais qu'est-ce que tu foutais cachée dans des buissons à cette heure de la nuit ? Tu ne pouvais pas ignorer que c'était dangereux.

– Est-ce que tu insinues que c'est ma faute ?

– Non, bien sûr que je n'insinue pas que c'est ta faute. Je dis juste que ce n'était peut-être pas le truc le plus malin à faire.

– C'est mon boulot, Gene.

– Alors il est peut-être temps d'en changer.

– J'aime ce que je fais.

Je ne lui dis pas que j'ai pris un congé, de plusieurs mois sans doute, et que la simple idée de devoir assurer une filature me donne des sueurs froides.

– Tu aimes ça, te planquer dans les buissons et suivre des bons à rien ?

C'est une affirmation plus qu'une question.

– Mon boulot ne se résume pas à ça, Gene.

– Je croyais que tu voulais être avocate.

– Je voulais être beaucoup de choses.

– Je suis sûr que ta mère aurait aimé que tu reprennes tes études, au moins que tu obtiennes un diplôme.

Je me mords la lèvre pour ne pas dire quelque chose que je regretterai plus tard. *Comment oses-tu ?* Voilà ce que j'ai envie de hurler. *Tu ne sais absolument rien de ma mère ou de ce qu'elle aurait pu vouloir pour moi.* Sauf que je ne peux pas dire ça, parce qu'il a raison. Ma mère *aurait* aimé que je retourne à la fac et que je finisse mes études. Dieu sait que j'ai suivi assez de cours comme ça, j'ai laissé tomber au moins trois cursus différents, parce que je n'ai jamais vraiment été sûre du métier que je voulais faire : médecin, avocate, criminologue, danseuse-étoile.

– Écoute, dit Gene. Je ne fais que penser à ton bien, là. Crois-le ou non, je veux ce qu'il y a de mieux pour toi.

Je n'y crois pas, mais je ne dis rien. *Qu'est-ce que tu veux vraiment ?* Voilà ce que je me demande en le regardant avancer tranquillement vers le canapé le plus proche et s'y asseoir. Il balance négligemment deux des coussins violets d'un côté. L'un des deux rebondit sur la banquette avant de se retrouver par terre. Il ne fait pas le moindre mouvement pour le ramasser.

– Comment c'est, de travailler avec Sean Holden ?

– Bien.

– Il est comment ?

Je hausse les épaules, je ne suis pas sûre de savoir quoi répondre.

– J'ai toujours trouvé que c'était un type intelligent, dit Gene pour répondre à sa propre question. Un peu arrogant, mais intelligent. Je n'aime pas particulièrement me retrouver en face de lui au tribunal.

– C'est un bon avocat.

– Un séducteur aussi, à ce que j'ai cru comprendre.

– Un séducteur ?

Gene secoue la tête.

– On entend des choses quand on travaille au bureau du procureur. Des rumeurs. Tu sais.

Mon cœur se met à battre à toute vitesse. Est-ce qu'il cherche des informations ? C'est pour ça qu'il est là ? Pour obtenir des infos sur Sean ?

– J'ai parlé avec les autres, dit-il soudainement.

Il me faut une minute pour me rendre compte qu'on ne parle plus de Sean Holden mais de ma demi-sœur Claire et de mes demi-frères Tom, Dick et Harry.

– Tu leur as dit, pour moi ?

– Ils étaient horrifiés.

– Je n'en doute pas.

– Ils te souhaitent tous un prompt rétablissement.

Gene a l'air étrangement content de lui, même si les coins de ses lèvres tombent toujours. Je me demande comment fait sa femme pour savoir quand il est content. Peut-être qu'elle s'en moque.

– Ils voulaient venir…

– Je n'en doute pas non plus.

Je frissonne. L'idée que tous mes demi-frères et sœur se retrouvent dans mon appartement en même temps, c'est trop pour moi. Cent cinquante mètres carrés ne suffiraient pas à contenir toute cette animosité.

– Claire essaiera de passer après son service.

Il jette un coup d'œil à sa montre, une Bulova au cadran blanc avec un bracelet en cuir noir.

– Elle devrait arriver d'une minute à l'autre.

– Ce n'est vraiment pas nécessaire.

– Elle est infirmière, Bailey. Elle pourra sans doute t'aider.

– Je ne vois pas comment…

Le téléphone sonne et je sursaute. L'air renfrogné de Gene s'accentue un peu plus.

– C'est sûrement elle, dit-il.

Je marche jusqu'à la cuisine, décroche, écoute Elron se présenter ; Sean Holden est là et il me demande s'il peut le faire monter.

– S'il vous plaît, oui, dis-je en ajoutant un « Merci, mon Dieu » silencieux du bout des lèvres.

Je retourne au salon en espérant que cette nouvelle encouragera mon frère à partir au plus vite.

– Sean Holden est en bas.

– Eh bien, quand on parle du loup.

– Merci d'être passé, Gene.

J'attends qu'il comprenne et s'en aille, mais il reste assis et son langage corporel annonce clairement qu'il a l'intention de n'aller nulle part.

Je me dirige vers la porte et pose le front contre le bois froid, regarde rapidement à travers le judas. Le téléphone sonne de nouveau et je sursaute.

– Tu veux que je réponde ? demande Gene derrière moi.

– Non, dis-je, mais il est déjà en train de décrocher.

Je l'entends prononcer : « Allô ? » Puis : « Bien. Merci. Faites-la monter. »

Les portes de l'ascenseur s'ouvrent et Sean Holden pénètre dans le long couloir à la moquette beige et vert. J'ouvre ma porte avant même qu'il ne l'atteigne. Il me prend dans ses grands bras. Je me sens en sécurité pour la première fois depuis sa dernière visite qui, je crois, remonte à quelques jours, même si je n'en suis pas sûre. J'ai l'impression qu'on ne s'est pas vus depuis une éternité.

– Comment vas-tu ? murmure-t-il en effleurant des lèvres mes cheveux toujours mouillés.

Il me pousse dans l'appartement et referme la porte derrière lui.

– Ça va, lui dis-je. Mon frère est là.

Gene nous rejoint dans l'entrée et tend la main pour saluer Sean.

– Eh bien, bonsoir. Ravi de vous revoir, malgré les fâcheuses circonstances.

Je suis à deux doigts de sourire. Me voilà devenue une « fâcheuse circonstance ».

– Gene, dit Sean de façon appuyée en haussant le sourcil droit. Je ne m'attendais pas à vous voir ici.

– Et pourquoi ça ?

L'expression du visage de Gene a beau rester la même, il a un ton défiant, presque agressif.

– Malgré tout, Bailey et moi faisons partie de la même famille. Je suis naturellement très attristé par ce qui lui est arrivé.

– Naturellement, concède Sean. Nous le sommes tous.

– J'imagine bien, vu qu'elle était en train de travailler quand c'est arrivé. Votre cabinet pourrait être tenu pour responsable.

– Ce qui est arrivé n'est absolument pas la faute de Sean, dis-je.

– Peu importe, ça pourrait faire un sacré procès.

– Tu vas le poursuivre lui aussi ?

– Je veille juste à préserver au mieux tes intérêts, Bailey, répond mon frère sans la moindre ironie.

– Je crois que je suis passé à un mauvais moment.

– Non. S'il te plaît, ne t'en va pas, dis-je sur un ton suppliant.

– Oui, je vous en prie, restez, insiste Gene en jetant un œil à la porte. Elron de la réception a appelé à l'instant. Il m'a dit que Claire était arrivée juste après Sean. Je lui ai demandé de la faire monter.

– Ça se bouscule, ici, note Sean, et même si nous ne nous touchons plus, je peux sentir son corps se contracter.

Je ferme les yeux et sens mes genoux trembler. À quel moment ai-je perdu le droit de décider qui me rend visite ou non ? Est-ce que le type des buissons m'a enlevé ça aussi ?

– Bailey, s'inquiète Sean. Est-ce que ça va ?

– Je crois que je ferais mieux de m'asseoir.

Mais au moment même où les mots sortent de ma bouche, je suis distraite par le son immanquable d'une clé qu'on tourne dans une serrure. Je regarde la scène, horrifiée, du verrou qui s'agite.

Quelques secondes plus tard, la porte d'entrée s'ouvre. Une jeune fille, d'environ quinze, seize ans, avec des yeux bleus et des cheveux blonds mi-longs qui encadrent son joli visage ovale, et une femme au visage quasi identique, en plus rond et avec quelques décennies de plus, apparaissent sur le seuil.

– Tu vois ? s'exclame la fille avec un air victorieux. Je t'ai dit que je pouvais le faire. Ces serrures, c'est de la grosse merde.

Elle range sa lime à ongles dans l'énorme sac en cuir marron qui pend à son épaule.

– Salut tout le monde ! lance-t-elle avant d'avancer dans l'entrée et de balancer son sac sur le sol en marbre beige.

Elle me frôle en se dirigeant vers le salon sans s'arrêter.

– Waouh. Sympa, l'appart.

– Jade, pour l'amour de Dieu, implore sa mère en me faisant un signe de tête embarrassé. Je suis vraiment désolée.

En fermant la porte derrière elle, elle remarque les deux hommes debout à côté de moi et son regard s'arrête sur Sean.

– Je suis désolée. On arrive au mauvais moment ?

– Claire, je te présente Sean Holden, dit Gene en ignorant sa question. Le patron de Bailey.

– Oh. Ravie de vous rencontrer, monsieur Holden.

– De même.

Sean sourit poliment, même si je peux voir à son regard qu'il réfléchit déjà à un plan pour s'échapper.

– Claire est la demi-sœur de Bailey, précise Gene bien que ce ne soit pas vraiment nécessaire.

– Qui me fait un procès, je précise, pas vraiment à voix basse.

– Nous n'avons pas à discuter de tout ça maintenant. Jade, reviens ici, ordonne Gene tandis que l'adolescente s'approche de la longue rangée de fenêtres pour regarder la rue. Claire, fais quelque chose.

– Et quoi exactement ? demande ma demi-sœur. Tu veux que je m'assoie sur elle ?

Je regarde leurs visages tandis qu'ils se disputent. Claire ressemble encore moins à mon père que Gene. Elle a le nez plus large et ses yeux sont d'un bleu plus pâle. Elle est de dix ans mon aînée, elle doit fait cinq centimètres de moins et dix kilos de plus. On ressemble toutes les deux à nos mères et absolument pas l'une à l'autre. Personne ne nous prendrait pour des demi-sœurs. Mais son visage a quelque chose de doux, à moins que ce ne soit la fatigue. Ça nous fait au moins un point commun.

– Bon sang, où vas-tu maintenant ? crie Gene tandis que ma nièce quitte le salon pour s'engouffrer dans le couloir qui mène aux chambres.

Elle s'arrête, fait demi-tour et revient vers nous. Elle porte un jean slim et un grand tee-shirt blanc. Elle fait cette tête qui dit qu'elle préférerait être n'importe où sauf ici. J'ai envie de lui dire que je la comprends parfaitement.

– Désolée, où sont mes manières ? fait-elle sur un ton exagérément outré.

Elle se plante devant moi.

– Tu dois être Bailey.

Ses lèvres couleur cerise bougent dans tous les sens tandis qu'elle mâchouille d'une joue à l'autre son énorme boule de chewing-gum.

– Désolée pour ton viol.

– Jade, pour l'amour de Dieu, dit sa mère.

Les yeux très maquillés de l'adolescente s'écarquillent, pleins de dédain.

– Quoi ?

Elle regarde en direction de la porte.

– Tu devrais faire changer cette serrure. C'est de la grosse merde.

– Je viens de la faire changer, justement.

Elle fait une autre grimace. Une grimace qui me dit de la faire changer encore une fois.

– Comment as-tu réussi à l'ouvrir ?

– C'était du gâteau, dit-elle en se dirigeant vers la porte.

Elle l'ouvre et pointe le verrou du doigt.

– Tu vois ça ? C'est vraiment de la came bon marché. Toutes ces résidences sont soi-disant luxueuses et on y installe de la merde en boîte à chaque fois. Il suffit d'insérer un truc long et fin, genre une lime à ongles ou une épingle à cheveux, et de tourner deux ou trois fois de façon énergique. Je croyais que t'étais détective privée. T'es pas censée savoir tout ça ?

Je ne sais pas quoi répondre. Je suppose qu'elle a raison. Je suis censée savoir tout ça. Peut-être même que je le savais. Avant.

– OK, tu veux que je te montre ?

Je suis sur le point d'accepter quand Claire intervient.

– Pas maintenant, Jade.

– Ce que tu viens de faire est illégal, continue Gene avec sévérité. Ça s'appelle entrer par effraction.

– Oh, s'te plaît. Tu vas m'arrêter ?

– Tu n'as pas déjà passé assez de temps en prison pour mineurs ?

Jade lève les yeux au ciel.

– Et vous, vous êtes *qui* ? demande-t-elle à Sean, comme si elle venait de se rendre compte de sa présence.

– Sean Holden.

Il sourit, amusé par ses singeries.

– Vous êtes le mec de Bailey ?

Il grimace et moi aussi.

– Son patron. Qui devrait vraiment y aller, ajoute-t-il aussitôt.

Jade vient de lui fournir une parfaite échappatoire.

Je n'insiste pas. Il me prend la main et la serre, puis s'en va. À travers le judas, je le regarde descendre le couloir d'un pas décidé jusqu'aux ascenseurs.

– C'est gentil à lui d'être passé, dit Claire.

– Il protège juste ses arrières, répond Gene tandis que je m'éloigne de la porte, les yeux rivés sur le verrou.

– Où as-tu appris à faire ça ? je demande à Jade.

– *Dog, le chasseur de primes.*

– Quoi ?

– Une émission de télé-réalité, explique sa mère. Elle ne regarde que ça.

– On apprend beaucoup de choses en regardant une émission comme *Dog*, dit Jade. Tu as une télé, non ?

Je pointe le couloir du doigt.

– Dans les chambres.

Elle semble soulagée.

– Est-ce que tu as déjà regardé *1 000 façons de mourir* ?

– Je ne crois pas.

– Tu devrais. C'est la meilleure émission de tous les temps.

L'air jusqu'ici renfrogné de Jade laisse place à l'enthousiasme.

– Tu ne peux pas imaginer les trucs stupides que font les gens et qui finissent par les tuer. Il y a cette femme, par exemple, qui s'est fait injecter du ciment dans les fesses pour qu'elles aient l'air plus grosses...

– OK, Jade. Je crois que ça suffit pour aujourd'hui.

Claire lève ses yeux fatigués vers moi.

– Gene nous a dit ce qu'il s'était passé. Comment vas-tu ?

– Ça va. Ce n'était vraiment pas la peine de venir.

– Je te l'avais *dit*, s'exclame Jade.

Je sais d'ores et déjà que j'aime bien Jade. Elle ne fait pas semblant, elle ne prétend pas être inquiète.

– Tu peux aller regarder la télé si tu veux, lui dis-je.

– Génial.

Elle fonce dans le couloir avant que sa mère ou son oncle ne puissent dire quoi que ce soit. On entend le son de la télé hurler depuis ma chambre quelques secondes plus tard.

– Baisse-moi ça ! hurle Claire. Tout de suite ! ajoute-t-elle quand il ne se passe rien. Le volume de la télévision diminue d'un cran minuscule.

– *Encore*, ordonne Gene, avant de s'en prendre à sa sœur. Vraiment, Claire. Je croyais que tu disais avoir la situation en main.

Claire ne répond pas.

– Pourquoi n'allons-nous pas dans le salon où nous pourrons discuter entre adultes raisonnables ? propose Gene comme si on était chez lui et non chez moi.

Je me crispe, mes pieds refusent d'avancer d'un centimètre.

– Je crois que c'est à Bailey de décider, dit Claire.

– Bien sûr. Je vous en prie. Allons dans le salon.

On s'installe, Claire s'assoit à côté de moi sur un canapé, et Gene sur celui en face de nous. Je me prépare pour cette conversation entre adultes raisonnables.

– Comment te sens-tu ? demande Claire. Tu as des douleurs ou des infections ?

– Pas d'infection, je réponds.

– Des douleurs ?

Je secoue la tête. La douleur que je ressens n'est plus physique.

– Je vois que tes bleus ont presque disparu. Est-ce que tu arrives à dormir ?

– Par intermittence.

– Est-ce que les médecins t'ont prescrit quelque chose pour aider ?

J'acquiesce, même si je n'aime pas prendre les cachets qu'ils m'ont donnés. Il faut que je sois vigilante. Il faut que je reste sur mes gardes.

– Il faut que tu les prennes. Tu as besoin de sommeil. Est-ce que tu as parlé à un psy ?

– Je n'ai pas besoin de psy.

– Tout Miami à besoin d'un psy, dit-elle avec un sourire ironique. J'en connais une très bien, si tu as besoin de parler à quelqu'un.

– Je suis fatiguée de parler.

– Je comprends. Mais tu changeras peut-être d'avis.

Je hausse les épaules.

– Très bien. Qu'est-ce que je peux faire d'autre pour toi ?

– Rien. Je vais bien.

– Tu ne vas pas bien, me reprend Claire en regardant autour d'elle.

Mes yeux suivent les siens à travers la pièce. À part le coussin que Gene a balancé par terre un peu plus tôt, tout semble être parfaitement à sa place. Il y a peut-être quelques moutons de poussière dans un coin mais…

– Les fenêtres auraient besoin d'un petit coup, dit-elle.

– C'est à cause des travaux, je m'entends répondre, en me rappelant vaguement que le concierge m'a dit que les laveurs de carreaux passeraient plus tard dans la semaine pour nettoyer la façade extérieure. Elles se resalissent dès qu'on les a nettoyées.

Tout comme moi, me dis-je. J'aimerais que tout le monde s'en aille pour que je puisse sauter sous la douche.

– Et ton linge ? Je peux faire tourner quelques machines pendant que je suis là…

– Tout va bien, lui dis-je, même si en réalité, mon panier à linge sale déborde, je n'ai plus de draps propres et je n'ai plus une goutte de lessive.

– Tu as besoin de faire des courses ? C'est quand la dernière fois que tu as pris un vrai repas ?

– Heath a apporté une pizza hier soir. Ou peut-être le soir d'avant. Ou celui d'avant encore.

– Tu es bien trop maigre. Il faut que tu gardes des forces.

– Pourquoi ? Pour vous affronter tous au tribunal ?

Claire lance un regard accusateur à Gene.

– Par pitié, dis-moi que tu ne l'as pas embêtée avec ça aujourd'hui.

– Je n'ai pas dit un mot.

– OK, voilà ce qu'on va faire, me propose Claire. Je vais faire un tour de l'appartement pour voir ce qu'il manque, puis Jade et moi irons faire les courses au supermarché pour que je puisse nous faire à dîner.

– Rita m'attend à la maison, objecte Gene.

– Tant mieux, parce que tu n'es pas invité. Maintenant donne-moi de l'argent et va-t'en.

Gene se lève aussitôt et fouille dans sa poche à la recherche de son portefeuille.

– De combien as-tu besoin ?

– Trois cents dollars devraient suffire.

– Trois cents dollars ?!

– Mon petit doigt me dit que les placards de Bailey sont plutôt vides. Allez, petit frère, balance.

Je me souviens à cet instant que Claire a en réalité deux ans de plus que Gene ; du haut de ses presque quarante ans, elle est l'aînée des sept enfants de mon père. Quant à moi, je suis la plus jeune. Les deux extrémités du fil, me dis-je en esquissant un sourire. Je suis contente qu'elle soit là, peu importe qu'elle ait ou non une idée derrière la tête. C'est agréable de sentir qu'on prend soin de vous. Ça fait longtemps que ça ne m'est pas arrivé.

Gene donne trois cents dollars en espèces et à contrecœur à sa sœur, puis il me tend sa carte de visite.

– Appelle-moi si tu as envie de discuter, me dit-il, et je sais qu'il parle du procès que lui et les autres ont lancé contre Heath et moi, et non pas de mon récent traumatisme.

Claire le pousse vers la porte.

– Et toi, appelle-moi quand tu rentres chez toi, en s'adressant à sa sœur tandis qu'elle referme la porte derrière lui.

Quelques secondes plus tard, j'entends qu'on fouille dans mes placards.

– Jade ! crie Claire en direction de la chambre. Éteins-moi cette foutue télé et viens ici. On va au supermarché.

Aucune réponse.

– Jade, tu m'as entendue ?

Toujours rien.

– Non mais franchement, souffle Claire en marchant vers le couloir à vive allure. Tu vas devenir sourde si tu continues à écouter cette satanée machine aussi fort.

Je la suis jusqu'à la chambre principale dans laquelle une télé écran large est accrochée au mur en face de mon lit double. Sur l'écran, un homme essaie d'échapper à la police. Il saute par-dessus une grande barrière cadenassée, atterrit au milieu des herbes hautes et se retrouve nez à nez avec un alligator qui n'a pas l'air de bonne humeur. Mais Jade ne regarde pas la télé. Non, elle est debout face à la fenêtre, à peu près dans la même position que j'occupe tous les jours, et elle scrute l'immeuble d'en face avec ma paire de jumelles.

– C'est génial, ce truc ! dit-elle sans se retourner. On peut tout voir et personne ne sait que tu regardes.

Claire lui arrache aussitôt les jumelles et les pose sur la table de nuit à côté de mon lit.

– On va au supermarché.

– Quoi ? Tu rigoles.

– Pourquoi tu ne t'allonges pas un peu ? me propose Claire. On sera de retour dans une heure.

Elle pousse Jade en direction du couloir.

J'entends la porte de mon appartement se refermer, puis je fais ce qu'on m'a dit et m'allonge sur mon lit, éreintée. Je garde les yeux ouverts suffisamment longtemps pour voir l'homme à l'écran se débattre avec l'alligator, les jambes englouties par la mâchoire de la bête. L'alligator se transforme en requin à mesure que le sommeil m'envahit et que les cauchemars s'installent, l'énorme aileron fendant la surface de l'eau comme un cutter une feuille de papier. Il glisse de façon menaçante jusqu'à moi, je baisse les yeux et vois au moins six autres requins me tourner autour.

Je nage comme une folle vers un radeau au loin, je pousse sur mes bras et mes jambes, je fends l'eau jusqu'ici calme. J'y suis presque.

Et puis je l'aperçois.

Il est accroupi au bord du radeau, le corps penché en avant, le visage caché par le soleil. Il me tend sa main et je l'attrape, je suis sur le point d'être enfin sauvée quand je sens la rugosité du gant en cuir noir qu'il porte et l'odeur du sang au bout de ses doigts. Je hurle et retombe dans l'eau tandis que les requins approchent.

5

Je me réveille en nage.

Il fait nuit et la télé est allumée. Sur l'écran, une femme pose au bord d'une immense falaise. Elle rit et ajuste son grand chapeau de paille tandis que son mari s'apprête à la prendre en photo. « Recule juste un petit peu », dit-il en agitant la main. Elle s'exécute, trébuche sur une petite pierre, perd l'équilibre, son pied vole dans les airs et elle tombe en arrière dans le précipice. L'abîme fait écho à ses hurlements tandis qu'elle plonge vers sa mort, elle perd son chapeau qui s'envole et flotte au gré du vent. « Tomber du haut du Grand Canyon », annonce une voix off qui semble venir d'outre-tombe et cache à peine son amusement face au ridicule de la reconstitution. « Numéro 63 des *1 000 façons de mourir.* »

J'attrape la télécommande sur la table de nuit et éteins la télé. J'ai dormi moins d'une heure. Enfin, je crois que cela fait moins d'une heure que Claire et sa fille sont parties faire les courses. Si elles sont vraiment venues. Elles sont peut-être passées hier ou avant-hier. Peut-être qu'elles ne sont jamais venues. Peut-être que j'ai rêvé et c'est tout.

Je me lève, enfile un vieux pull gris, attrape mes jumelles sur la table de chevet et marche jusqu'à la fenêtre. Je les pose sur mon nez et ajuste la mise au point en scrutant la façade des immeubles en verre qui me font face, puis je les baisse jusqu'à la rue.

Il n'est pas tout à fait 6 heures du soir et les rues sont noires de monde, les gens se pressent dans tous les sens, ils quittent leur travail, rentrent dîner chez eux. Je vois un homme et une femme s'enlacer au coin d'une rue, je les suis tandis qu'ils marchent bras dessus, bras dessous. Je n'arrive pas à distinguer leurs visages de loin, mais leur posture me dit qu'ils sont heureux, à l'aise l'un avec l'autre. J'essaie de me souvenir de ce que ça fait. Je n'y arrive pas.

Dis-moi ce que tu vois, murmure une voix douce à mon oreille. La voix de ma mère.

Et en un clin d'œil je suis transportée de la chambre de mon appartement du vingt-deuxième étage d'un gratte-ciel en verre du centre-ville à la chambre de mes parents, dans leur palais de South Beach. Mes orteils nus se plantent dans le jonc de mer blanc, tandis que, debout, à la fenêtre, j'observe à travers les jumelles le jardin époustouflant qui s'étend devant moi, en décrivant à ma mère les différentes variétés d'oiseaux exotiques. Je suis remontée trois ans en arrière, un an après qu'on lui a appris cet horrible diagnostic, que le cancer qu'on croyait parti était en fait revenu et en phase terminale.

Dans quatre mois, elle sera morte.

– Je vois deux hérons et un superbe ornithorynque, lui dis-je.

– Viens.

Je me presse à ses côtés.

Mais elle est trop faible pour quitter son lit et je la vois réprimer une grimace quand j'essaie de la soulever. Elle est tellement frêle, j'ai peur qu'elle ne se désintègre entre mes mains comme un parchemin ancestral.

– Je les verrai la prochaine fois, dit-elle, les yeux remplis de larmes.

On sait toutes les deux qu'il n'y aura pas de prochaine fois.

– Est-ce que tu as envie que je te fasse la lecture ? je lui demande, en m'installant dans le petit fauteuil couleur pêche à côté de son lit et en ouvrant le roman policier que j'ai commencé à lui lire, à raison de quelques chapitres par jour.

Ma mère a toujours adoré les histoires de crimes. Quand d'autres enfants s'endormaient en écoutant Blanche-Neige et Cendrillon, elle me lisait les romans de Raymond Chandler et d'Agatha Christie.

Les rôles sont désormais inversés.

On regarde la télé de temps en temps, surtout des enquêtes criminelles, tout ce qui peut lui faire oublier la douleur et me faire oublier à moi que je suis en train de la perdre. « C'est troublant, me dit-elle parfois, cette façon que tu as de toujours savoir qui est le coupable. »

Quand ai-je perdu ce pouvoir ? Voilà ce que je me demande quand la sonnerie du téléphone me tire soudain du passé comme un poisson qui viendrait d'accrocher un hameçon.

– C'est Elron, de la réception.

J'essaie de calmer les martèlements de mon cœur tandis qu'il poursuit :

– Votre sœur et votre nièce sont en train de monter avec des provisions pour à peu près un an.

– Merci.

Je me rends compte que j'ai faim, que je n'ai rien mangé de la journée.

– Vous pouvez leur dire de mettre les Caddie vides dans l'ascenseur quand elles auront terminé, continue-t-il, et je lui réponds que je le ferai même si, quelques secondes plus tard, je ne me souviendrai absolument pas de ce qu'il m'a dit.

J'attends près de la porte d'entrée, j'écoute les bruits de l'ascenseur au bout du couloir. Je regarde à travers le judas Claire et Jade entrer dans mon champ de vision, chacune pousse un Caddie, les deux débordent de sacs de courses.

– On a acheté le magasin entier, annonce Jade quand j'ouvre la porte. J'espère que t'es pas végétarienne.

– J'ai pensé que j'allais nous faire des steaks, dit Claire en commençant à vider le Caddie.

Elle me tend deux sacs plastique.

Je reste là, immobile, pas certaine de savoir ce qu'elle veut que j'en fasse.

– Tu peux commencer à ranger, me propose-t-elle.

J'ai envie de lui dire que je n'ai pas la force, que je ne sais pas où va quoi, que toute cette histoire de courses c'était son idée, par la mienne, mais son regard me dit qu'elle ne tolérera pas ce genre de gaminerie, et je ne la connais pas suffisamment pour discuter. Je la connais à peine, en fait. On a probablement échangé plus de mots aujourd'hui que ces dix dernières années. Donc, j'emporte les deux sacs dans la cuisine sans broncher et les pose sur le comptoir en marbre brun et doré.

– Ils ne vont pas se ranger tout seuls, dit Claire en me suivant avec deux autres sacs qu'elle pose à côté des miens. Allez, Bailey. C'est toi qui sais où vont les choses.

Elle me caresse le bras.

– Tu peux le faire.

Oui, mais si je n'en ai pas envie ? suis-je sur le point de lui demander. Mais elle a déjà disparu dans le couloir pour aller chercher d'autres provisions. Ai-je d'autre choix que celui de m'exécuter ?

Je m'aperçois vite que Claire a pensé à tout. Il y a des fruits et des légumes pour au moins une semaine, mais elle a aussi acheté des steaks, du poulet, des pâtes et différentes sauces, au moins une douzaine de briques de soupe, du pain, de la confiture, du beurre, du lait, des œufs, du café, du thé et même une bouteille de vin. Il y a du liquide vaisselle, de la lessive pour le blanc et pour la couleur, de l'adoucissant et divers produits d'entretien, du dentifrice et deux brosses à dents neuves, du déodorant, du shampoing, de la crème pour le corps et du bain de bouche.

Je sors la grande bouteille en plastique de liquide vert émeraude du sac, les mains tremblantes. *Dis-moi que tu m'aimes,* m'ordonne un homme. Le goût mentholé de son haleine me coupe le souffle, fait remonter la bile dans ma gorge. *Dis-moi que tu m'aimes.*

Je ne suis pas sûre de savoir si je crie avant de laisser tomber la bouteille ou si j'ai d'abord laissé tomber la bouteille et crié ensuite, mais une chose est sûre : je crie. Plus fort que j'ai jamais crié de ma vie, mes hurlements font accourir Claire et Jade dans la cuisine.

– Que se passe-t-il ? se hâte Claire, en regardant tout autour d'elle.

– Est-ce qu'il y avait une araignée dans le sac ? demande Jade. J'ai vu ça un jour dans *1 000 façons de mourir.* Cette femme…

– Jade, s'il te plaît, intervient sa mère, en balayant du regard le sol de la cuisine, puis elle dit : Est-ce qu'il y *avait* une araignée dans le sac ?

Je secoue la tête avec acharnement, les cris laissent place aux larmes.

– Peut-être qu'elle n'aime simplement pas le bain de bouche. Jade ramasse la bouteille.

– Heureusement que c'est du plastique.

– Enlève-moi ça.

J'arrive à cracher cette phrase entre deux sanglots.

– Qu'est-ce qu'il y a ? demande Claire tandis que Jade attrape la bouteille qui m'est insupportable et sort en vitesse de la pièce.

J'entends la porte d'entrée s'ouvrir et se refermer.

– Bailey, que vient-il de se passer ?

Il me faut plusieurs secondes avant d'être capable d'expliquer mon aversion soudaine pour le bain de bouche.

– Oh, merde, s'exclame Claire au moment où Jade réapparaît. Je suis vraiment désolée, Bailey. Je ne savais pas.

– Je l'ai balancée dans le vide-ordures, dit Jade à sa mère tandis que je m'excuse pour aller verrouiller la porte à double tour.

Non pas que cette serrure serve à grand-chose, vu la facilité avec laquelle Jade a réussi à la forcer.

– J'appellerai quelqu'un demain matin pour la faire remplacer par un truc plus solide, dit Claire quand je reviens.

– Ça fait comment, de se faire violer ? demande Jade.

– Jade, dit sa mère. Bon sang, je te jure que…

– C'était horrible.

– Qu'est-ce qu'on ressent ? insiste-t-elle.

– Oh, pour l'amour de Dieu…

– Ça va, dis-je à Claire. C'était comme si quelqu'un me fouillait les entrailles avec une lame de rasoir.

– Aïe, murmure Jade.

– T'es contente ? lui demande sa mère.

– C'est juste qu'à la télé, ça a toujours l'air, vous savez…

– Non, la coupe Claire. Nous ne savons pas.

Jade hausse les épaules.

– Un peu… excitant.

– Tu penses que le viol, c'est excitant ?

Claire a désormais l'air horrifiée.

– J'ai juste dit que ça en avait l'air. Parfois. Il y a plein de femmes qui fantasment sur le viol. J'ai vu ça dans *Dr Phil*, enfin, tu sais une de ces émissions, ils parlaient des fantasmes et ils expliquaient que le fantasme de se faire violer était plutôt commun chez les femmes.

– Il y a une grosse différence entre le fantasme et la réalité, la reprend sévèrement sa mère. Dans les fantasmes, personne n'est blessé pour de vrai.

Elle ouvre le frigo et se met à ranger les courses.

– Je pense que tu dois des excuses à Bailey.

– Pourquoi ?

– C'est bon, dis-je.

– C'est toi qui devrais t'excuser, dit Jade à sa mère. C'est toi qui essaies de lui piquer tout son fric.

Claire prend une grande inspiration.

– OK. Je pense que tu as assez parlé pour ce soir.

– Est-ce que je peux aller regarder la télé ?

– Non, dit Claire, avant de changer d'avis. Oui. Vas-y. Je t'en supplie, va regarder la télé.

Jade disparaît dans le couloir. Quelques secondes plus tard, on entend les hurlements du poste de télévision.

– Je suis vraiment désolée, commence Claire.

– C'est pas grave.

– Si, c'est grave. Je ne suis pas venue ici pour te contrarier.

– Pourquoi es-tu venue ?

Elle referme la porte du réfrigérateur, s'adosse au comptoir.

– Gene m'a dit ce qu'il s'était passé. Je me suis sentie vraiment mal. Lui aussi. Écoute, je sais que toi et moi on n'est pas très proches. Et je sais qu'on te fait un procès. Mais… (Elle s'arrête, soupire, me regarde droit dans les yeux.) On fait quand même partie de la même famille. Tu es quand même ma sœur. En dépit de tout le reste. Et je suis infirmière. Je crois que je me suis dit que je pouvais peut-être t'aider.

Elle jette un coup d'œil dans le couloir en direction de ma chambre ; le bruit de la télé se réverbère sur les murs jusqu'à nous.

– Peut-être que ce n'était pas une si bonne idée que ça.

– Je suis contente que tu sois là.

– Même si j'essaie de te piquer tout ton fric ?

Un autre coup d'œil vers la chambre.

– Je sais que ce n'est pas ce que tu fais.

– Gene tient tellement à ce procès. Les autres aussi, ils sont vraiment en colère.

– Et pas toi ?

– Parfois, admet-elle. Je veux dire, ce n'est pas agréable de ne pas faire partie du testament de son propre père, mais bon sang, on ne faisait pas vraiment partie de sa vie non plus, donc je suppose qu'on devrait avoir l'habitude depuis le temps. Et puis il a au moins prévu ce qu'il fallait pour Jade et ses études. Enfin, c'est pas comme si elle allait à Harvard non plus.

– Elle te surprendra peut-être.

– Tu veux savoir quelle est sa plus grande ambition en ce moment ?

J'acquiesce et me rends compte que j'apprécie sincèrement cette conversation, que c'est la première conversation depuis des semaines qui ne me concerne pas exclusivement, qui ne concerne pas mon viol.

– Elle veut tomber enceinte pour pouvoir participer à une des ces émissions de télé-réalité qu'elle regarde toute la journée, *Seize ans et enceinte*, *Maman ado*, ce genre de trucs.

Je ris, malgré l'air très sérieux du visage de Claire. Ou peut-être à cause de celui-ci.

– Tu penses que je rigole ? Demande-lui. Elle te le dira elle-même.

– Je crois qu'elle essaie de te provoquer.

– Oh, on a dépassé le stade de la provocation il y a bien longtemps. Je l'ai surprise avec un garçon la semaine dernière. Je suis rentrée de l'hôpital vers 2 heures du matin et ils étaient là, à se rouler par terre au milieu de mon salon, à moitié nus. J'ai allumé la lumière et tu sais ce qui s'est passé ? C'est moi qui me suis fait engueuler ! *Pourquoi tu rentres si tôt ? T'es censée travailler jusqu'à 3 heures. Est-ce que tu essaies de gâcher ma vie ?* Voilà le genre de bêtises que je dois supporter tous les jours. Est-ce qu'elle est gênée ? Pas le moins du monde. Lui ? Il n'en a pas l'air. Cet abruti remonte son jean puis s'affale sur le canapé et sort une cigarette. Je lui dis que ses clopes et lui peuvent déguerpir ; Jade menace de partir avec lui ; je lui dis que son oncle Gene la renverra en prison pour mineurs dans la seconde, s'il le faut. Et que ça vaut aussi pour Roméo le chaste, qui est déjà en train de passer la porte. Ce qui met fin à notre discussion. Je lui fais un sermon sur les dangers des relations sexuelles non protégées et c'est là qu'elle m'annonce qu'elle veut tomber enceinte pour participer à une émission stupide de télé-réalité. Et elle est sérieuse ! ajoute Claire avant que je ne puisse la contredire.

Donc, je ne dis rien.

– Oh, et, bien évidemment, elle me traite d'hypocrite, en me rappelant que j'étais enceinte quand j'ai épousé son père.

– Qu'est-ce qu'il pense de tout ça ? je demande.

Je sais que Claire est divorcée depuis longtemps, mais je ne sais pas grand-chose de plus.

Elle balance une laitue dans le bac à légumes, comme si elle essayait de marquer un panier.

– Eliot ? Qu'est-ce que j'en sais ? J'ai pas vu ce salaud depuis des années. Papa ne s'était pas trompé à son sujet.

Elle secoue la tête, rit, un rire étonnamment féminin.

– Peut-être qu'on aurait dû avoir notre *propre* émission de télé-réalité.

J'observe ma demi-sœur qui range le reste des commissions dans le placard à côté du frigo, j'admire son efficacité. J'étais comme ça avant. J'étais efficace à plein de niveaux.

– Crois-le ou non, reprend Claire, Jade était une adorable petite fille jusqu'à quatorze ans. Puis elle a juste… vrillé.

– Ça arrive aux meilleurs d'entre nous.

– Vraiment ? Je parie que tu n'as pas été aussi difficile avec ta mère.

– Je suis sûre que je n'ai pas toujours été facile.

Claire interrompt son rangement.

– Ç'a dû être vraiment dur pour toi quand elle est morte.

Je me retourne aussi vite que possible afin qu'elle ne voie pas les larmes me monter aux yeux. Cela fait presque trois ans et je la pleure encore comme si c'était hier.

– J'ai eu des crises d'angoisse à peu près tous les jours, l'année qui a suivi sa mort, admets-je.

C'est la première fois que je dis ça à quelqu'un. Je ne suis pas sûre de savoir pourquoi je lui dis ça à elle.

– Est-ce que tu as vu quelqu'un à ce sujet ?

– Tu veux dire un psychiatre ?

– Ou un thérapeute. Quelqu'un à qui parler.

– J'ai parlé à Heath.

Bien que mon frère ait été dans un état encore pire que le mien…

Elle a l'air sceptique. Il semblerait que la réputation de mon frère le précède.

– Est-ce qu'il t'a aidée ?

– Nous sommes très proches, dis-je, même si je sais que ça ne répond pas à sa question. Est-ce que tu es proche de Gene ?

– Je crois. Je sais qu'il a un petit côté monsieur-je-sais-tout et qu'il peut être pédant. Il est toujours persuadé d'avoir raison. Et malheureusement, la plupart du temps, il a raison. Mais il est aussi honnête et droit et toutes ces choses que je n'ai pas l'habitude de voir chez un homme, alors…

Sa voix s'éteint, flotte dans l'air, comme la fumée d'une cigarette.

– Et les autres ?

– Tu veux dire nos chers demi-frères, Thomas, Richard et Harrison ?

Elle insiste sur chaque nom avec ce qu'il faut de théâtralité. Je souris.

– Je ne les ai pas vus depuis des années, lui dis-je.

– Je ne peux pas vraiment dire que je les ai beaucoup vus non plus. Jusqu'à récemment en tout cas. Cette histoire de procès, ajoute-t-elle. Si ça ne tenait qu'à moi…

– Je comprends.

Vraiment ?

– Elle était comment, ta mère ? demande-t-elle, pour choisir un sujet moins délicat.

– Elle était vraiment à part.

– Notre père était vraiment épris d'elle, en tout cas.

Je souris à nouveau. « Épris » semble être un mot trop désuet dans sa bouche. Mais en même temps, c'est le plus approprié.

– Je crois que oui.

– Tu as eu de la chance.

Cette phrase sonne aussi bizarrement que quand la police l'a prononcée après mon viol. Ma mère est morte quand j'avais vingt-six ans. Comment peut-on parler de chance ?

C'est ma mère qui avait suggéré que je devienne détective privée. Elle n'était sûrement pas sérieuse, mais l'idée est restée plantée comme un clou dans une vieille planche en bois. J'ai vite découvert que je pouvais obtenir ma licence en ligne, ce qui me permettait de rester à la maison avec elle durant les précieux derniers mois de sa vie. J'avais déjà quelques années d'études à mon actif, des années passées à essayer de décider ce que je voulais faire de ma vie. J'avais passé trois ans à étudier la criminologie. Devenir détective privée, c'était une évidence, inutile de se prendre la tête.

Des pas dans le couloir me ramènent à la réalité.

– Tu n'as pas commencé à préparer le dîner ? gémit Jade du seuil de la porte. Je meurs de faim. Tu as dit qu'on allait juste manger et rentrer.

– Pourquoi tu ne mets pas la table ?

Jade mâche son chewing-gum, énervée. Une énorme bulle rose part de ses lèvres, grandit jusqu'à cacher toute la partie inférieure de son visage. Elle traîne des pieds jusqu'aux tiroirs de la cuisine et se met à les ouvrir et à les fermer l'un après l'autre jusqu'à ce qu'elle trouve celui des couverts.

– Et la police a des suspects ? demande-t-elle, en éclatant la bulle avec ses dents, les mains pleines de fourchettes et de couteaux.

Je m'imagine utiliser un des couteaux pour poignarder mon agresseur, ma main droite se referme quand je sens le couteau lui déchirer la poitrine avant de lui percer le cœur.

– Allô, la lune ? Allô ? Y a quelqu'un là-haut ?

La voix de Jade me tire de ma rêverie.

– Désolée. Tu disais ?

– Je demandais si la police avait des suspects.

– Non. Pas que je sache.

– Donc quoi... ils pensent que c'était genre une agression au hasard ?

– Qu'est-ce que ça pourrait être d'autre ?

– Peut-être que c'est toi qui étais visée, dit Jade en haussant les épaules.

– Jade, sérieusement.

Claire pose délicatement sa main sur mon bras.

– On va faire changer ces serrures à la première heure demain matin.

6

– Pourrais-je parler à l'inspecteur Marx, s'il vous plaît ?

J'appuie le combiné contre mon oreille et me rallonge. La chambre est plongée dans le noir bien qu'il soit presque 10 heures du matin. J'ai hésité à ouvrir les stores pour laisser la lumière implacable du soleil entrer mais me suis finalement abstenue. Je ne suis pas encore prête à affronter une autre journée interminable, même si les jours et les nuits ne font plus aucune différence. L'un ne m'apporte pas plus de réconfort que l'autre.

– Un instant, s'il vous plaît.

Je remarque le ton agacé de la voix de l'officier, comme si je l'avais interrompu au milieu de quelque chose d'important ou, du moins, quelque chose de plus important que moi. *Est-ce qu'il reconnaît ma voix ?* je me demande, tandis qu'il me met en attente en lançant aussitôt une musique latino enjouée pour meubler le silence. J'imagine l'officier se pencher au-dessus de son bureau et appeler l'inspecteur Marx. « Hé, c'est encore cette femme, là, Carpenter. Trois fois en une heure. Tu veux toujours que je lui dise que tu es occupée ? »

Je les comprends. Vraiment. La triste vérité, c'est que je suis de l'histoire ancienne. J'ai déjà été remplacée par d'autres crimes, plus récents, plus intéressants : une femme étranglée par son petit ami après une violente dispute au sujet de la gagnante de Top Model USA ; une main tranchée découverte dans les marais près de la I-95 ; une fusillade dans une supérette qui a fait un mort et un blessé grave. Je ne fais pas le poids. On m'a mise en veilleuse, comme on dit. Je ne suis plus qu'une flamme à peine perceptible, mon essence se dissipe doucement dans l'air, comme de la vapeur, et bientôt il ne restera plus rien.

« Peut-être que c'est toi qui étais visée », a supposé ma nièce.

Est-ce possible ?

Et si elle avait raison ? Roland Peterson et Todd Elder ayant été rayés de la liste des suspects, qui pourrait bien m'en vouloir ? Quels mobiles pourrait-il avoir ?

Qu'est-ce que je suis en train de faire ? me dis-je en éloignant le combiné de mon oreille, interrompant ainsi grossièrement Gloria Estefan au beau milieu de sa chanson. Qu'est-ce que ça va changer d'entendre la police me confirmer, une fois de plus, qu'ils n'ont pas de nouvelle piste ? Je presse le bouton *raccrocher* et repose le téléphone sur son socle. Il n'y a rien de ce que l'inspecteur Marx peut me dire que je ne sache déjà.

Je m'extirpe du lit et titube jusqu'à la salle de bains. Mes jambes ne parcourent désormais jamais plus de quelques mètres à la fois. Je retire mon pyjama dans le noir et entre dans la douche. Quand je me suis suffisamment ébouillantée, je coupe l'eau et enroule une serviette propre autour de mon buste, en remerciant silencieusement Claire d'avoir finalement fait tourner au moins trois machines de linge avant de partir hier soir, aux environs de minuit. J'avance jusqu'aux fenêtres de ma chambre, appuie sur l'interrupteur qui commande les stores et les regarde monter. Un monde en verre me tend les bras, la lumière du soleil se reflète sur leurs parois lisses et glacées.

Je les vois tout de suite, bien qu'ils ne me voient pas : les ouvriers de l'immeuble qu'on construit devant chez moi, allant et venant sous leurs casques bleus, blancs ou jaunes. Leur présence me surprend toujours, bien qu'ils soient là depuis plus d'un an. Ils commencent à marteler à 8 heures tapantes tous les matins, empilant les étages aussi rapidement que des enfants qui jouent avec des briques en plastique. Je les regarde quelques minutes avant d'attraper mes jumelles pour les observer de plus près. Je vois un homme essuyer la sueur sur son front avec un chiffon blanc qu'il tire de la poche arrière de son pantalon qui lui tombe sur les hanches ; j'en vois un autre le contourner, une poutre épaisse en bois sur ses larges épaules, ses biceps nus exposés sans gêne. J'en vois encore un autre sortir de toilettes préfabriquées en plastique rouge vif situées à l'autre bout de la dalle de béton et d'acier. Ces hommes – j'en dénombre rapidement une demi-douzaine – ont entre vingt et quarante ans, ils sont de taille et de poids moyens. Deux sont blancs, trois latinos, un a la couleur d'un café crème.

Ils pourraient tous être l'homme qui m'a violée.

Il a pu m'observer, exactement comme je suis en train de l'observer maintenant. Il a pu me remarquer juste devant l'entrée de mon immeuble, un matin où j'attendais qu'un des valets remonte ma voiture du parking souterrain. Il a pu fureter dans mes moindres faits et gestes, prendre ma Porsche en filature pendant mes déplacements quotidiens. Il a pu me suivre la nuit où je cherchais Roland Peterson, m'espionner pendant que j'espionnais l'appartement de l'ex de Peterson, prendre son temps, attendre le bon moment pour attaquer.

Est-ce que c'est possible ?

Le téléphone sonne et je sursaute. Probablement Claire qui appelle pour savoir comment je vais. Mais ce n'est pas Claire. Et de façon aussi curieuse que déconcertante, je suis déçue.

– Bailey, dit l'inspecteur Marx, avec sa voix à la fois professionnelle et rassurante. Je suis désolée. Il me semble que vous avez appelé. La ligne a dû être coupée.

Elle ne me demande pas comment je me sens ou si tout va bien. Elle connaît déjà la réponse.

– J'ai pensé à quelque chose, lui dis-je, en me souvenant de ses doux yeux gris que j'avais vus la nuit de mon viol.

– Vous vous êtes souvenue de quelque chose ?

Je la vois faire signe à son partenaire en se penchant au-dessus son bureau encombré pour attraper son bloc-notes et son stylo.

– Il utilise du bain de bouche.

– Quoi ?

– L'homme qui m'a violée. Son haleine sentait le bain de bouche.

– Son haleine sentait le bain de bouche, répète-t-elle d'un ton neutre.

J'ajoute :

– Fraîcheur mentholée. Menthe verte.

– Menthe verte.

Je commence à me sentir bête. Quelle utilité ça peut bien avoir ? Des millions de personnes utilisent du bain de bouche.

– J'y ai repensé hier en rangeant les courses.

Je frissonne en m'en souvenant.

— C'est exactement ce que vous aviez dit, ces détails qui reviennent brusquement...

Est-ce bien ce qu'elle m'a dit ?

— C'est très bien, Bailey. Continuez d'essayer de vous souvenir. Peut-être que d'autres détails vont vous revenir.

Des détails qui pourraient vraiment faire avancer l'enquête de la police.

— Y a-t-il autre chose ? me demande-t-elle.

— Non. Juste que...

— Juste que quoi ?

— Y a-t-il eu d'autres viols dans le quartier où je me suis fait agresser ?

— D'autres viols dans le quartier, répète l'inspecteur Marx, quelque chose, je réalise, qu'elle fait avec une régularité agaçante. Non, il n'y a pas eu d'autres viols dans ce quartier.

— Rien du tout ?

— Il n'y a eu aucune agression d'aucune sorte signalée dans ce quartier dans les six derniers mois.

— Que pensez-vous que ça signifie ?

— Je ne sais pas, admet-elle. Qu'est-ce que *vous* pensez que ça signifie ?

J'ai les mots sur le bout de la langue, mais il me faut plusieurs secondes pour trouver la force de les cracher.

— Peut-être que mon agression n'était pas due au hasard. Peut-être qu'elle était préméditée.

— Par qui ? demande l'inspecteur Marx.

— Je ne sais pas.

Je jette un œil au chantier par la fenêtre, observe les ouvriers manipuler une longue poutre en acier.

— Bailey, me presse l'inspecteur Marx, pensez-vous à quelqu'un qui pourrait vouloir vous faire du mal ?

Combien de fois me suis-je posé cette question ? Il y a des tas de gens qui sont en colère contre moi, y compris au sein de ma propre famille, mais je suis convaincue que personne ne me déteste suffisamment pour me faire une chose pareille. Bien sûr, ils ont pu engager quelqu'un d'autre pour le faire, me dis-je, en sentant mes poumons suffoquer.

— Que se passe-t-il ? demande l'inspecteur.

– Rien.

Il y a un blanc pendant lequel nous attendons toutes les deux que l'autre parle. Finalement, l'inspecteur cède et vient rompre ce silence pesant.

– Très bien, Bailey. Voici ce que je voudrais que vous fassiez. Vous m'écoutez ?

J'acquiesce.

– Bailey, vous m'écoutez ?

– Je vous écoute.

– Je veux que vous fassiez une liste de tous les gens que vous connaissez ou avez connus, dans vos relations personnelles ou professionnelles, qui pourraient vous en vouloir. Vous pouvez faire ça ?

J'acquiesce une nouvelle fois. Je me souviens vaguement d'avoir déjà exploré cette piste-là.

– Nous vous avons interrogée sur d'éventuels ennemis que vous vous seriez faits dans votre travail, continue l'inspecteur Marx. Avez-vous pu y réfléchir ?

– Pas vraiment. Vous avez déjà vérifié pour Todd Elder.

– Personne de votre passé ? Un petit ami rancunier peut-être ?

Je ne lui ai pas parlé de mon affreuse rupture avec Travis.

– Je suis sûre que j'aurais reconnu un ex, même avec une taie d'oreiller sur la tête, dis-je en entendant plus qu'un léger trouble envahir ma voix.

Cette conversation ne sert à rien. Je regrette d'avoir mis tout ça sur le tapis.

– Écoutez, Bailey. C'est plus vraisemblable que vous n'ayez pas été agressée par quelqu'un que vous connaissez. Ou, du moins, que vous connaissez bien. Il est bien plus probable qu'il s'agisse d'une agression d'un inconnu sur une inconnue. Peut-être que quelqu'un vous a vue ce soir-là, qu'il a attendu le moment opportun pour vous attaquer. Ou peut-être qu'il vous a observée pendant des jours, des semaines même. Ça peut être quelqu'un que vous connaissez de loin ou que vous avez croisé dans la rue, peut-être à qui vous avez dit bonjour, ou *n'avez pas* dit bonjour et qui l'a pris comme un affront personnel. Il y a suffisamment de malades dans cette ville pour que tout soit possible, c'est pour ça que c'est si foutrement difficile de retrouver ce type, donc, tout ce dont vous pourrez vous souvenir, n'importe quelle

71

personne dont vous pourrez vous rappeler, le moindre détail, pourrait nous aider.

Une fois de plus, je regarde le chantier de l'autre côté de la rue.

– Il y a tous ces ouvriers.

Je lui parle des hommes que je vois tous les jours par ma fenêtre, j'émets la possibilité que l'un d'entre eux ait pu me repérer lui aussi.

– Des ouvriers, répète-t-elle. Avez-vous une raison de suspecter l'un d'entre eux comme étant votre agresseur ?

– Pas vraiment.

– L'un d'entre eux vous a-t-il dit déjà parlé ou vous a-t-il fait des avances inappropriées… ?

– Non.

Un soupir de défaite.

– Bon, on ne peut pas vraiment commencer à enquêter sur tous les ouvriers du coin sur le seul fondement d'un stéréotype sexiste.

– Non, bien sûr que non.

Elle est en train de perdre patience.

– Mais vous pouvez obtenir une liste de tous les employés du constructeur, poursuis-je malgré tout, recouper leurs noms dans vos fichiers, voir si l'un d'entre eux a un casier judiciaire, peut-être même une condamnation antérieure pour agression sexuelle.

– C'est hasardeux, affirme l'inspecteur Marx après un long silence. Nous cherchons une aiguille dans une meule de foin.

Ou un éclat de verre brisé, me dis-je, tandis que le soleil se reflète dans une fenêtre voisine et me renvoie un rayon aveuglant dans l'œil.

– Ce qui ne veut pas dire que nous ne retrouverons pas l'homme qui a fait ça, Bailey.

– Je sais.

Il est probable qu'ils ne retrouvent jamais le coupable, à moins qu'il ne frappe de nouveau.

Est-ce que c'est ça que je souhaite ? Que l'homme qui m'a violée condamne une autre femme à vivre l'enfer ? Est-ce que je suis devenue ce genre de personne, celle qui attend le malheur d'une autre pour son propre salut ?

– Je vais m'en occuper tout de suite, conclut l'inspecteur Marx.

Puis, avant de raccrocher :

– Faites-moi cette liste.

Je jette le téléphone sur le lit et me retrouve à nouveau près de la fenêtre. L'air froid de la climatisation souffle sur mes épaules nues et je réalise que je ne porte qu'une serviette de bain. *Est-ce quelqu'un m'a vue ?* Je me pose la question, tout en sachant que c'est impossible à cause du reflet du soleil, mais je tombe à genoux et rampe à quatre pattes jusqu'au placard, au cas où. Est-il possible qu'un des ouvriers d'en face m'ait vue un matin alors que je paradais chez moi à moitié nue ? Ou peut-être un habitant d'un autre immeuble ? Peut-être que je ne suis pas la seule dans le quartier à posséder une paire de jumelles.

La sonnerie de mon téléphone me fait tomber à plat ventre. Je reste étendue là, le visage écrasé contre l'épaisse moquette beige, le cœur battant de façon erratique. Il me faut plusieurs secondes pour me relever et chercher le téléphone, plusieurs secondes de plus pour me souvenir qu'il n'est pas sur son socle mais quelque part sur le lit, là où je l'ai balancé. Je réussis à le retrouver à la quatrième sonnerie, juste avant que le répondeur ne s'enclenche.

– Allô ? je chuchote, adossée au lit pour me soutenir, en espérant entendre la voix rassurante de Claire.

– Mademoiselle Carpenter, c'est Stanley, de la réception, annonce la voix.

J'essaie de visualiser Stanley, mais j'en suis incapable. Il y a au moins une demi-douzaine de jeunes hommes qui travaillent comme concierges et voituriers dans cet immeuble, tous aussi élégants, tous aussi anecdotiques.

– Le serrurier est là pour changer vos verrous.

– Pouvez-vous me donner cinq minutes ?

– Bien entendu.

– Et pouvez-vous envoyer quelqu'un avec lui ?

– Je vais regarder.

– Merci.

J'enfile un pantalon large en coton kaki, un tee-shirt blanc informe et j'attache mes cheveux mouillés en une queue-de-cheval basse.

Exactement cinq minutes plus tard, on frappe vigoureusement à ma porte. Je regarde à travers le judas, je vois deux hommes debout dans le couloir, leurs visages déformés par leur proximité et le minuscule judas. J'ouvre la porte, recule et laisse les hommes entrer.

– Bonjour.

Je reconnais à peine ma voix.

– Entrez.

– Bonjour. Je suis Manuel, dit le plus âgé des deux, avec un fort accent cubain et une caisse à outils dans la main droite.

La quarantaine, il est de taille et de corpulence moyennes, des cheveux bruns longs jusqu'aux épaules et de sympathiques yeux noirs.

Le second est grand et svelte, quelques taches de rousseur sur l'arête de son large nez et des cheveux blond foncé mi-longs. Un début de moustache balaie sa lèvre supérieure. Il porte l'uniforme familier des concierges et, d'après son badge, il s'appelle Wes. Il a l'air d'avoir tout juste vingt ans. Je ne me rappelle pas l'avoir déjà vu.

– Vous êtes nouveau ici ? je demande.

– J'ai commencé il y a un mois à peu près. L'immeuble est génial.

Son haleine sent le bain de bouche. Ça me coupe le souffle et je recule d'un pas.

Wes m'observe, ses yeux marron clair me regardent avec une familiarité aussi surprenante que déconcertante.

– Quelque chose ne va pas ?

Je secoue la tête, en me répétant que des millions de gens se font des bains de bouche et que l'odeur de celui de ce garçon n'a rien à voir avec celui de mon violeur, plus menthe forte que menthe verte.

Sait-il ce qu'il m'est arrivé ? Est-ce que l'un des concierges est au courant ? Ils doivent se douter de quelque chose, avec tous ces changements dans mon quotidien et toutes les visites de la police. Est-ce qu'ils en parlent à voix basse entre eux ? Est-ce qu'ils en rient derrière mon dos ? Est-ce que ça les intrigue ? Les excite ? Les dégoûte ? Est-ce qu'ils pensent que je l'ai bien cherché ?

Manuel se met à démonter la serrure.

– De la camelote, ricane-t-il en la mettant de côté. Je vous installe quelque chose de bien mieux.

Il brandit une autre serrure.

– Beaucoup plus robuste. Vous voyez ?

J'acquiesce.

– Ma nièce a réussi à ouvrir celle-ci en deux secondes, à peu près.

– Elle ne pourra pas ouvrir celle-là. Je vous le garantis.

J'observe les mains de Manuel qui s'affairent. *De si gros doigts*, me dis-je, en les sentant appuyer sur ma trachée.

– Ça va ? me demande soudainement Wes.

– Oui, pourquoi ?

– Vous avez frissonné. Ma mère disait que quand on frissonne, ça veut dire que quelqu'un marche sur notre tombe.

– On aura fini dans quelques minutes, dit Manuel.

– Bien.

– Votre nièce ne pourra pas forcer cette serrure. Je vous le garantis.

Dix minutes plus tard, Manuel laisse tomber deux nouvelles clés rutilantes dans la paume de ma main. Mes doigts se referment sur elles. Elle sont tièdes, se fondent dans ma peau comme de la cire, comme pour me marquer.

– Combien je vous dois ?

– Tout est réglé. Votre sœur…

– Claire ?

– Une femme sympathique. Elle s'est occupée de tout.

Manuel s'en va mais Wes s'attarde quelques instants.

– Eh bien, à plus tard, dit-il, en faisant du surplace.

Je comprends qu'il attend un pourboire, mais je n'ai aucune idée d'où se trouve mon sac, donc je ne bouge pas. Il finit par abandonner après quelques secondes et rejoint Manuel devant l'ascenseur.

– Profitez bien de vos nouvelles serrures, lance-t-il quand je referme la porte.

7

C'est presque par hasard que je me mets à épier ce type.

C'est Claire qui le voit en premier. Elle est debout face à la fenêtre de ma chambre, elle porte un pantalon gris foncé et ce gilet blanc pas très flatteur qui accentue le bourrelet de sa taille. Ses fins cheveux blonds mi-longs auraient bien besoin d'une visite chez le coiffeur. Elle observe aux jumelles les appartements éclairés de l'immeuble qui se trouve juste derrière le mien, elle le balaie du regard en rythme, comme un hibou, de haut en bas, d'avant en arrière, de gauche à droite, comme si le vent la portait et qu'elle cherchait un endroit pour se poser en sécurité.

– Mon Dieu, non mais regardez-moi ça, dit-elle, plus pour elle-même que pour s'adresser à Jade ou à moi.

Ma nièce et moi sommes allongées sur mon lit à regarder la télé, exactement comme je le faisais avec ma mère. Jade porte un tee-shirt rose pâle très large sur un fuseau noir, ses bottines à la mode avec leurs talons aiguilles de douze centimètres sont posées par terre à côté d'elle. Elle mâche un chewing-gum, joue sans réfléchir avec ses cheveux, et rit. On vient juste de voir un homme se faire couper en deux par sa tondeuse à gazon et une femme se noyer dans un marécage, respectivement numéros 547 et 212, dans le classement hasardeux, et sans fin semble-t-il, des *1 000 façons de mourir*. S'ils atteignent un jour les fameux 1 000, je les soupçonne d'avoir l'émission parfaite pour succéder à celle-ci : *1 000 autres façons de mourir*, me dis-je en jetant un œil en direction de Claire ; je suis ébahie qu'il existe encore des gens dans ce monde qui se sentent suffisamment en sécurité pour laisser leurs rideaux ouverts et leurs lumières allumées après le coucher du soleil. Ne savent-ils pas qu'il y a sûrement quelqu'un qui les regarde ?

– Qu'est-ce que tu vois ? je lui demande, en entendant la voix de ma mère résonner.

Jade est déjà debout près de la fenêtre à arracher les jumelles des mains de sa mère.

– Oh, putain ! s'exclame-t-elle.

– Jade, les gros mots, la menace Claire sans grande conviction.

– Il faut que tu voies ça, dit Jade en agitant la main pour me faire lever du lit.

Je secoue la tête.

– Raconte-moi.

– Ce type dans son appart… donne-moi une seconde… trois étages en partant du toit, quatrième fenêtre en partant de la gauche, compte Jade, puis elle explose littéralement de joie. Non mais c'est trop drôle. Il faut que tu voies ça, Bailey. Il se prend vraiment pour un putain de caïd.

– Jade, les gros mots.

– Il parade à travers sa chambre, à moitié à poil…

– Il porte un jean, corrige Claire.

– Mais pas de tee-shirt, ce qui fait de lui un homme à moitié nu, dit Jade, agacée.

Même avec les jumelles collées à son visage, je peux la voir lever les yeux au ciel.

– Il a des tablettes de chocolat assez impressionnantes.

– Comme si c'était ce qui comptait, dit Claire.

– Il se pavane devant son miroir en prenant la pose et en contractant ses muscles. C'est vraiment hilarant. Ah, beurk. Il vient de plonger la main dans son pantalon pour ajuster sa bite.

– Jade, les gros mots.

– Quoi ? Tu préfères « queue » ?

– Oh, pour l'amour de Dieu.

– D'accord, d'accord. J'ai pigée. *Pénis*. Il ajuste son *pénis*. Bailey, viens ici avant de tout louper.

– Désolée, dis-je du bout des lèvres en luttant contre une soudaine envie de vomir. Je crois que c'est la dernière chose que j'aie envie de voir.

– Franchement, Jade.

Sa mère lui arrache les jumelles des mains et les repose sur la table de nuit.

– Parfois, je me pose vraiment des questions sur toi.

– Je ne voulais pas… Je ne pensais pas à…

– C'est bien ça le problème avec toi, explose Claire. Tu ne penses pas.

– Désolée, Bailey, dit Jade.

– C'est pas grave.

– Je crois qu'on devrait y aller, dit Claire. Il se fait tard.

– Il est à peine 21 heures.

– Tu as école demain.

– Et alors ?

Presque une semaine s'est écoulée depuis leur première visite impromptue. Je me détends en écoutant le bruit rassurant de leurs disputes habituelles et je me rends compte à quel point j'aime leur compagnie désormais. Contrairement à Gene, dont la première visite fut la dernière, Claire est passée tous les jours depuis, elle vient voir comment je vais après son service à l'hôpital et avant de rentrer chez elle. De temps en temps, elle nous fait à dîner et propose à Jade de nous rejoindre. De temps en temps, on s'assoit juste toutes les deux et on regarde la télé. Il arrive que Claire me raconte sa journée, la dispute qu'elle a eue avec un médecin, le regard que lui a lancé une victime d'attaque cardiaque qui ne peut plus parler. Elle ne me demande jamais comment se passent mes journées à moi, elle sait qu'elles se ressemblent toutes.

On frappe à la porte, puis on sonne.

– Qui c'est ? demande Jade en nous regardant sa mère et moi, comme si l'une de nous était censée avoir une réponse.

– Le concierge n'est pas censé t'appeler avant d'autoriser quelqu'un à monter ?

Claire marche déjà vers le couloir.

– Ça doit être Heath, leur dis-je. Ils le connaissent.

– C'est qui, Heath ? demande Jade.

– Mon frère.

Je la vois faire des calculs dans sa tête pour remettre en place toutes les pièces de notre puzzle familial.

– Oh, ouais. L'autre enfant préféré…

– Jade, pour l'amour de Dieu. Est-ce qu'il faut que je te bâillonne ?

Claire a une expression à la fois gênée et agacée. Elle ferme les yeux et devient toute rouge.

– Je suis désolée, Bailey. C'était avant que...

– C'est bon, lui dis-je sincèrement. Je sais.

– Et il était où toute cette semaine ? demande Jade.

Je hausse les épaules. Heath a toujours eu tendance à se balader, il disparaît souvent plusieurs jours d'affilée, en général dans un nuage dense et épais de fumée de marijuana. Il n'a jamais vraiment assuré en période de crise, et mon viol l'a traumatisé presque autant que moi. Je sais qu'il lutte avec les mêmes sentiments troublants de culpabilité, la même rage d'être impuissant.

À vrai dire, je crois qu'il a été soulagé quand je lui ai parlé de Claire et de Jade lors de notre dernière conversation téléphonique.

Leurs visites lui ont enlevé un poids des épaules. Il n'a plus à jouer les grands frères courageux, rôle dans lequel il n'a jamais été très doué. Heath ressemble un peu à tous ces bouquets de fleurs que j'ai reçus après le viol, ceux qui se sont flétris et sont morts par manque d'eau fraîche et de soin. Il requiert une attention constante et, en ce moment, je n'ai pas la force.

Je me glisse hors du lit pour suivre Claire et Jade jusqu'à l'entrée. Jade a essayé plusieurs fois – et Dieu merci échoué – de forcer ma nouvelle serrure.

– Bonsoir, Heath, entends-je dire Claire, en faisant entrer mon frère dans l'appartement et l'odeur inévitable de beuh qui lui colle à la peau ; elle s'accroche à ses pores et glisse à travers son blouson de cuir noir et son jean slim.

Claire fronce les narines en reconnaissant la douce odeur enivrante, mais elle ne dit rien d'autre que :

– Ça me fait plaisir de te revoir. Ça fait longtemps.

Heath dégage sa frange de son beau visage délicat, ses yeux vert foncé fixent d'un air ahuri sa demi-sœur aînée, comme s'il essayait de la resituer.

– T'es défoncé, lui dit Jade en gloussant quand elle s'approche.

– Et tu es Jade, réplique Heath, en lui faisant un grand sourire. J'ai beaucoup entendu parler de toi.

– Vraiment ? Moi on ne m'a pas dit un mot sur toi. Pas Bailey, en tout cas.

Heath se met à rire.

– Tu as raison, me dit-il. Elle est fantastique.

Il enlève son blouson en cuir et le balance par terre. Claire le ramasse aussitôt. Il porte une chemise en soie bleu marine qu'il a mal boutonnée, mais il n'a pas l'air de l'avoir remarqué. Il est de toute évidence défoncé, plus que d'habitude, je ne l'ai pas vu comme ça depuis la mort de notre mère.

— Est-ce que ça va ? je lui demande en murmurant.

— Au top du top, répond-il en criant. Et toi ? Je vois que tu n'es plus en pyjama. Je suppose que ça veut dire que les sœurs de la Miséricorde se sont bien occupées de toi. Beau travail, mesdames.

— Allons-nous asseoir, non ? dit Claire en se dirigeant vers le salon.

Mais Heath avance déjà vers ma chambre.

— Je crois que je préfère m'allonger, dit-il, tandis que Jade et moi lui emboîtons le pas.

— Bon, je pense que ce ne serait pas une mauvaise idée de faire du café, dit Claire en se rabattant vers la cuisine.

— Une idée géniale.

Heath entre dans ma chambre et s'arrête net à côté de mon lit, les yeux rivés sur la télé.

— Putain, qu'est-ce que c'est que ce truc ?

Une jeune femme avec un décolleté plongeant et une jupe vraiment mini descend d'un hélicoptère. Elle est bien trop près des hélices qui tournent encore.

— Oh, putain, murmure Heath quand une giclée de sang terrifiante vient s'écraser sur l'écran.

— Se faire décapiter par un hélicoptère, annonce la voix du présentateur d'un ton presque admiratif. Numéro 59 des *1 000 façons de mourir*.

— Putain, mais qu'est-ce que vous regardez ?

Jade explique le principe de l'émission tandis que Heath s'affale sur mon lit, en regroupant tous les oreillers disponibles derrière sa tête.

— Cool, dit-il en fermant les yeux.

Je regarde Jade le dévisager pendant qu'il se repose.

— Ton frère est vraiment beau.

Heath ouvre aussitôt les yeux. Il se redresse sur un coude, visiblement flatté, même si je sais qu'il a l'habitude de ce genre de compliments depuis le temps.

– Eh bien, merci, Jade. C'est très gentil à toi de le remarquer.

– Est-ce que tu as déjà regardé l'émission *Seize ans et enceinte* ? demande-t-elle.

– Non, je ne crois pas.

Jade lui fait un bref résumé de l'émission.

– Ça ne passe plus mais ils parlent de la remettre à l'antenne. Si c'est le cas, je veux absolument y participer. Comme ça, ensuite, je pourrai faire la couverture d'*US Weekly* et devenir célèbre.

– J'ai comme l'impression qu'il faut d'abord que tu tombes enceinte, dit Heath.

– Je sais. C'est là que tu interviens.

– Que j'interviens ? Depuis quand j'interviens ?

– Tu serais parfait dans le rôle du père.

– Pardon ?

Heath se tourne vers moi.

– Est-ce qu'elle blague ?

– Je ne crois pas.

J'étouffe difficilement un rire.

– Écoute-moi jusqu'au bout, lui dit Jade en se laissant tomber au bord du lit. Tu comprends, les producteurs ont le choix entre toutes les adolescentes d'Amérique, hein ? Donc il faut se montrer très créatif.

– Je n'ai rien de créatif, répond Heath, impassible.

Jade ignore son commentaire.

– Il faut donc que j'aie un truc en plus...

– C'est moi le truc en plus ?

Jade acquiesce avec enthousiasme.

– Je suis ton oncle.

– C'est tout l'intérêt, c'est ce qui rend cette idée si géniale.

– Tu trouves que l'inceste c'est génial ?

– Tu n'es que mon demi-oncle, et en plus on se connaît à peine.

– Ce qui ferait réfléchir n'importe quelle personne normalement constituée.

– Je crois qu'aucun de nous deux n'est vraiment normal, si ?

Heath sourit et je peux voir qu'il commence à apprécier Jade autant que moi.

– Sur ce point-là, tu as peut-être raison.

Claire entre dans la pièce une tasse de café fraîchement moulu dans une main, un petit pot de lait et quelques sachets de sucre dans l'autre. Heath lui prend la tasse des mains et ajoute aussitôt le lait et quatre sachets de sucre, puis il pose le café sur la table de nuit sans en boire la moindre gorgée.

– Je crois qu'on devrait y aller.

Claire ramasse les bottines de sa fille et les lui balance sur les genoux.

– Est-ce que tu peux au moins y réfléchir ? demande Jade à Heath, en enfilant ses chaussures.

– Hors de question.

– Réfléchir à quoi ? demande Claire. Peu importe. Je préfère ne rien savoir. Contente de t'avoir vu, Heath.

– C'est toujours un plaisir, réplique aussitôt Heath.

– Attends !

Jade attrape les jumelles sur la table de nuit et se presse vers la fenêtre.

– Juste un dernier coup d'œil.

– De quel genre de perversion s'agit-il maintenant ? demande Heath.

– Viens voir par toi-même.

Jade lui tend les jumelles.

– Troisième étage en partant du toit, quatrième fenêtre en partant de la gauche.

– Non, merci. C'est un peu trop ambiance *Fenêtre sur cour* à mon goût.

– Allez, insiste Jade. Tu sais que tu en as envie.

Ses mots me renvoient d'un seul coup dans le passé. J'ai douze ans, je porte mon uniforme d'écolière, je suis sur le point de monter dans le bus pour le centre-ville quand je sens la main d'un homme sur mes fesses. *N'aie pas l'air si choquée, petite. Tu sais que ça t'a plu.*

Mes genoux se mettent à trembler. Je m'agrippe à la table de nuit, en manquant de renverser le café de mon frère.

– Oh, mon Dieu.

Claire s'approche aussitôt pour me soutenir.

– Qu'est-ce qui ne va pas ?

Je secoue la tête, j'ai peur de m'effondrer si elle me lâche.

– Rien.

– On dirait que tu as vu un fantôme.

– Je vais bien. Vraiment.

Je dois faire tous les efforts du monde pour réussir à rester debout.

– Tu es sûre ?

J'acquiesce.

– OK, dit-elle, même si je vois bien qu'elle n'est pas vraiment convaincue.

Elle finit par me lâcher le bras.

– On va te laisser tranquille. Que tu puisses passer un peu de temps avec ton frère. Dis au revoir, Jade.

– Au revoir, Jade, dit Jade.

Heath rit.

– Elle est tout le temps comme ça ? demande-t-il après son départ.

– À peu près, oui.

– Pas étonnant que tu l'adores.

C'est vrai, je l'adore. Je les adore elle et Claire.

– Dommage qu'elles n'en veuillent qu'à ton argent, dit Heath.

J'éteins la télévision et grimpe sur le lit à côté de lui, en lui poussant les jambes pour faire de la place pour les miennes.

– Tu crois vraiment que c'est pour ça qu'elles sont là ?

– Pas toi ?

– Je ne sais pas. Je crois que j'aime me dire que…

– Tu aimes te dire que… quoi ? Qu'elles sont là parce qu'elles te trouvent, pour reprendre les mots de ma formidable nièce, *géniale* ?

La détective privée qui est en moi se dit qu'il a sûrement raison. Mais je me rends compte qu'au fond, peu importe pourquoi Claire et sa fille me rendent visite. *C'est si dur de m'aimer ?* me dis-je, surprise de m'entendre prononcer ça à haute voix.

– Quoi ? Non, bien sûr que non. Ne sois pas stupide. Je t'aime *moi*, n'est-ce pas ? Papa et maman t'aimaient. Et Dieu sait que Travis est toujours fou de toi.

– Je n'ai pas envie de parler de Travis.

– Vraiment ? Parce que lui il ne veut parler que de toi. Si tu décrochais ton téléphone pour l'appeler, je peux te garantir qu'il débarquerait dans la minute.

– Je ne veux pas qu'il débarque.

– Allez, Bailey. Un geste charitable pour un type malheureux. Il me rend dingue à chouiner toute la journée.

– Et toi tu me rends dingue, moi, dis-je en saisissant les jumelles sur la table de nuit tout en me levant et en avançant vers la fenêtre, plus pour la distraction que par intérêt pour ce que je pourrais voir. Je repère l'appartement que Claire et Jade regardaient. La lumière est toujours allumée, même si la pièce a l'air vide.

– Il veut juste s'excuser, arranger les choses, continue Heath.

– C'est trop tard.

– Qu'est-ce qu'il s'est passé entre vous, d'ailleurs ? Il ne veut pas me raconter, tu ne veux pas me raconter.

J'ignore sa question. Dire que ça ne s'est pas bien terminé entre Travis et moi serait un euphémisme.

– Sinon, qu'est-ce que tu as fait cette semaine ? je lui demande sans me retourner. À part fumer des quantités faramineuses de beuh.

– J'ai bossé sur mon scénario.

Je soupire. Heath bosse sur son scénario depuis des années.

– Et j'ai eu une audition pour Whiskas. C'est une pub nationale.

– Tu l'as eue ?

– Qui sait ? Ils m'ont fait me rouler par terre avec un chat débile, j'avais vraiment l'air d'un con. Et après on se demande pourquoi je me drogue.

Je souris malgré moi.

– Tu sauras quand ?

– Probablement la semaine prochaine. Peu importe. Je m'en moque de toute façon, dit-il, et je sens rien qu'à sa voix le haussement d'épaules.

Heath affirme avoir l'habitude qu'on le rejette, mais je me demande si c'est le genre de chose à laquelle on peut vraiment s'habituer.

C'est à ce moment-là que je vois l'homme.

Il apparaît d'abord comme un point flou dans la focale de mes jumelles, une tache qui se transforme vite en silhouette. Il a l'air d'avoir environ trente ans, plutôt bien fait de sa personne, il a de jolis traits, il se tient parfaitement droit. Les cheveux bruns, taille moyenne, sec. Dieu merci, il m'épargne la vue de ses tablettes de chocolat assez impressionnantes, vu qu'il porte désormais une chemise et réfléchit à la cravate qu'il va choisir. Il en tient deux devant lui, face au miroir en pied. Il a sûrement un rencard.

Je pense à l'invitation d'Owen Weaver et je me demande si je l'aurais appelé. Je me dis que les rencards sont une chose à laquelle les femmes renoncent souvent quand elles sortent avec un homme marié.

Même les femmes qui n'ont pas été violées.

Après quelques minutes d'indécision, je vois l'homme jeter les deux cravates sur son lit. L'une glisse et tombe par terre. L'homme disparaît dans son dressing, revient quelques secondes plus tard avec une veste, l'enfile et l'ajuste avec soin, tout en se regardant dans le miroir, de tout évidence très amoureux de ce qu'il y voit. Comment une femme pourrait-elle rivaliser ? me dis-je en baissant mes jumelles et en me retournant vers Heath.

– Tu devrais venir voir ce type, Heath, mais mon frère a les yeux fermés et sa respiration régulière me confirme qu'il s'est endormi.

Je m'allonge à côté de lui, envisage de rallumer la télé pour voir d'autres personnes mourir de façons extraordinaires et variées. Mais je me retrouve à regarder mon frère dormir, de la même manière que je surveillais ma mère quand elle était malade, en faisant attention à chacune de ses respirations, en comptant les secondes entre chacune, en retenant mon propre souffle quand le sien devenait difficile, murmurant des mots affectueux à son oreille pendant son sommeil, en espérant que mes mots pénétreraient ses rêves imprégnés de morphine, qu'ils suffiraient à éloigner la mort pour une autre année encore, un autre mois, un autre jour.

Bien évidemment, ils ne furent pas suffisants. Face à la mort, les mots ne font jamais le poids. L'amour non plus. Malgré tout ce qu'on essaie de vous faire croire.

Je ne sais pas exactement à quel moment je me rends compte qu'il y a quelqu'un d'autre dans la pièce. J'entends le bruit feutré des pas sur la moquette, le sol qui craque à chaque mouvement furtif, et l'air au-dessus de ma tête qui balaie et se fend en deux. Comme quand on ouvre des rideaux. Quelqu'un se penche sur moi, ses genoux m'écrasent les côtes et il m'étouffe avec un oreiller. Son bras entoure ma gorge pour m'empêcher de respirer. Je hurle, mais le son qui sort de ma bouche ressemble plus à un râle. Un râle d'agonie. Je rassemble tout ce qu'il me reste de force et je griffe violemment le bras de mon agresseur.

— Putain, ça va pas !

J'ouvre les yeux, pousse l'oreiller à côté de moi et découvre mon frère recroquevillé sur le lit, qui tient son bras blessé.

— Mais qu'est-ce que tu fous ?

— Oh, mon Dieu. Je suis vraiment désolée. Je faisais un cauchemar.

Je jette un œil au réveil. Il est minuit passé.

Heath retrousse sa manche, même s'il fait trop sombre pour voir quoi que ce soit.

— Je crois que je saigne.

— Je suis vraiment désolée.

Il soupire.

— Ça va. Je vais survivre. Un cauchemar, hein ? Je peux te demander de quoi ça parlait ?

Je secoue la tête en retrouvant progressivement mon souffle.

— Tu veux que je t'apporte un verre d'eau ou un truc comme ça ?

— Non, ça va, lui dis-je, en sachant que c'est ce qu'il a besoin d'entendre.

J'essuie une ligne de sueur sur mon front, j'ai soudainement froid, puis je suis en nage.

— Tu as besoin de sommeil, Bailey.

— Je sais. Je suis tellement fatiguée.

— Chuut. Contente-toi de fermer les yeux. Tu n'as rien à craindre. Je suis juste là, à côté de toi.

— Merci. Ça compte beaucoup pour moi.

Mais en prononçant ces mots, je sais que Heath est déjà en train de sombrer à nouveau dans le sommeil. Je reste là, allongée à côté de lui pendant de longues minutes, puis je me défais avec précaution de son étreinte et me lève. J'attrape les ciseaux dans le tiroir du haut de ma table de nuit et je fais ma ronde habituelle dans l'appartement, puis me dirige vers la salle de bains, où je me déshabille et fais couler l'eau chaude. Je me douche dans le noir, j'émerge quinze minutes plus tard, dans une pièce complètement embuée, les cheveux mouillés, le corps rouge et endolori. Je me brosse les dents et me glisse dans un pyjama propre que Claire m'a préparé. J'essore mes cheveux avec une serviette.

Je reviens dans la chambre, range les ciseaux dans le tiroir, attrape les jumelles et me dirige vers la fenêtre. Il ne me faut pas plus de quelques secondes pour situer l'appartement – trois étages vers le bas, quatre fenêtres vers la droite. La lumière de la chambre est toujours allumée et son occupant s'y affaire. Il s'approche de la fenêtre, la chemise ouverte et sortie de son pantalon, il regarde la rue en bas, il passe distraitement la main dans ses cheveux. Puis il se tourne vers moi, comme s'il savait que j'étais là. Je le regarde tendre la main vers la lampe turquoise à l'abat-jour plissé posée sur la table en face de lui. La lumière s'éteint.

8

Le cauchemar commence quasiment dès que je ferme les yeux. Il se répète encore et encore comme s'il défilait sur une bobine sans fin. Je suis poursuivie par un homme sans visage qui porte des baskets Nike noires. Je cours aussi vite que je peux mais il me rattrape. De l'autre côté de la rue, il y a un immeuble jaune citron de trois étages. Une femme est assise à son balcon, elle me regarde à travers une paire de jumelles. Elle peut voir toute la scène. Elle va certainement appeler la police et je serai sauvée. Sauf qu'elle ne le fait pas. Au lieu de ça, elle se penche en avant en ajustant ses jumelles pour mieux voir ce qu'il va se passer. Elle regarde l'homme m'attraper par-derrière et me jeter au sol. Elle le regarde me rouer de coups de poing et m'arracher mes vêtements. Elle le regarde me pénétrer, me clouer sans pitié au sol dur et froid. Ce n'est que lorsqu'il a terminé qu'elle baisse ses jumelles et que je peux voir son visage.

Mon visage.

Je me réveille, à bout de souffle, le corps en sueur, les draps trempés.

Je devrais être habituée à ces rêves désormais, mais je pense que c'est impossible. Je regarde le réveil à côté de mon lit. Il est presque 10 heures du matin. Heath est parti. À sa place il y a un mot : « Ils m'ont rappelé pour la pub Whiskas. On se parle plus tard, H. »

Je sors du lit, marche jusqu'à la fenêtre de la chambre et appuie sur le bouton qui fait monter les stores. Je suis aveuglée par le soleil radieux qui envahit mon visage. Mes yeux se ferment par réflexe. J'appuie mon front contre la vitre, j'absorbe les rayons, laisse leur chaleur me redonner des forces.

Il est là quand j'ouvre les yeux, à quelques centimètres de mon visage, le nez appuyé contre le mien. Je hurle et je trébuche en arrière sur mon lit, je tombe à genoux et j'enfouis mon visage dans mes mains tremblantes. J'entends un rire et je me force à regarder. L'homme est toujours là, il se balance devant ma fenêtre. Une corde autour de la taille le lie à la plateforme de bois sur laquelle il se tient ; une grande raclette à la main qu'il fait aller et venir le long de la vitre. Un autre homme se tient à côté de lui. Ils ont tous les deux le teint olive et une vingtaine d'années à peine. Ils portent de larges combinaisons blanches avec un logo qui les présente comme les « Laveurs de vitres Prestige ».

– Désolé. J'avais pas l'intention de vous faire peur ! crie le premier homme à travers la vitre épaisse. Vous n'avez pas eu la note qui disait qu'on travaillerait sur ce flanc de l'immeuble aujourd'hui ?

Je me redresse en m'appuyant sur le pied du lit. J'avais complètement oublié.

– Vous préférez peut-être fermer vos stores, suggère son collègue.

J'appuie sur l'interrupteur et les volets descendent, faisant disparaître les deux hommes centimètre après centimètre, aussi facilement que si j'effaçais des silhouettes sur un tableau noir. D'abord leurs têtes puis le logo de leurs uniformes, suivi de leurs torses, de leurs jambes, et enfin de leurs énormes chaussures de sécurité. Si seulement tout pouvait disparaître aussi facilement.

Le téléphone sonne et je sursaute.

– Salut bébé.

Sa voix caresse ma peau.

– Comment tu vas aujourd'hui ?

– Plutôt bien.

Je suis si soulagée que je fonds presque en larmes. Trois jours depuis son dernier appel.

– Plutôt bien ?

– Je vais bien, dis-je en mentant.

Je suis devenue vraiment bonne pour dire aux gens ce qu'ils ont envie d'entendre.

– Je ne peux rester au téléphone que quelques minutes.

– Je sais. Tu es un homme très occupé.

– Quoi de neuf ?

– Pas grand-chose. Claire et Jade sont passées hier soir. Et Heath était là. Il a passé la nuit ici.

– Je crois que je suis jaloux.

– Il est parti.

Mon ton indique clairement qu'il s'agit d'une simple observation et non pas d'une invitation à partager un moment d'intimité. Je me demande combien de temps il va me falloir avant d'être prête à lancer ce genre d'invitation. Je le soupçonne de se poser la même question

Un silence et puis :

– Je suis en réunion toute la matinée.

– Ça fait tellement longtemps qu'on n'a pas passé du temps ensemble.

– Je sais. Peut-être plus tard dans la semaine…

– Tu me manques, lui dis-je.

– Tu me manques aussi.

Vraiment ? Peut-être que l'ancienne Bailey lui manque, celle qui ne pleurnichait pas pour un oui ou pour un non, celle qui n'avait peur de rien ni de personne. Mais pas cette nouvelle Bailey, cet ersatz d'elle-même, qui ne peut pas s'empêcher de s'apitoyer sur son sort et qui a peur de son ombre.

– Je pensais reprendre le travail, dis-je, quand je sens son attention décrocher, pour essayer désespérément de le garder en ligne.

Je n'ai aucun scrupule, mais paradoxalement la honte m'envahit. La vérité, c'est que le simple fait d'envisager de reprendre ce boulot que j'adorais me terrifie. Rien qu'à cette minute, je sens le début d'une crise de panique s'agiter en moi, comme un oiseau dans sa cage.

– Tu crois que tu es prête ?

– Encore quelques semaines peut-être.

Un autre silence, celui-là plus gênant, et puis :

– Écoute, mon cœur. Je dois vraiment y aller. J'appelais juste pour prendre de tes nouvelles.

– Les nouvelles sont bonnes.

– Je passe te voir dès que je peux. Pourquoi ne sors-tu pas te promener ? Il fait un temps magnifique.

– Me promener ?

Je n'ai pas quitté l'appartement depuis la nuit où j'ai été violée.

– Te promener, courir. Prendre l'air, faire un peu d'exercice. Tu dois devenir folle, enfermée dans cet appartement.

Cette idée me plaît. C'est parce que je n'ai pas quitté mon appartement depuis des semaines que je me sens impuissante et déprimée. Comme un lion en cage. J'ai besoin de sortir, marcher, faire un footing autour du quartier.

– Tu n'as même pas besoin de sortir. Il n'y a pas une salle de sport dans ton immeuble ?

Je revois la grande salle du premier étage pleine de rameurs, de tapis de course, de vélos elliptiques.

– Fais juste attention à ne pas trop en faire. Tu as toujours tendance à en faire trop.

– Je ferai attention.

– Tu te sens déjà mieux, non ?

– Je me sens toujours mieux avec toi.

– Je dois vraiment y aller.

– Tu m'appelles plus tard ?

– J'essaierai.

– Je t'aime, lui dis-je.

– Prends soin de toi, me répond-il.

Un échange pas vraiment équitable et nous le savons tous les deux.

Je me douche, jette un regard dérobé aux marques de dents autour de mon téton droit. Je me demande si cette empreinte obscène disparaîtra un jour ; les docteurs affirment qu'elle finira par s'en aller. Mais j'ai été marquée au fer. Les marques profondes comme celle-là ne s'en vont jamais.

Le téléphone sonne quand je sors de la douche. J'enfile un peignoir et répond à la troisième sonnerie.

– Mademoiselle Carpenter, bonjour. C'est Elron, de la réception.

– Oui ?

Mon cœur commence à s'affoler. Ces jours-ci, j'ai l'impression que chaque fois qu'Elron appelle, il va m'annoncer des choses que j'aurais préféré ne pas entendre. Aujourd'hui ne fait pas exception.

– Travis Shepherd est là pour vous voir.

– Travis ?

– Je le fais monter ?

Bon sang, que peut bien me vouloir Travis ? Est-ce que Heath lui a dit de passer ?

– Non. Je descends.

Je n'ai pas envie de descendre, mais j'ai encore moins envie de voir Travis chez moi. Pas après ce qu'il s'est passé la dernière fois qu'il est venu. C'est plus sûr de le voir dans le hall.

– Je serai là dans deux minutes.

J'essaie de ne pas paniquer. J'essaie de me rappeler que Travis est, au fond, un type bien. Quand on a commencé à se voir, il était drôle, prévenant et gentil. Il me faisait rire. On allait danser, on sortait au cinéma, on faisait de longues marches sur la plage. Parfois Heath se joignait à nous. De temps en temps, on fumait quelques joints. Très vite, c'est devenu plus que de temps en temps. Puis c'est devenu Heath et Travis défoncés presque tout le temps, et moi qui les regardais avec désapprobation. Les disputes ont remplacé les rires. Bientôt, Travis et moi ne faisions que nous disputer.

Tu peux le faire, suis-je en train de me dire. *Travis est là pour montrer qu'il s'inquiète et te soutient, pas pour te faire une scène.* Je balance mon peignoir et saute dans une tenue de sport. « Tu tombes juste au moment où j'allais à la gym. » Je m'entraîne à avoir l'air joyeuse face à mon miroir. Mais mon reflet semble loin d'être convaincu.

Je suis à deux doigts de ne pas arriver jusqu'aux ascenseurs. Ce n'est qu'une fois absolument sûre que personne ne se cache derrière ma porte que je peux sortir, fermer à clé et avancer doucement dans le couloir. J'appuie sur le bouton et j'attends, je regarde de droite à gauche, de gauche à droite, au-dessus d'une épaule, puis au-dessus de l'autre. Je décide plusieurs fois d'abandonner et de faire demi-tour. À chaque fois, je fais quelques pas pour ensuite m'arrêter et revenir. Je ne peux pas abandonner maintenant. Un ascenseur s'arrête à l'étage dans un bruit sourd. Ses portes s'ouvrent lentement.

Il y a un homme à l'intérieur.

J'ai le souffle coupé et je fais un pas en arrière, je sens mes jambes sur le point de lâcher.

– J'ai oublié quelque chose, dis-je en marmonnant.

Les larmes me montent aux yeux tandis que je bats péniblement en retraite vers mon appartement. Je m'accroche à la poignée de la porte, mon cœur bat comme un dingue, jusqu'à ce que j'entende les portes de l'ascenseur se refermer et la cabine poursuivre sa descente. Il me faut plusieurs minutes avant d'être capable de rassembler suffisamment de courage pour une nouvelle tentative. Je suis bête. Il n'y avait rien à craindre de l'homme dans l'ascenseur. Tous les hommes ne sont pas des violeurs. Et celui-là était petit, trapu et au moins quinquagénaire. Ce n'était pas l'homme qui m'a agressée.

Mais est-ce que je peux en être vraiment sûre ?

J'appuie de nouveau sur le bouton. Les portes s'ouvrent sur deux jeunes femmes, grandes et belles, débordantes de l'assurance que j'avais l'habitude de dégager moi aussi, avant. Elles portent des leggings de sport et des débardeurs.

– Vous allez à la salle de sport ? me demande l'une des deux, d'une voix aiguë et enfantine.

Je me force à entrer dans la cabine.

– Peut-être plus tard, leur dis-je en appuyant sur le bouton du rez-de-chaussée.

L'ascenseur descend sans s'arrêter jusqu'au premier.

– À plus tard alors, lance une des filles en prenant le bras de son amie pour sortir.

Par chance, personne d'autre n'entre et j'arrive à me calmer en prenant une grande inspiration avant que les portes s'ouvrent sur le grand hall tout de marbre et de verre. Elron me salue d'un hochement de tête derrière la vitre de son bureau à droite. Derrière lui, je vois un mur de moniteurs de contrôle, les écrans diffusent successivement les images des parties communes de l'immeuble : couloirs, cages d'escalier, ascenseurs, piscine et même la salle de sport. Des caméras partout. Il y a toujours quelqu'un qui regarde.

Elron pointe en direction des canapés qui se trouvent dans le hall, là où Travis m'attend depuis presque un quart d'heure. Je ne le vois pas immédiatement, il est caché par l'immense bouquet qui trône sur la table en verre devant lui. Il bondit sur ses pieds en me voyant approcher et fait valser le fauteuil moutarde dans lequel il était assis. Il a l'air en forme, ce qui ne me surprend pas. Travis a toujours l'air en forme. Grand, mince, un charme juvénile, des yeux noisette, des cheveux bruns ondulés. Il porte un pantalon noir décontracté et un polo rose, on dirait une pub grandeur nature pour le Turnberry Golf & Country Club, l'endroit où il travaille. Il y enseigne le golf à des hommes et à des femmes, quinquagénaires pour la plupart, qui, se plaint-il régulièrement, ne passeront jamais sous la barre des cent au niveau du handicap. Il travaille aussi un peu comme mannequin et acteur, c'est comme ça qu'il a connu mon frère, à une audition.

Il se précipite vers moi. Je me prépare à une étreinte qui ne vient pas.

– Mais bon sang, qu'est-ce que tu cherches à faire ? demande-t-il.

Sa voix est à la fois douce – comme s'il comprenait qu'il était dans un lieu public – et menaçante – comme s'il s'en foutait. Deux petits cercles rouges se dessinent sur ses joues. Je reconnais ces cercles. Ils apparaissent chaque fois qu'il est énervé. La première fois que je les ai vus, c'est la dernière fois qu'on s'est vus.

– De quoi tu parles ?

– Tu m'envoies les flics, nom de Dieu !

– Quoi ?

– Tu crois vraiment que c'est moi qui t'ai violée ?

– Je ne sais pas de quoi tu parles.

– Arrête tes conneries. On n'en est plus là.

Travis passe une main dans ses cheveux épais.

– Tu n'as pas parlé à cette flic, l'inspecteur Marcus ou un truc comme ça ?

J'hésite.

– J'ai parlé à l'inspecteur Marx, oui, bien sûr. Elle est en charge de l'enquête.

– Et qu'est-ce que tu lui as dit exactement ?

– Je ne sais pas, *exactement*, dis-je, en essayant désespérément de me souvenir. Je lui ai demandé si j'avais pu être intentionnellement visée.

– Visée ? Qu'est-ce que ça veut dire ? Que tu penses que tu connais ton agresseur ?

Il continue, en répondant à ses propres questions :

– Que tu as été violée par quelqu'un que tu connais ? Quelqu'un comme moi ?

– Je n'ai jamais dit ça. En fait, j'ai même dit le contraire. Que c'était impossible que ce soit toi, impossible que je ne t'aie pas reconnu, même avec une taie d'oreiller sur la tête.

– Donc tu as *bien* évoqué mon nom.

– L'inspecteur Marx m'a interrogée sur des ex-petits amis rancuniers…

– C'est ça que je suis pour toi ? Un ex-petit ami rancunier ?

Travis secoue la tête, plus par tristesse que par colère. Je peux voir la peine dans ses yeux.

– Comment crois-tu que je me sois senti quand Heath m'a dit ce qui t'était arrivé ? Bon sang, j'ai eu envie de tuer le connard qui t'avait fait du mal. J'ai eu envie de l'étrangler à mains nues. Et là, qu'est-ce que j'entends ? que tu penses que c'était moi ?

– Mais je ne pense pas que c'était toi.

– Nom de Dieu, Bailey. Tu sais bien que je ne pourrais jamais te faire de mal.

– Tu m'as frappée ! m'entends-je hurler, ce qui attire l'attention d'Elron.

Elron éloigne le téléphone de son oreille, le presse contre sa poitrine.

– Tout va bien, mademoiselle Carpenter ?

– Tout va bien, répond Travis avant que je ne puisse retrouver ma voix.

J'acquiesce, mais mes yeux supplient Elron de rester vigilant. Travis baisse la voix.

– Tu crois que, parce que j'ai perdu mon calme une fois, dans le feu de l'action…

– Je n'ai pas envie d'en parler.

Y a-t-il en moi quelque chose qui encourage la violence chez les hommes ?

– Je n'ai pas de mots pour te dire à quel point je suis désolé pour cette nuit-là. J'étais perdu. J'étais en colère. J'avais tort. Écoute, je ne me cherche pas d'excuses pour ce qui est arrivé. Et je te promets que ça n'arrivera plus jamais. Tu as besoin que je te protège, Bailey.

– C'est terminé, Travis, dis-je aussi gentiment que possible.

– S'il te plaît, ne dis pas ça.

– C'est terminé.

Il secoue de nouveau la tête, expire une bouffée de fumée invisible dans l'air.

– Je ne t'ai pas violée, dit-il, après ce qui semble être une éternité. Les cercles rouges réapparaissent sur ses joues.

– Je sais.

– Ouais, bah, essaie de dire ça à ce putain d'inspecteur.

– Je vais le faire.

– Tu sais ce que tu peux faire d'autre ? demande-t-il, les joues deux fois plus rouges encore, comme si on avait craqué une allumette sous sa peau. Tu peux aller te faire foutre.

– Mademoiselle Carpenter ?

J'entends mon nom et relève la tête pour découvrir le visage inquiet d'Elron. Travis a disparu. Je ne sais pas depuis combien de temps je suis plantée là.

– Vous allez bien ?

– Bien, lui dis-je, en me forçant à retourner vers les ascenseurs. Tout va bien.

9

Je décide de rentrer chez moi. Avoir croisé Travis m'a bouleversée et éreintée. Est-ce que je me trompe à son sujet ? Est-il possible qu'il m'ait violée et que je ne l'aie pas reconnu ? Ou qu'il ait engagé quelqu'un pour faire le sale boulot afin de me convaincre que j'avais besoin de sa protection ? Je monte dans l'ascenseur. Je suis sur le point d'appuyer sur le bouton du vingt-deuxième étage quand j'entends un homme crier :

– Attendez !

Avant que je ne puisse réagir, il se faufile entre les portes qui se referment, appuie sur le bouton du dix-huitième, puis remarque que je n'ai pas encore appuyé sur mon étage.

– Vous allez au ?

Il balance les mots par-dessus son épaule sans se retourner, ses doigts se baladent impatiemment sur les rangées de boutons. Il a la trentaine, de taille et de poids moyens. Il a de grandes mains et de longs doigts. J'imagine ces mains sur ma gorge, je sens ces doigts qui appuient sur ma trachée.

Mes jambes se mettent à trembler et je m'adosse au mur pour ne pas tomber. La sueur envahit mon front et coule dans mes yeux, je vois tout flou. J'ai la bouche sèche. Mon cœur martèle dans ma poitrine comme une balle en caoutchouc contre un mur de brique. J'ai la nausée, la tête qui tourne. Je ne peux plus respirer.

Il faut que je sorte de cet ascenseur. Il faut que je sorte tout de suite.

– Premier étage, dis-je, presque en hurlant et en le poussant pour appuyer moi-même sur le bouton. Puis je fonce entre les portes avant même qu'elles aient fini de s'ouvrir complètement.

– Bonne journée ! lance l'homme derrière moi, son ton sarcastique me suit jusqu'au bout du couloir en marbre.

Je n'ai aucune idée d'où je vais. Je cours à l'aveugle, je longe le couloir circulaire, passe devant le spa, la piscine, la salle de massage. Deux hommes marchent dans le sens inverse, ils portent tous les deux des peignoirs épais et des tongs, l'un d'eux à une serviette enroulée comme un serpent autour du cou. Ils ont entre vingt et quarante ans. Taille et poids moyens. Une voix profonde, sans accent notable. Ils sont de plus en plus près et l'un d'entre eux sourit. Il sent le bain de bouche, une odeur mentholée et glacée.

La moquette sous mes pieds se transforme tout à coup en sable mouvant, elle m'engloutit dans un tourbillon de boue. Les murs autour de moi se plient, comme un accordéon. Je lutte pour rester debout. Je laisse échapper un petit cri et m'engouffre dans la pièce la plus proche. Je me retrouve dans une salle grise sans fenêtre – des murs gris, de la moquette grise, du matériel gris. Je compte cinq tapis de course alignés les uns à côté des autres, deux vélos elliptiques, deux rameurs, trois vélos d'appartements, tous avec des minitélés, tous placés devant un grand miroir qui reflète le mur d'en face. Il y a des bancs, des haltères, plusieurs tours à poulies et encore d'autres machines dont je ne préfère pas imaginer l'utilité. Je suis debout entre la fontaine à eau, un panier en plastique et une pile de petites serviettes blanches rangées sur la seule étagère accrochée au mur, sur laquelle sont posés une bouteille de nettoyant toutes surfaces, un énorme rouleau de Sopalin, et une grande bouteille de gel antibactérien. Je remarque une caméra de surveillance accrochée au plafond dans le coin à l'opposé de la pièce et je me demande si quelqu'un nous regarde en ce moment même. Je reste près de la porte jusqu'à ce que je retrouve à peu près mon souffle et sois capable d'avancer sans m'évanouir. Mais je n'avance pas. Je reste là, c'est tout.

– Salut, me lance une voix essoufflée depuis les vélos elliptiques.

Je reconnais une des jeunes femmes que j'ai croisées dans l'ascenseur un peu plus tôt. Elle sautille sur place à toute vitesse de haut en bas, d'avant en arrière, ses bras et ses jambes s'agitent séparément mais avec une parfaite coordination. Sa queue-de-cheval se balance en rythme derrière elle.

Sa copine est sur le deuxième des cinq tapis de course. Elle trottine tout en regardant *Juge Judy* sur son minuscule écran. Juge Judy n'a pas l'air contente.

Je reste près de la porte pendant quelques minutes, j'essaie de prendre une décision : je veux rentrer chez moi, mais ce serait stupide. Le destin a réussi à me conduire jusqu'ici, à la salle de sport. Le destin veut que je fasse de l'exercice. Il veut que je reprenne le contrôle de ma vie.

Monte sur ce putain de tapis de course, me dit le destin.

Je monte sur le tapis à côté de Juge Judy.

– Vous êtes un idiot ! hurle-t-elle à un pauvre jeune homme tout penaud face à elle. À qui croyez-vous vous adresser ?

Je branche le tapis, je le sens se mettre en marche sous mes pieds, mon corps se penche en avant tandis que j'essaie de trouver mon rythme. J'avance, lentement d'abord, puis plus vite, je prends le rythme, jusqu'à trouver une vitesse de croisière à cinq kilomètres heure. La fille sur le tapis d'à côté va nettement plus vite et s'est mise à faire un enchaînement effrayant de balayettes et de sauts, sans suer la moindre goutte.

– Ce n'est pas dangereux ?

Elle ne s'arrête pas.

– Nan. On s'y habitue.

– Ça fait un peu peur.

– Faites-moi confiance, ça n'est pas aussi effrayant que ça en a l'air.

Est-ce que je lui dis que je ne fais confiance à personne ?

– Ça a l'air assez effrayant, je répète à la place.

– Pas aussi effrayant que Juge Judy.

Elle fait un signe de tête en direction de l'écran.

– Ça c'est une femme qui fait peur.

Je vois Juge Judy détourner son regard du jeune homme en face d'elle pour le poser sur la partie adverse. « Quant à vous, jeune fille, dit Juge Judy, la voix aussi tranchante qu'un couteau, à quoi pensiez-vous en vous rendant à son appartement au beau milieu de la nuit ? – Je voulais le voir, gémit la fille. – Mais il vous avait dit qu'il ne voulait pas vous voir. – Je sais, mais... – Pas de mais ! » crie Juge Judy.

Qui sont ces gens ? je me demande, en me perdant temporairement dans leur dispute. Que font-ils sur une chaîne nationale, à parler de leurs problèmes stupides devant tout le monde ? Qu'est-il arrivé au besoin de vie privée, au concept même d'intimité ? Bien sûr, on peut essayer de se regarder à travers les yeux des autres de temps en temps, mais on ne peut pas uniquement se voir comme les autres nous voient. Que sommes-nous devenus pour avoir tant besoin du « consentement » des autres, pour n'exister qu'à travers leurs yeux ?

Je me détourne de la télé et me concentre sur le mur de miroirs en face de moi. Je dois reconnaître que je suis une hypocrite. Mon métier est fondé sur l'exposition de l'intimité que je viens de condamner. Je ne suis rien d'autre qu'un charognard, le nez dans les ordures de la vie des autres, à fouiller leurs poubelles, à les espionner par la fenêtre, à l'affût de leurs secrets les plus sombres.

Et j'appelle ça « rassembler des preuves ».

– Je ne crois pas vous avoir déjà vue, dit la fille sur le tapis de course.

Elle est tournée vers moi, ses bras dessinés s'accrochent à la barre de la machine tandis qu'elle fait des pas de côté, quelques perles de sueur glissent délicatement le long de sa gorge avant de s'évanouir avec grâce entre ses seins.

– Je m'appelle Kelly. Appartement 1712.

– Enchantée, Kelly.

Elle pointe du menton la fille sur le vélo elliptique.

– Et elle c'est Sabrina. Elle est au 1019. Et vous êtes… ?

– Oh, pardon. Bailey. Bailey Carpenter.

Kelly attend que je lui donne le numéro de mon appartement, comme s'il manquait quelque chose à mon nom, mais continue quand je ne lui donne pas.

– Ce n'est pas juste génial de vivre ici ? C'est vraiment le meilleur des endroits, non ? On adore vivre ici.

– J'adore vivre ici, dis-je pour confirmer.

– Alors, vous faites quoi dans la vie ? demande-t-elle.

Je ne m'attendais pas à cette question, mes genoux se mettent à trembler et je manque de trébucher.

– Attention ! me prévient Kelly.

Je diminue la vitesse et réussis à me redresser.

– Je suis un peu sans emploi ces temps-ci, lui dis-je, ce qui n'est pas un mensonge, techniquement. Je suis de plus en plus douée à ce jeu-là.

– Croyez-moi, je connais.

Elle me sourit de façon rassurante.

– Faites-moi confiance. Vous finirez par trouver.

J'admire sa conviction. Je ne lui fais toujours pas confiance.

– Je suis barmaid, me dit-elle. Sabrina aussi. On travaille au Blast-Off sur South Miami Avenue. Vous connaissez ?

Qui a Miami ne connaît pas le Blast-Off ? C'est une boîte sombre qui ressemble à une usine et qui passe de la musique si fort que vous avez l'impression que votre tête va littérale-ment exploser. J'y suis allée une fois avec Travis et mon frère. Ils prétendaient vouloir voir un DJ célèbre qui devait jouer ce soir-là, mais, en réalité, la seule personne qu'ils voulaient voir c'était leur dealer ; quand je l'ai compris, j'ai foncé tout droit vers la sortie. Travis et moi ne nous sommes pas parlé pendant deux jours après ça. Et il m'a fallu deux semaines de plus pour que mes oreilles arrêtent de bourdonner.

– C'est un endroit plutôt bruyant.

– On s'y habitue, répond Kelly.

C'est clairement le genre de fille qui s'habitue aux choses. Je me demande comment elle réagirait si on la violait.

– Et le salaire est génial.

– Je devrais peut-être y réfléchir, dis-je, plus par politesse que par véritable envie. Rien que l'idée de travailler dans un endroit comme le Blast-Off provoque en moi une nouvelle mon-tée d'angoisse.

Les yeux de Kelly s'écarquillent de surprise. Je me regarde dans le miroir et comprends immédiatement pourquoi. J'ai l'air d'un squelette sous mes vêtements informes, mes bras ressemblent à deux os qui sortiraient des manches courtes de mon tee-shirt.

Laisseriez-vous cette femme vous servir un verre ? me dis-je.

– J'ai perdu un peu de poids, dis-je.

Mais Kelly regarde déjà de l'autre côté, en continuant à faire de grands pas, inconsciente de tout sauf de son propre effort physique.

Je la regarde de dos, je remarque ses longues jambes mus-clées à travers la combinaison moulante noire qui lui arrive aux genoux. Mes yeux remontent la légère marque de son string, son derrière haut perché, sa taille svelte et ses larges épaules. Elle n'a pas conscience de mon regard. Ou peut-être que si mais qu'elle s'en moque. Elle a l'habitude qu'on la regarde. Encore un truc dont elle a l'habitude.

La porte de la salle de sport s'ouvre et un homme entre. Il a une trentaine d'années, plutôt grand et mince, rasé de près, les cheveux bruns et les yeux marron. Il porte un short noir en nylon et un tee-shirt assorti. Il a les bras musclés mais pas trop. Bref, il est plutôt pas mal, même s'il n'est probablement pas aussi beau qu'il le pense. Je le reconnais parce qu'il m'a draguée plusieurs fois quand j'ai emménagé dans l'immeuble. Mais impossible de me souvenir de son nom.

— Mesdemoiselles, dit-il en posant son regard sur Kelly, puis Sabrina, puis à nouveau Kelly. Il ne semble pas m'avoir remarqué. Je lui en suis reconnaissante.

— Comment va tout le monde cet après-midi ?

Sabrina sourit mais ne dit rien.

Kelly ne s'arrête pas.

— Très bien.

L'homme la regarde pendant quelques secondes.

— David Trotter. Appartement 1402.

Kelly ne lui donne ni son nom, ni le numéro de son appartement, un signe clair qu'elle n'a aucune intention de poursuivre cette conversation.

David ne lit pas entre les lignes.

— C'est un enchaînement impressionnant que vous faites là. Vous êtes danseuse ?

— Non.

— Professeur de fitness ?

— J'aime juste m'entraîner.

— Ouais ? Moi aussi.

Comme pour prouver ce qu'il vient de dire, David s'avance vers les haltères posées par terre de l'autre côté de la pièce. Il en attrape deux de quinze kilos et se met à les soulever puis à les redescendre derrière sa tête. Son visage devient aussitôt écarlate et des gouttes de sueur envahissent son front. Il s'arrête après six répétitions, essaie de reprendre son souffle en regardant Kelly.

— Alors, que faites-vous dans la vie ? Attendez, ne me dites pas. Vous êtes mannequin.

Kelly se retient de soupirer.

– Barmaid.

– Sans blague. Où ça ?

– Au Blast-Off.

– Hé, c'est une de mes boîtes préférées. Vous y serez ce soir ?

Un oui de la tête à peine perceptible.

– Je passerai peut-être.

David se remet à soulever les poids au-dessus de sa tête.

– Vous ne m'avez pas dit votre nom.

Kelly éteint la machine et en descend en sautant.

– Sabrina, t'as fini ?

Sabrina enlève ses écouteurs.

– Donne-moi deux minutes.

Kelly saisit la bouteille de nettoyant sur l'étagère, imbibe un morceau de Sopalin et essuie le tapis de course.

– Donc elle, c'est Sabrina, comprend David en refusant de lâcher l'affaire. Et vous êtes… ?

– Kelly.

Nos regards se croisent dans le miroir. « Aidez-moi », supplient ses yeux.

– Vous pensez que je pourrais vous offrir un verre, si je passais ce soir ?

– Désolée, mais nous n'avons pas le droit de boire pendant le service.

– Et après ?

– Je travaille jusqu'à 4 heures du matin.

Ce type peut-il être aussi borné ? Ne peut-il pas voir à quel point il met Kelly mal à l'aise, à quel point elle a hâte de s'éloigner de son regard lubrique ?

– Vous n'avez jamais de soir de congé ? insiste-t-il.

– Pas très souvent. On se bouge, Sabrina.

Kelly se dirige vers la porte.

– Et si on s'entraînait ensemble demain ? Si je sais à quelle heure vous venez, je pourrai m'arranger en fonction…

– Je crois que vous devriez la laisser tranquille maintenant, m'entends-je dire.

– Pardon ? Qu'est-ce que vous avez dit ?

– J'ai dit que vous devriez la laisser tranquille. Elle n'est de toute évidence pas intéressée.

– Et ce ne sont, *de toute évidence*, pas vos oignons.

– Écoutez, intervient Kelly. La vérité, c'est que j'ai un petit ami…

Je suis à deux doigts de sourire. L'expérience m'a appris que quand les gens disent « la vérité, c'est que », il sont en général sur le point de mentir.

– Vous avez un petit ami ? demande David. Pourquoi vous ne l'avez pas dit plus tôt ?

Il a l'air offusqué par-dessus le marché.

– Bien évidemment, il n'aurait pas besoin de le savoir…

Il passe la langue sur ses lèvres de façon obscène.

– Pourquoi vous ne laissez simplement pas tomber ? dis-je, en sentant l'humidité répugnante de sa langue sur ma peau.

– Mais bon sang, c'est quoi votre problème, à vous ? explose David en agitant une haltère devant moi.

Mais elle est trop lourde et son bras s'effondre rapidement sous l'effort.

– On se tire, dit Kelly à Sabrina, qui descend de son vélo. Enchantée, Bailey.

Elle murmure un « merci » silencieux du bout des lèvres, en poussant son amie vers la sortie.

Non ! me dis-je en moi-même. *Ne t'en va pas.* Tu ne peux pas me laisser seule avec cet homme.

David lâche les haltères dès que les jeunes femmes disparaissent. Il avance vers moi. Mon pouls s'accélère. Mes mains deviennent froides et moites. Il faut que je descende de cette machine, mais il est juste derrière moi, il me bloque le passage.

– C'est quoi votre problème ? reprend-il. Vous êtes jalouse ? Vous vous sentez délaissée ?

Mes yeux se posent sur la caméra de vidéosurveillance accrochée au plafond dans le coin droit de la pièce, en priant pour que quelqu'un nous voie.

– Attendez une minute, dit-il en fixant mon reflet dans le miroir. On se connaît, n'est-ce pas ?

Je secoue la tête.

– Mais si, on se connaît.

Il vient se planter à côté de moi, comme s'il voulait avoir une meilleure vue de mon profil. Je cherche des yeux le bouton *off* sur le clavier du tapis. Je peux peut-être me contenter de sauter. Je ne vais pas si vite, après tout. Je décide de ralentir la machine mais j'appuie sur le mauvais bouton et la vitesse s'accélère. De cinq kilomètres heure, je passe vite à cinq et demi, puis à six.

– On n'est pas sortis ensemble, il y a quelques années ?

– Non.

6,2… 6,4… 6,6…

David ricane sans retenue mais ne bouge pas.

Il faut que je m'éloigne de cet homme. Il faut que je sorte de cette pièce.

6,8… 7,0… 7,2…

– Cet immeuble est peuplé de femmes persuadées d'être trop bien pour nous, pauvres mortels.

7,6… 7,8… 8,0… Je cours désormais. Peut-être que si je cours aussi vite que je peux… 8,3… 8,7… 9,0… J'entends mon souffle, des expirations courtes, saccadées et pénibles. J'ai la gorge de plus en plus sèche. Mes poumons se remplissent d'air, comme des ballons. Encore un peu d'air et ils exploseront en mille morceaux qui viendront éclabousser le miroir, comme du sang.

– Et je dois admettre que beaucoup d'entre elles *sont* vraiment sublimes, continue David, temporairement distrait par son propre reflet dans la glace. Les filles de Miami sont les plus jolies du monde. Et elles le savent. J'ai voyagé partout dans le pays : New York, Las Vegas, même LA. Ce n'est rien comparé à Miami. Même les Brésiliennes ne font pas le poids ; les putes d'ici sont plus belles.

9,4… 9,9…10,3…

– Et mec, elles le savent. Elles savent qu'elles sont magnifiques et elles savent qu'elles peuvent faire ce qu'elles veulent de nous. Vous voyez ce que je veux dire ? Elles n'ont que l'embarras du choix. Donc ça ne suffit plus d'avoir une Mercedes ou une Jaguar. Il vous faut une Lamborghini ou une Ferrari. Il vous faut des costumes Brioni comme si vous étiez un putain de James Bond. Il vous faut des gros muscles et une encore plus grosse…

10,6… 11,0… 11,4…

Que quelqu'un m'aide. Pitié, aidez-moi !

– Vous allez vraiment très vite, là.

12,0… 12,3…

– Vous devriez peut-être ralentir.

Je fixe le miroir, je me regarde en train de me regarder.

– Je crois que votre lacet est en train de se défaire.

Je jette un coup d'œil vers mes pieds et vois que le lacet de ma basket droite est en effet défait et qu'il rebondit bruyamment sur le tapis roulant. Si je ne suis pas prudente, je vais tomber. Mais je ne peux pas m'arrêter maintenant. Il faut que je coure encore plus vite. Il faut que je m'enfuie.

12,6... 12,9...

Cette fois, ce sont mes deux lacets qui sont défaits. Ils frappent mes chevilles, s'emmêlent l'un à l'autre comme des chenilles. Je regarde les pieds de David, immobiles dans ses Nike noires avec une virgule blanche...

– Non ! Non !

13,3... 13,7...

– Mais qu'est-ce que vous foutez ?

Je ne peux pas m'échapper. Je cours aussi vite que possible mais je ne peux pas m'échapper. Il n'a pas besoin de bouger pour m'attraper. Je sens que mes jambes faiblissent, elles cèdent. Je ne peux pas continuer à ce rythme. Mes yeux implorent la femme qui me regarde dans le miroir. *Aide-moi !* Elle se contente de me fixer, sans un geste vers moi.

14,0... 14,2...

Mes jambes me lâchent et je bascule en arrière, je hurle quand ma mâchoire vient frapper la barre sur le côté, je quitte le tapis en volant et viens m'écraser sur la fontaine à eau derrière moi. Le gel antibactérien et le produit à nettoyer tombent de l'étagère au-dessus de ma tête et viennent s'écraser autour de moi. Le Sopalin vole, comme un cerf-volant sans vent, tandis que je m'effondre sur le sol. La fontaine à eau tremble pendant plusieurs secondes, puis se redresse miraculeusement avant de se renverser.

– Putain de... hurle David. Est-ce que ça va ? Mais qu'est-ce que vous avez foutu ?

Il tend sa main. Il me touche le bras.

– Non, dis-je en criant. Ne me touchez pas.

– J'essaie juste de...

– Ne me touchez pas !

– C'est quoi votre problème ?

– Laissez-moi tranquille.

– J'essaie juste de t'aider, espèce de barge.

– Non ! Non ! Lâchez-moi. Ne me touchez pas.

Je me mets à le frapper, je lui griffe la main, la mords.

– Putain de…

– Aidez-moi ! Au secours !

Et soudain, la porte de la salle de sport s'ouvre en grand et il y a plein d'hommes dans la pièce. Elron, Stanley, Wes et l'homme de ménage, un monsieur plus âgé dont j'ai oublié le nom.

David s'est déjà relevé.

– Je vous jure. Je ne lui ai absolument rien fait.

– Que se passe-t-il ? demande Elron en s'agenouillant près de moi, même si ma posture lui fait comprendre qu'il ne faut pas me toucher.

– Elle est complètement folle, dit David à voix basse, mais suffisamment fort pour que je l'entende. Elle s'est mise à courir à mille à l'heure sur ce foutu tapis donc j'essaie de lui dire qu'elle va beaucoup trop vite et qu'on dirait qu'elle va avoir une crise cardiaque. Mais elle se contente d'augmenter la vitesse et la seconde d'après elle décolle de cette maudite machine et renverse tout sur son passage, ça vole dans tous les sens – vous avez failli perdre la fontaine à eau – je m'approche pour l'aider et là qu'est-ce qu'elle fait ? Elle se met à me hurler de la laisser tranquille et de reculer, comme si j'étais en train de l'agresser ou un truc comme ça. Je vous jure que j'ai jamais touché cette espèce de barge. Vous pouvez vérifier les bandes de la vidéo-surveillance si vous ne me croyez pas.

Je vois Stanley acquiescer. Ils ont vu une partie de ce qui s'est passé de leur bureau, je l'entends faire une messe basse à David. C'est pour ça qu'ils ont débarqué si vite.

– Vous allez bien, mademoiselle Carpenter ? me demande Elron.

– Est-ce qu'on peut faire quoi que ce soit ? dit Stanley.

– Est-ce que vous avez quelque chose de cassé ? ajoute Wes.

Je secoue la tête, les yeux rivés sur les baskets noires avec la virgule Nike blanche de David.

– Vous pensez pouvoir vous lever ? demande Elron, en faisant un double nœud à mes lacets et en m'aidant à me redresser.

Est-il possible que David soit l'homme qui m'ait violée ?

– Est-ce que je peux y aller ? dit David, mais c'est plus une affirmation qu'une question.

– Vous êtes sûr que vous n'avez rien dit qui aurait pu la contrarier ? demande Stanley en l'accompagnant jusqu'à la porte. Rien du tout ?

– Vous rigolez ? Non. C'était plutôt l'inverse, même. C'est elle qui me cherchait.

– Mademoiselle Carpenter, dit Elron quand David sort de la pièce. Est-ce que ça va ? Vous saignez ? Vous êtes sûre que vous n'avez rien de cassé ?

Je regarde mes avant-bras. J'ai des égratignures mais je ne saigne pas. Je me suis cogné le dos et je me suis tordu la cheville. Ma tête me lance. Ma mâchoire me fait mal. Mais, comme dirait Kelly, j'ai l'habitude de ce genre de chose.

– Vous voulez qu'on appelle une ambulance ? demande Wes quelque part au-dessus de moi.

– Non. Je vais bien.

Je me relève tant bien que mal. Le poids sur ma cheville me fait mal, mais elle n'est pas cassée et je sais qu'un médecin ne pourra rien y faire.

– Qu'est-ce qu'il s'est passé ici, mademoiselle Carpenter ? insiste Elron. Je vais devoir faire un rapport.

Est-il possible que David soit l'homme qui m'ait violée ? je me demande à nouveau, en me rappelant que posséder les mêmes chaussures de course que mon agresseur ne veut pas dire grand-chose. Il faut que je réfléchisse à tout ça avant de lancer des accusations qui n'auraient aucun sens. J'ai besoin de prendre une douche et de me mettre au lit. J'ai besoin de m'éloigner de tous ces hommes et de retrouver mon appartement le plus vite possible.

– J'allais trop vite. J'ai trébuché sur mes lacets. C'était ma faute. Ne vous inquiétez pas, je ne vais faire de procès à personne.

– C'est pour vous que nous nous inquiétons. Est-ce qu'on peut appeler quelqu'un ? Votre frère peut-être…

– Non. Oui, dis-je en même temps.

Même si j'ai désespérément envie de rentrer chez moi, je sais aussi, tout aussi désespérément, que je ne veux pas être seule. J'ai besoin que quelqu'un soit avec moi, que quelqu'un prenne soin de moi et me protège, ne serait-ce que de ma propre folie.

– S'il vous plaît, m'entends-je dire à Elron, appelez ma sœur. Appelez Claire.

10

– Très bien, Bailey, dit l'inspecteur Marx. Reprenons encore une fois.

Définition de la folie : refaire la même chose inlassablement en espérant obtenir des résultats différents. Je sais que c'est comme ça que fonctionne l'inspecteur Marx, elle pense que le fait de répéter encore et encore peut débloquer ma mémoire. Mais je lui ai déjà raconté au moins trois fois ce qu'il s'est passé ce matin dans la salle de sport.

– C'est la dernière fois, je vous le promets.

L'inspecteur Marx sourit comme si elle lisait dans mes pensées et s'installe au pied de mon lit. Son partenaire, l'inspecteur Antony Castillo, se tient face à la fenêtre, il regarde la rue en bas. Il est 20 heures et il fait nuit. L'inspecteur Castillo doit approcher la quarantaine, poids et taille moyens, il a des cheveux bruns bouclés et des yeux si bleus que je me demande s'il ne porte pas des lentilles. Je me demande aussi si Castillo pourrait être l'homme qui m'a violée. Il correspond au profil.

– Tu veux encore de la glace ? me demande Claire en arrangeant l'oreiller derrière ma tête.

Je me redresse sur mon lit en maintenant la poche de glace sur mon menton.

– Non, ça va.

– Respire profondément, me recommande Claire, et je m'exécute, en sentant l'air descendre douloureusement dans mes poumons. Elle tient ma main libre dans les siennes jusqu'à la fin de l'interrogatoire. Elle porte toujours sa tenue d'infirmière vert pâle puisqu'elle est venue directement de l'hôpital après le coup de fil d'Elron. Heureusement pour moi, elle a trouvé quelqu'un pour la remplacer jusqu'à la fin de son service.

Je m'éclaircis la gorge et reprends l'histoire au moment où David est entré dans la salle de sport, mais l'inspecteur Marx m'arrête pour que je revienne en arrière.

— Qu'est-ce qui vous a décidé à aller faire du sport aujourd'hui ?

C'est la première fois qu'elle me pose cette question et ça me surprend, même si je sais que les questions inattendues font partie de ses méthodes pour stimuler ma mémoire. Je réfléchis quelques secondes, marmonne un truc du style, c'était la bonne chose à faire, une façon de reprendre le contrôle de ma vie. Elle ne prend pas la peine de noter mon commentaire.

— Parlez-moi de la visite de Travis.

Elle sait qu'il est passé aujourd'hui, puisqu'elle a parlé à Elron.

— J'ai cru comprendre que vous vous étiez disputés.

— Non.

— D'après le concierge…

— On ne s'est pas disputés. Travis était énervé et ça se comprend. Vous allez le voir sur son lieu de travail, vous le traitez comme un suspect…

— Il n'a pas d'alibi pour la nuit où vous avez été agressée, me dit-elle.

— Travis ne m'a pas violée.

Je m'arrête. Je me demande pourquoi je le défends, pourquoi je n'ai pas raconté à la police tous les détails glauques de notre rupture et comment je peux être si sûre que ce n'est pas lui alors que je ne suis plus sûre de rien.

— Très bien. Donc Travis est parti et vous avez décidé de reprendre le contrôle de votre vie en allant faire du sport, dit l'inspecteur Castillo, posté devant la fenêtre. Est-ce que David Trotter vous a menacée de quelque façon que ce soit ?

— Non. Il m'a juste accusée d'être jalouse. Puis il a dit quelque chose à propos des femmes de Miami qui seraient les plus belles du monde. Même les prostituées.

— Étrange remarque, dit l'inspecteur Marx, qui la note dans son carnet. Vous n'en aviez pas parlé jusqu'ici.

— Je ne pensais pas que c'était important.

Elle sourit. Un sourire qui affirme : *laissez-nous décider de ce qui est important ou non.*

— Qu'a-t-il dit d'autre ?

Je secoue la tête, comme si d'autres informations importantes pouvaient se cacher dans un recoin de mon cerveau.

— Rien que je ne vous aie déjà dit. Juste que j'allais terriblement vite, que mes lacets s'étaient défaits.

— Il a donc essayé de vous prévenir, souligne l'inspecteur Castillo.

Sérieusement ?

— Est-ce qu'il avait la voix de l'homme qui vous a agressée ? demande l'inspecteur Marx, cette fois.

— Je ne sais pas. Peut-être.

— Son haleine sentait-elle le bain de bouche ?

— Je n'ai pas remarqué, non.

— Mais vous avez *remarqué* ses baskets.

— Oui. C'étaient les mêmes que celles de mon agresseur.

— Avez-vous une autre raison de penser que David Trotter pourrait être notre homme ?

Claire répond à ma place :

— Eh bien, il vit dans l'immeuble, donc il aurait facilement pu la suivre. Elle a repoussé ses avances...

— C'était il y a deux ans, observe l'inspecteur Marx.

— Certains hommes ont la rancune tenace.

Je me demande si Claire pense à notre père ou à nos frères en disant cela, mais ce n'est pas le moment de lui poser la question.

— Il correspond au profil, ajoute-t-elle d'une toute petite voix.

Nous savons elle et moi qu'un homme sur deux en Amérique correspond à ma description du violeur.

— A-t-il essayé de vous toucher ? demande l'inspecteur Castillo.

— Seulement après que je suis tombée, dois-je admettre.

— Donc, tout ça ne tient à peu près qu'aux baskets.

Je sens que l'inspecteur Castillo est déçu. Claire presse doucement mes mains, elle le sent aussi.

— Nous rendrons visite à M. Trotter après avoir visionné la vidéo.

— Mais vous ne pensez pas que ça puisse être lui, dis-je.

— Nous allons vérifier, de toute manière.

L'inspecteur Marx ne bouge pas, elle relit ses notes comme si celles-ci soulevaient bien d'autres questions encore.

— Ça suffit amplement pour ce soir.

Claire lâche mes mains et se lève.

– Vous nous ferez un résumé quand vous aurez parlé à David Trotter ?

– Bien sûr. Et si nous avons d'autres questions...

– Vous pourrez les poser demain matin, dit Claire, qui a maintenant repris le contrôle de la situation.

Elle reconduit les deux inspecteurs jusqu'à la porte.

– Merci d'être passés.

C'est Claire qui a insisté pour que je fasse part de mes soupçons à la police, Claire qui m'a fait me laver et enfiler un pyjama propre, Claire qui, durant la journée que nous avons passée à attendre les policiers, m'a séché les cheveux pour que je sois à peu près présentable, Claire qui a pansé mes bleus, Claire qui a acheté des poches de glace pour ma cheville et mon menton. Elle voulait que j'aille à l'hôpital mais j'ai refusé.

Je sors de mon lit en faisant attention, en me souvenant de ne pas porter trop de poids sur ma cheville endolorie et j'éteins la lumière. Je saisis ma paire de jumelles et boite jusqu'à la fenêtre. Je brandis mes jumelles vers l'immeuble d'en face, sur le troisième appartement en partant du haut, la quatrième fenêtre en partant de la gauche. Les lumières de la chambre sont allumées bien que l'appartement ait l'air vide.

– Quoi de neuf du côté de notre type ? demande Claire en surgissant derrière moi pour regarder par-dessus mon épaule.

Je secoue la tête et lui tends les jumelles.

– On dirait qu'il n'y a personne.

Elle attend quelques secondes et me les rend.

– Je devrais appeler Jade. Qu'elle sache où je suis. Juste au cas où ça l'intéresserait.

– Ça l'intéresse.

– Je vais me servir du téléphone de la cuisine, propose-t-elle. Je te prépare quelque chose pour le dîner ?

– Je n'ai pas très faim.

– Je vais ouvrir une boîte de soupe. Qu'est-ce que tu en dis ?

– Bonne idée.

Je regarde à nouveau avec les jumelles, j'entends Claire parler calmement au téléphone dans l'autre pièce. Je me demande avec qui elle a aussi parlé, si elle a eu affaire à Gene ou aux autres. Je me demande si Heath pourrait avoir raison, quand il dit que Claire n'est intéressée que par l'argent, que c'est la

114

seule raison de sa présence, m'attendrir pour que je relâche les cordons de la bourse.

J'essaie d'imaginer comment Heath va faire quand il n'aura plus un sou sur son compte en banque. Gene a déjà réussi à bloquer l'héritage de notre père par jugement. Cette affaire pourrait mettre des années à être réglée. Que fera Heath dans ce cas-là ? Il faudrait peut-être qu'il trouve un boulot. Sauf s'il signe pour un spot publicitaire ou deux. Sauf s'il vend ce scénario sur lequel il travaille depuis la nuit des temps. Je me demande où il est ce soir, s'il est quelque part avec Travis, en train de se défoncer. J'imagine mon homme marié dîner tard avec sa femme et border ses filles en leur lisant leur histoire préférée. Je me demande si je ferai un jour à nouveau partie d'une famille normale.

Et puis le voilà.

L'homme de l'appartement en face, troisième étage en partant du toit, quatrième fenêtre en partant de la gauche.

Je le regarde entrer dans la chambre, son téléphone portable vissé à son oreille. Il rit, sa conversation l'amuse, de toute évidence. Quelque chose dans la décontraction de ses épaules et la moue de ses lèvres me dit qu'il parle à une femme. Il porte un jean moulant et une chemise blanche complètement ouverte. Il s'approche de la fenêtre et presse son front contre la vitre tout en continuant de parler. Il caresse son torse nu et tourne la tête de droite à gauche, pour étirer son cou. Puis il se penche en arrière pour étirer les muscles de son dos, dévoilant encore un peu plus son torse. Une de ses mains continue à caresser négligemment sa peau, je la vois glisser d'un téton à l'autre. « Oh, mon Dieu. » Je gémis en sentant la nausée monter dans ma gorge. Serai-je un jour à nouveau capable de regarder le corps d'un homme en ressentant autre chose que du dégoût ?

Pourtant, aussi dégoûtée que je sois, je suis incapable de détourner les yeux.

– Qu'est-ce qui ne va pas ? me demande Claire, debout sur le seuil de la porte. Tu as mal quelque part ?

Sans un mot, je baisse les jumelles et les lui tends.

– Oh là là ! Il y en a un qui a l'air plutôt amoureux de sa personne. On devrait l'appeler Narcisse.

Je me rappelle que Narcisse est un dieu grec qui tombe amoureux de son propre reflet dans l'eau et qui s'y noie en voulant s'admirer de plus près.

– Qu'est-ce qu'il est en train de faire ?

– Il se déshabille. Envolée, la chemise. Et le pantalon. Et maintenant… oh là là.

Elle lance les jumelles sur le lit.

– OK. Ça suffit. La soupe sera prête dans quelques minutes.

– Tu as eu Jade ?

– Oui. Elle a dit qu'elle essaierait de passer demain après-midi après l'école.

– J'aime bien Jade, lui dis-je quelques minutes plus tard, une fois assises à table devant notre soupe.

Un bouillon de poulet avec du riz, sorti d'une boîte de conserve. Mais il est bon et passe étonnamment bien.

– Je l'aime même beaucoup.

Claire sourit.

– Elle t'aime beaucoup elle aussi.

– Quel genre d'ennuis a-t-elle eus ? Tu as parlé d'un centre éducatif fermé…

Le sourire de Claire s'affaisse et je suis soudain frappée par sa ressemblance avec Gene.

– Une histoire stupide. Elle s'est battue avec une autre fille à l'école, elle l'a frappée sur la tête avec son classeur. Elle a été renvoyée deux semaines et à son retour, bénie soit-elle, elle a recommencé. Cette fois, elle a été inculpée pour agression et envoyée en prison pour mineurs. Il semblerait que certaines personnes ne comprennent que la manière forte.

– Mais elle s'est bien comportée depuis ?

– « Bien » est une notion relative avec Jade, mais on espère que ça va aller.

– Je crois que c'est ce que tout les gens du monde espèrent.

– Je suppose.

Elle termine sa soupe.

– Ça n'a pas été facile pour toi. Être mère célibataire et tout ça.

Elle hausse les épaules.

– Comme pour des millions d'autres femmes. Ce n'est facile pour aucun parent célibataire.

– Ton ex n'a jamais essayé de voir sa fille ?

Je pense à la dévotion de mon amant pour ses enfants et j'ai du mal à croire qu'un père puisse être aussi insensible, aussi indifférent. Même si je sais que Claire pourrait, d'expérience, m'affirmer le contraire.

– C'est de famille, dit-elle, comme si elle lisait dans mes pensées. Il paraît qu'on est attiré par ce qu'on connaît.

– Tu es restée mariée combien de temps ? je lui demande, en essayant d'éviter de parler ouvertement de notre père.

– Techniquement, quatre ans. Concrètement, treize mois.

Elle voit la confusion envahir mon regard.

– J'étais enceinte quand nous nous sommes mariés, comme Jade te l'a déjà dit, je crois. Eliot était un peu brut de décoffrage. Pas vraiment le gendre idéal.

– Je ne crois pas l'avoir déjà rencontré.

– Tu étais plutôt jeune et les différentes branches de la famille n'étaient pas très proches. Papa l'a détesté dès le premier jour, il a dit qu'Eliot n'était qu'un bon à rien – qu'il n'en avait qu'après mon héritage. Papa a menacé de couper tout lien avec moi si je continuais à le voir. Mais bon, ce n'était pas comme s'il était très présent dans ma vie de toute façon, donc je n'ai pas pris ses menaces au sérieux, ce qui n'était pas très malin. Il faut toujours prendre les menaces d'un homme au sérieux.

Elle inspire profondément.

– Puis je suis tombée enceinte, ce qui était encore plus stupide, et Eliot et moi nous sommes enfuis à Las Vegas. Mariés par un sosie d'Elvis.

– Tu plaisantes ?

– J'ai des photos qui le prouvent. Treize mois plus tard, Eliot s'est barré pour de bon.

– Mais vous avez mis quatre ans à divorcer ?

– Eliot a compliqué les choses autant qu'il a pu et aussi longtemps qu'il a pu, jusqu'à ce que notre père accepte de le payer. Fin d'Eliot. Fin de l'histoire.

– Jade n'a jamais essayé de le voir ?

– Une fois. Quand elle avait treize ans. Elle l'a cherché sur Internet, elle a trouvé son adresse et a tenté de le contacter. Il n'a jamais daigné répondre.

Elle regarde dans le vague. Aucune de nous ne parle pendant plusieurs secondes.

– Est-ce que je peux te poser une question sans que tu te vexes ?

Je me prépare à ce qu'elle m'interroge sur notre père.

– Bien sûr. Vas-y.

Elle prend une autre inspiration, pose les yeux sur moi.

– Depuis combien de temps tu couches avec ton patron ?

La cuillère que j'ai dans la main glisse entre mes doigts, rebondit sur la table en verre avant de ricocher sur le sol en marbre.

– Oh, mon Dieu. Qu'est-ce qui te fait croire que je couche avec Sean Holden ?

– J'ai vu comment tu le regardais.

– J'étais contente de le voir, c'est tout.

– Oh.

– Sincèrement.

– OK.

– Je te jure.

– Au temps pour moi.

– Sean Holden et moi ne sommes pas amants.

– Je suis désolée. Oublie ce que j'ai dit.

– Environ trois mois, lui dis-je.

– Quoi ?

– Ça fait trois mois.

– Tu couches avec Sean Holden depuis trois mois ? répète Claire.

La pièce tourne sur elle-même. J'ai mal au cœur. J'ai du mal à respirer.

Claire se lève aussitôt, elle contourne la table jusqu'à moi.

– Ça va aller, Bailey. Respire profondément.

– Je n'arrive pas à croire que je t'ai dit ça.

– Ça va aller.

– Je n'aurais pas dû t'en parler.

– Je suis contente que tu l'aies fait. Tu ne peux pas tout garder pour toi.

– S'il te plaît. Promets-moi de ne le dire à personne.

– Bien sûr que non.

– Promets-moi que tu ne le diras pas à Gene.

– Je promets.

– Ni à Jade.

Un silence.

– J'ai peur qu'il ne soit déjà trop tard de ce côté-là.

– Qu'est-ce que tu veux dire ? Tu lui as dit ?

– C'est *elle* qui me l'a dit à *moi*. Je crois que ses mots exacts ont été : « Eh ben, on dirait bien que tata Bailey se tape son patron. »

– Je crois que je vais vomir.

– Tu ne vas pas vomir. Continue de respirer à fond.

– Ce qu'elle doit penser de moi.

– Elle pense que tu es la personne la plus cool de la Terre. Une aventure avec ton patron, c'était la cerise sur le gâteau. Et en parlant de dessert, qu'est-ce que tu dirais d'un bon gros bol de crème glacée ?

– Non, je ne peux rien avaler... À la fraise ?

– C'est parti pour la fraise.

Claire me laisse pour se rendre dans la cuisine. Je me lève de ma chaise, saute à cloche-pied jusqu'à la fenêtre et regarde les lumières de la ville. Il y a plein de gens normaux là-dehors, me dis-je. Des gens qui ne couchent pas avec leur patron marié, que leurs frères et sœurs n'ont pas attaqués en justice, qui ne s'envolent pas des tapis de course, qui ne pensent pas que tous les hommes qu'ils croisent sont des violeurs.

– Et voilà, glace à la fraise, dit Claire en posant deux bols sur la table en verre. Beaucoup de fraises. Beaucoup de calories. Exactement ce que le docteur a prescrit. Viens, assieds-toi. Ne la laisse pas fondre.

Je retourne à table et me laisse tomber sans grâce sur ma chaise. J'attrape ma cuillère et j'enfourne un énorme morceau de glace dans ma bouche.

– Tu penses que je suis une mauvaise personne.

– Je ne pense pas ça du tout.

– Tu penses que je mérite ce qui m'est arrivé.

– Certainement pas. Est-ce que c'est ce que tu penses toi, Bailey ? dit-elle, penchée en avant, les coudes sur la table. Est-ce que *tu* penses que tu mérites ce qui t'est arrivé ?

Le téléphone sonne.

– Je vais répondre.

Claire est déjà presque debout.

– Allô… Non, c'est sa sœur. Oui, bonsoir, inspecteur… Oui, très bien… et donc, maintenant ? D'accord. Oui. Je vais lui dire. Merci. Au revoir.

Elle revient dans la pièce.

– C'était l'inspecteur Marx, commence-t-elle avant de s'arrêter net. Bailey, que se passe-t-il ?

Je me rends compte que je retiens mon souffle depuis qu'elle s'est levée. La pièce tourne, tout devient flou, bourdonne comme s'il y avait une nuée d'insectes autour de ma tête. Je vais tomber dans les pommes. Claire fait le tour de la table en courant et me rattrape avant la chute.

– Respire, me répète-t-elle encore et toujours.

La pièce s'arrête progressivement de tourner. J'arrive à m'asseoir sans son aide et sans tomber à la renverse.

– Depuis quand as-tu ces attaques ? demande Claire, en m'avançant la chaise, les bras tendus au cas où je basculerais.

– Trois ans. Ça va ça vient, lui dis-je en pensant à ma mère, à mon père, à mon viol.

– C'est beaucoup trop. Tu dois aller voir quelqu'un, Bailey. Tu as besoin d'une aide professionnelle. Je vais appeler cette psy dont je t'ai parlé et prendre un rendez-vous.

J'acquiesce, même si je ne pense pas que ça puisse changer grand-chose. Un psy peut-il défaire ce qui a déjà été fait ? Un psy peut-il me rendre ma mère, mon père, me faire de nouveau me sentir moi ?

– Pourquoi l'inspecteur Marx a appelé ?

– Ils n'ont pas réussi à localiser David Trotter. Il n'est pas chez lui et il n'est pas retourné travailler après l'incident de la salle de sport. Ils vont continuer à chercher jusqu'à ce qu'il refasse surface, dit-elle en regardant le bol de glace que j'ai à peine touché. Enfin, ne nous en faisons pas pour ça. Viens, il est l'heure d'aller dormir.

Elle m'aide à me relever, balance mon bras droit sur ses épaules et me traîne jusqu'à ma chambre. Elle m'installe sous les couvertures puis va dans la salle de bains pour fouiller le placard sous le lavabo.

– Où sont les cachets que le médecin t'a prescrits ?

– Je crois que Heath les a pris, dis-je, en revoyant vaguement mon frère avaler une pleine poignée de pilules.

– Charmant. Bien, j'ai peut-être quelques Valium qui traînent au fond de mon sac. Ne bouge pas. Tiens bon. Respire.

Elle est de retour avant même que j'aie pu enregistrer ses mots, paume tendue devant moi, deux petites pilules blanches entre les lignes de sa main.

– Je n'en veux pas.

– Prends les pilules, Bailey. S'il te plaît. Pour moi, si tu ne le fais pas pour toi. Jade est toute seule à la maison et je dois être au boulot à la première heure demain matin. Je ne peux pas rester cette nuit.

J'ouvre la bouche et laisse Claire déposer les cachets sur le bout de ma langue. Elle me tend un verre d'eau que j'avale.

Dès qu'elle a quitté la pièce, je les recrache dans ma main. Je l'entends mettre de l'ordre dans la maison et fais semblant de dormir quand elle revient jeter un œil sur moi une demi-heure plus tard.

– Bonne nuit, Bailey, murmure-t-elle sur le seuil de la porte. Dors bien.

11

Dans mon rêve, je me baigne nue dans un lac isolé couleur émeraude, un lac entouré d'arbustes en fleurs. Je penche la tête en arrière, sens le soleil chaud sur mon visage, l'eau fraîche sur ma nuque. Je me rends progressivement compte que des requins tournent dans l'eau, au-dessous de moi, et je me mets à nager en direction du rivage. Un homme est allongé sur le rivage, perdu dans la beauté de son propre reflet. « Dis-moi que tu m'aimes », murmure-t-il tandis que l'aileron du requin fend le reflet et que ses dents gigantesques se plantent dans ma gorge.

Je hurle et me redresse d'un coup sur mon lit en tendant la main vers l'interrupteur.

David Trotter est debout au pied de mon lit.

Il est habillé tout en noir et son visage est caché dans la pénombre, mais je sais à la première seconde que c'est lui. Il s'approche. Je peux sentir son haleine mentholée.

– Ne t'approche pas de moi !

Je bondis hors du lit et atterris sur ma cheville endolorie. Je m'effondre par terre en sanglotant de douleur. Il m'attrape par les cheveux, me frappe l'estomac puis le visage avant que je n'aie le temps de retrouver mon équilibre.

– Non !

Je hurle, mais sa main gantée se resserre déjà autour de ma gorge, appuie sur ma trachée.

Sans savoir comment, je réussis à dégager une main, la tends derrière moi vers la table de nuit. J'arrive à ouvrir le tiroir du haut, mes doigts cherchent à l'aveugle la paire de ciseaux que je range là. Mais le tiroir est vide. Il n'y a plus de ciseaux.

– C'est ça que tu cherches ? me demande David.

Je regarde, mais je ne vois que le blanc de la taie d'oreiller qu'il enfile sur ma tête. C'est donc à ça que la mort ressemble, me dis-je, tandis qu'il m'écarte les jambes et enfonce les ciseaux profondément en moi.

Je me réveille en hurlant, la tête enfouie dans le creux de mon oreiller molletonné. J'ai le goût du coton plein la bouche. Le téléphone est en train de sonner.

– Bon sang, dis-je en murmurant et en me redressant pour m'asseoir.

Je fixe le téléphone, pas tout à fait sûre de savoir si je suis vraiment réveillée cette fois ou si je rêve encore. Est-ce que je ne suis plus capable de savoir quand je suis consciente ou non ? Ma sœur a raison. J'ai besoin de l'aide d'un professionnel. Je ne peux pas continuer comme ça, nuit après nuit. Cauchemar après cauchemar.

Je décroche et pose le combiné contre mon oreille. Mais je n'entends que la tonalité continue. Peut-être que ça n'a pas sonné du tout. Il fait trop sombre et je suis trop fatiguée pour vérifier qui m'a appelée.

Je prends une douche, lave les cheveux que Claire a si soigneusement séchés tout à l'heure, j'enlève mon pyjama et enfile une chemise de nuit. Debout à côté de mon lit, je fixe le chiffre lumineux du réveil en sachant très bien que je ne pourrai pas me rendormir. Il est 2 h 30 du matin. J'hésite à allumer la télé mais décide que non, je sens qu'il y a quelque chose de plus intéressant à regarder.

Je sais que les lumières sont allumées dans la chambre de l'appartement de l'autre côté de la rue, avant même de sortir mes jumelles. Je sais qu'il sera là – Narcisse, comme l'appelle Claire – à parader à demi nu devant sa fenêtre, à inviter le monde entier à l'observer.

Sauf que j'ai tort. Il n'y a personne. *À l'Ouest, rien de nouveau*, me dis-je, en me souvenant du vieux film que ma mère et moi avions vu ensemble, un parmi la centaine de classiques qu'on a regardés pendant sa maladie. Même si c'est physiquement douloureux de ne plus pouvoir être dans ses bras, je suis soulagée qu'elle ne soit plus là pour voir l'épave que je suis devenue.

– Il faut rester fort, avait dit mon père après l'enterrement. Il faut qu'on la rende fière.

Mais bien sûr, me dis-je. Elle serait vraiment fière de moi à cette seconde.

Je suis toujours fière de toi. J'entends sa voix et sens ses bras qui m'entourent. *Dis-moi ce que tu vois*, murmure-t-elle tandis que je me penche contre sa poitrine, que je pose ma joue contre la sienne, que je respire le parfum fleuri et délicat de son shampoing. Elle embrasse le bleu encore frais de mon menton et je sens la douleur diminuer.

Je brandis à nouveau mes jumelles.

Je vois une pièce vide. Un lit double, un miroir en pied ovale, une lampe turquoise avec un abat-jour blanc plissé, posée sur une coiffeuse près de la fenêtre.

Et un homme, je me rends compte en sursautant. Narcisse, qui vient de rentrer après une virée en ville. Il se tient face au miroir ovale, de toute évidence enchanté par ce qu'il y voit. Il passe délicatement une main dans ses cheveux, puis enlève son blouson et le balance sur le lit. Il sort son portable de la poche arrière de son jean en marchant vers la fenêtre, ses doigts composent un numéro puis il colle l'appareil à son oreille, en fixant la nuit au loin.

Mon téléphone sonne et je bondis, en tournant d'un seul coup la tête, mon cœur bat à toute vitesse et je me mets à suer. Je me remets à épier Narcisse à travers mes jumelles, je remarque qu'il a toujours son portable vissé à l'oreille. Ce pourrait-il que ce soit lui ? Sait-il que je le regarde ?

Je marche vite vers la table de nuit et sens tout aussi vite ma cheville se tordre et mes genoux toucher le sol.

– Merde ! dis-je en gémissant tandis que le téléphone continue inlassablement de sonner.

C'est mon imagination, tout ça. On est encore dans ce stupide rêve. *Mon cauchemar : le retour. Troisième volet. La saga continue. La saga ne finit jamais.*

Je rampe jusqu'au téléphone, saisis le combiné à la quatrième sonnerie.

– Allô ?

Une tonalité continue envahit mon oreille.

Je vacille jusqu'à la fenêtre, le téléphone dans une main, les jumelles dans l'autre, je regarde en direction de l'appartement d'en face. Narcisse est toujours à sa fenêtre, le téléphone sur l'oreille. Il parle et il rit.

Est-ce que mon téléphone a vraiment sonné ? Ou était-ce seulement mon imagination ?

J'appuie sur 3131. Un message enregistré m'informe que : « Nous sommes désolés. Ce numéro ne peut être joint par nos services. Merci de bien vouloir raccrocher. »

Je raccroche, en essayant de comprendre ce que ça veut dire. Mais mon cerveau refuse de fonctionner. Est-ce que quelqu'un a vraiment appelé ? Est-ce que c'était une erreur de numéro ? Un idiot de gamin qui faisait une blague stupide en pleine nuit ? David Trotter ? Travis ? Quelqu'un d'autre ? Personne ?

Je regarde Narcisse reposer le téléphone sur la table de nuit à côté de son lit, puis défaire sa cravate et enlever ses chaussures. Je le vois tourner d'un coup la tête vers la porte de la chambre. Je le regarde quitter la pièce, allumer la lumière dans pièce voisine, marcher jusqu'à la porte d'entrée et l'ouvrir. Je vois une jeune femme – mince, jolie, avec de longs cheveux bruns – entrer. Je le vois lui prendre la main et la conduire jusqu'à la chambre. Je retiens mon souffle.

Vue d'ici, elle me ressemble un peu. Enfin, à ce à quoi je ressemblais avant. Il embrasse son cou, elle penche la tête en arrière et le serre contre elle. Il lui caresse la poitrine, les fesses, les cuisses, puis ses mains disparaissent sous sa minijupe. Quelques secondes plus tard, la jupe tombe par terre, suivie assez vite par sa chemise et son soutien-gorge. Elle a de petits seins, des seins qui tiennent entièrement dans ses mains à lui. Des grandes mains, me dis-je, en me mordant la lèvre inférieure. Il lui enlève sa culotte et s'agenouille devant elle, enfouit sa tête entre ses jambes.

Je retiens ma respiration, je sens mon estomac se nouer et mes genoux trembler.

Narcisse se relève peu de temps après, pousse la jeune femme contre la fenêtre, expose son corps nu aux yeux de tous, ses mains sont partout à la fois, sur ses seins, entre ses jambes. Sa joue est écrasée contre la vitre et elle ferme les yeux quand ses doigts se glissent autour de sa gorge. Ils trouvent sa bouche et se faufilent comme des serpents entre ses lèvres. Narcisse enlève sa chemise et déboutonne son pantalon. Les paumes de la femme s'étalent contre la fenêtre tandis qu'il la pénètre par-derrière.

Je crie, je sens chaque pénétration, mais je suis incapable de ne pas regarder.

Quand ils ont fini, ils titubent à travers la pièce et s'effondrent sur le lit. La pièce devient noire. Je trébuche jusqu'à la salle de bains et vomis la soupe et la crème glacée que j'avais réussi à ingurgiter plus tôt dans la soirée. Puis je retourne à la fenêtre de ma chambre, m'effondre par terre et reste là, les ciseaux dans une main, les jumelles dans l'autre, recroquevillée et tremblante, jusqu'à l'aube.

*
* *

Claire m'appelle le lendemain matin à la première heure.

– Comment te sens-tu ?

– Ça va.

– Parfait. Je t'ai pris un rendez-vous avec une thérapeute. Aujourd'hui, à midi.

– Aujourd'hui ?

– Tu avais des projets ?

– Non, mais…

– Pas de mais, me coupe-t-elle. Elle s'appelle Elizabeth Gordon et elle te cale pendant son heure de déjeuner pour me rendre service.

– Je ne sais pas.

– Qu'est-ce que tu ne sais pas ?

– À peu près tout.

Elle rit.

– C'est une bonne nouvelle, Bailey. Tu viens de faire une blague. Ça veut dire que tu vas mieux.

Je ne suis pas sûre de savoir de quoi elle parle. Je n'essayais pas de faire de l'humour. J'étais sérieuse.

– Bailey, tu es toujours là ?

– Je ne crois pas que je sois capable de sortir aujourd'hui.

– Et je ne crois pas que tu puisses te permettre de rester cloîtrée dans cet appartement.

– Je n'ai pas dormi du tout.

Elle semble surprise de l'entendre.

– Vraiment ? Ces cachets auraient dû te mettre K.-O.

– Quelqu'un m'a téléphoné, dis-je, en omettant de préciser que j'ai craché les cachets. Deux fois. En pleine nuit.

– Comment ça ? Qui ?

– Je ne sais pas. On n'entendait que la tonalité quand j'ai décroché.

– Les deux fois ?

– Oui. Enfin, je crois.

– Comment ça, tu crois ? Tu dis que quelqu'un t'a appelée deux fois et a raccroché quand tu as répondu ?

Pas besoin de voir son visage pour sentir sa confusion.

– Tu es sûre que ce n'était pas un rêve ?

– Non, admets-je.

Je ne prends pas la peine de lui dire que j'ai essayé le 3131. J'ai peut-être rêvé cette partie-là aussi.

– Tu devrais appeler la police, dit-elle.

– C'était peut-être une simple erreur de numéro.

– Appelle-les quand même. Ça pourrait avoir son importance.

On tourne toutes les deux autour du pot, aucune de nous ne veut prononcer à haute voix ce qu'on pense tout bas : que ces appels pourraient venir de l'homme qui m'a violée. Le faire reviendrait à donner une réalité à cette possibilité, la crédibilité dont elle manque pour l'instant.

– Tu penses que ces appels viennent de l'homme qui m'a violée ?

J'ai soudain besoin d'entendre ces mots. Quel que soit mon agresseur, il m'a volé mon sac à main, après tout. Il contient toutes mes informations personnelles. Il aurait pu facilement obtenir mon numéro de téléphone.

– Je pense qu'il faut vérifier.

– Que peut faire la police ?

– Tu t'y connais mieux que moi là-dessus, Bailey. Ils ne peuvent pas remonter à l'origine de l'appel ?

– Pas s'il a été passé d'une de ces puces prépayées, dis-je, en ayant l'air d'un flic tout droit sorti des *Experts* de je ne sais trop quelle ville.

– Appelle la police, répète Claire. Bailey ?

– J'appellerai la police.

– Bon. Je vais te donner l'adresse d'Elizabeth Gordon. Tu as un stylo ?

– Oui, dis-je en mentant.

Elle n'y croit pas.

– Non, tu n'as pas de stylo. Je ne raccroche pas et tu vas en chercher un. Ne me mets pas en retard.

Je fouille dans le tiroir du haut de ma table de nuit et trouve un stylo et un bout de papier.

– C'est bon. Vas-y.

– C'est au 2501 Southwest 18th Terrace. Appartement 411. Tu as noté ?

– Oui.

– Relis-moi.

– 2501 Southwest 18th Terrace. Appartement 411.

– Bien. Ça ne devrait pas te prendre plus de dix, quinze minutes en taxi.

– OK.

– Tu vas voir qui ?

– Quoi ?

– La thérapeute. Son nom ?

– Elizabeth.

– Elizabeth Gordon. Son adresse ?

– 2501 Southwest 18th Street.

– Terrace, corrige Claire. Tu es bien sûre de l'avoir noté ?

– Terrace, je répète. Appartement 411, j'ajoute, avant qu'elle ne me pose la question.

– Parfait. Je dois aller travailler maintenant, mais je t'appelle un peu plus tard. Tu as déjà pris ton petit déjeuner ?

– Non.

– OK. Tu vas aller dans la cuisine te faire des toasts et du café. Et un œuf. Fais-toi un œuf. C'est plein de protéines.

– Je suis pas sûre de pouvoir manger quoi que ce soit.

– Fais-toi un œuf, Bailey.

– OK.

– Voilà. Je t'appelle plus tard.

Je raccroche, laisse le bout de papier avec l'adresse d'Elizabeth Gordon sur la table de nuit et me traîne jusqu'à la cuisine. Je me fais des toasts et du café. Et un œuf, qui est à vrai dire délicieux. J'avais oublié combien j'aimais les œufs. J'ai oublié combien j'aimais beaucoup de choses.

Le téléphone sonne et je sursaute, mon estomac se noue, et l'œuf que je viens d'avaler menace de remonter. Je cours aussi vite que possible jusqu'au téléphone mais je ne décroche pas. « Numéro inconnu », annonce l'écran. Je m'interroge, j'hésite à laisser le répondeur s'enclencher. Ma curiosité finit par avoir raison de moi et je soulève le combiné jusqu'à mon oreille.

– Salut, Bailey, dit Heath. T'en as mis un temps à répondre !

– Pourquoi tu apparais en numéro masqué ?

– Quoi ?

– Pourquoi tu masques ton numéro ? Je ne peux pas savoir que c'est toi qui appelles.

– Je masque toujours mon numéro. C'est automatique. Je paye une option en plus exprès, commence-t-il à m'expliquer.

– Tu m'a appelée hier soir ?

– Hein ?

– Vers 2 heures du matin. T'as appelé ?

Silence. Puis :

– Je ne sais pas, admet-il. J'étais avec Travis. On était assez défoncés. On a pu passer quelques coups de fil.

– Tu étais avec Travis ?

– Qu'est-ce qu'il se passe Bailey ? Il dit que tu penses que c'est lui qui t'a violée, que tu lui as foutu les flics sur le dos.

– Je lui ai pas foutu les flics sur le dos. Et je ne pense pas qu'il m'ait violée.

Ou si ?

– Ce type t'aime, Bailey.

– Et moi je t'aime toi, Heath. Mais je te jure que si je t'entends défendre cet homme encore une fois...

– Waouh. OK. Une seconde. Je suis de ton côté, tu te souviens ?

– Alors il serait temps de me le montrer.

Silence. Je sais que je l'ai vexé, ce qui a toujours été difficile pour moi, mais je suis fatiguée, de mauvaise humeur, j'ai mal partout et Claire m'a pris ce rendez-vous avec cette thérapeute qui sacrifie son heure de déjeuner pour moi, donc je ne vois pas comment je pourrais ne pas y aller, ce qui est pourtant exactement ce que j'ai envie de faire.

– Je suis désolé, Bailey. Je suis un con...

– Tu pourrais me conduire quelque part ?

Je n'ai pas envie de me retrouver à consoler Heath, et on en prend exactement le chemin.

– Il faut que je sois à Southwest 18th à midi.

– Il y a quoi à Southwest 18th ?

Je lui dis pour le rendez-vous que Claire m'a pris.

– Fais attention aux manigances des demi-sœurs qui n'en n'ont qu'après ton argent.

– Est-ce que tu peux m'emmener ? je demande à nouveau, en ignorant sa remarque.

– Bien sûr. Ah, attends. Tu as dit midi ? Non, je ne peux pas. J'ai une autre audition pour la pub Whiskas à 11 h 45. C'est la deuxième fois qu'ils me rappellent. Apparemment, ça se joue entre moi et un autre type. Et sainte Claire ? Elle ne peut pas t'emmener ?

– Elle travaille, Heath.

– Comme c'est pratique.

Je commence à perdre patience.

– Quelle était la raison de ton appel ?

– Je voulais juste savoir comment tu allais. Et vu que tu te conduis un peu comme une connasse, je suppose que ça veut dire que tu vas mieux.

C'est intéressant de voir comment les gens peuvent interpréter l'humeur de quelqu'un de façon différente : pour Claire, j'ai de l'humour, pour Heath, je suis une connasse.

– Je te rappelle plus tard.

– T'aime, roucoule-t-il au moment où je raccroche.

J'appelle la police. Ils me disent qu'ils n'ont toujours pas réussi à localiser David Trotter mais qu'ils me tiendront au courant. Je décide de ne pas leur parler des appels de cette nuit. Je ne veux pas que mon frère ait des ennuis. Ni Travis, c'est probablement lui qui a téléphoné. Heath ne fait que le couvrir, en se cachant derrière sa soi-disant amnésie liée à la défonce. Si les appels continuent, je les signalerai. En attendant, je devrais me préparer pour mon rendez-vous. Autant prendre de l'avance. Je n'ai rien d'autre à faire, de toute façon.

Je me dirige vers la salle de bains en évitant volontairement les jumelles toujours par terre à côté de la fenêtre de ma chambre. Fini de jouer les voyeuses, me dis-je en entrant dans la douche. Je pose mes ciseaux sur l'étagère en marbre gris et blanc incrustée dans le mur – en marbre lui aussi – de la cabine. Debout sous une cascade d'eau bouillante, je sens mes cheveux s'aplatir contre mon crâne comme des algues. Quand j'ai fini de me frotter si fort que je peux littéralement voir des plaques de peau rouge sang sur mes coudes et mes genoux, je me lave les cheveux à grande eau, applique du démêlant, même si celui-ci n'a plus aucun effet vu la tonne de shampoing que j'utilise en même temps. Les boucles de mes cheveux ont été remplacées par des nœuds permanents. Leur teinte brune a perdu toute sa brillance.

Je les sèche plus ou moins puis les attache avec un gros chou-chou derrière la nuque. J'applique un peu d'anticernes autour des yeux et étale de la crème teintée sur mon visage. Puis un peu de blush et quelques gouttes de mascara.

J'ai l'air d'un clown, me dis-je en me regardant bouche bée dans le miroir pendant quelques secondes avant de tout enlever et de recommencer. C'est encore pire la seconde fois. Je retire le mascara avec un mouchoir et j'ai l'impression d'être nez à nez avec un raton-laveur aux yeux écarquillés.

Je finis par retourner sous la douche, pour tout reprendre de zéro. Cette fois, je décide de ne pas m'embarrasser avec le maquillage. Elizabeth Gordon devra me prendre comme je suis, la peau sèche qui pèle et le teint cadavérique.

Le téléphone sonne et je sursaute.

– Allô ? dis-je en décrochant avant la fin de la première sonnerie.

– Quelle est l'adresse ? me demande Claire, et je ris.

– 2501 Southwest 18th Terrace.

– Appartement ?

– 411.

– Bravo, ma grande. T'es presque prête ?

– Presque.

– Tu veux que je t'appelle un taxi ?

– Non, c'est bon. Je me disais que j'allais y aller en voiture.

Cette information surprend autant Claire que moi. À quel moment je me suis dit ça exactement ?

– Je croyais que ton agresseur t'avait volé tes clés de voiture ?

– Le concierge a un double.

– Et ton permis ?

– J'ai une photocopie, dis-je en mentant.

– Je ne suis pas sûre que ça soit une très bonne idée.

– Moi si, dis-je, de plus en plus ferme.

– Bon. Alors très bien, je suppose.

– Alors très bien.

– Appelle-moi quand tu rentres chez toi.

Je promets de le faire puis raccroche. Je marche lentement jusqu'au placard, en prenant soin de ne pas trop appuyer sur ma cheville douloureuse, et je me demande si je devrais conduire, en fait. Mais j'ai toujours adoré conduire. Et être au volant de l'ancienne voiture de ma mère m'a toujours fait du bien.

Je choisis un pantalon noir large et une chemise blanche ; c'est la première fois que je sors depuis trois semaines. Je suis presque excitée. Conduire me fera plus de bien que n'importe quel thérapeute.

À 11 h 15, j'appelle la réception et demande à Elron d'envoyer quelqu'un chercher ma voiture.

– Bien sûr, mademoiselle Carpenter.

– Et pourriez-vous faire monter quelqu'un pour m'accompagner dans l'ascenseur ? je demande, en sentant ma gorge et mon cœur se serrer. Je ne demanderais pas, normalement. Mais après hier…

– J'arrive tout de suite et je vous accompagne moi-même, dit Elron sans la moindre hésitation.

Deux minutes plus tard, il est devant ma porte.

– J'exagère sans doute un peu, lui dis-je.

J'ai un peu la tête qui tourne et je lutte pour garder l'équilibre tandis qu'il marche à côté de moi dans le couloir.

– Il n'y a pas de mal à être prudent.

L'ascenseur arrive et on y entre. Je ferme les yeux tandis qu'Elron appuie sur le bouton du rez-de-chaussée. On descend sans être interrompus.

– Voilà votre voiture.

Elron pointe le doigt vers la Porsche argentée qui apparaît devant l'entrée.

Wes bondit hors de la voiture de sport sans éteindre le moteur tandis qu'Elron me tient la porte de l'immeuble.

Je marche lentement vers la voiture que j'ai héritée de ma mère, elle est propre et rutilante, le métal argenté reflète le soleil aveuglant d'un midi en Floride. La dernière fois que j'ai vu cette voiture, c'était la nuit, dans une rue plutôt calme et résidentielle du nord de Miami. La dernière fois que j'ai touché la poignée de cette portière, c'était la nuit où je me suis fait violer.

– Je peux le faire, dis-je du bout des lèvres en me glissant derrière le volant.

Wes referme la portière derrière moi et se penche à la vitre.

– Conduisez prudemment, dit-il, et l'odeur forte et médicinale de son bain de bouche me fait monter les larmes aux yeux.

12

Mon père a offert cette voiture de sport à ma mère pour son cinquantième anniversaire. Elle a eu un coup de foudre et elle a juré qu'elle ne conduirait plus aucune autre voiture pour le reste de sa vie. Le reste de sa vie qui n'a finalement même pas duré trois ans. Quand elle a été trop malade pour conduire, la voiture est restée au garage. « Mon bébé se sent négligé, disait-elle régulièrement de son lit, en tournant la tête sur son oreiller en direction du garage quatre places. Quand est-ce que tu vas obliger ton père à te montrer comment on conduit une boîte manuelle ? – C'est *ton* bébé, répondais-je en secouant la tête avec obstination. Elle veut sa maman. » *Je* veux ma maman, ajoutais-je silencieusement. S'il te plaît, maman. *Ne meurs pas. Ne meurs pas.*

Merci pour rien, les prières silencieuses.

La voiture a désormais huit ans et depuis que mon père m'a patiemment appris à conduire avec un levier de vitesse, j'ai plus que triplé son kilométrage. Pourtant, elle a toujours l'air aussi neuve. Chaque fois que je m'installe derrière le volant, je sens les bras réconfortants de ma mère m'entourer. J'inspire son doux parfum d'agrumes.

Jusqu'à aujourd'hui.

Aujourd'hui, cette voiture me semble étrangère, inconnue. Le cuir, d'habitude si doux et velouté, est rêche et râpeux contre ma peau. Le siège est trop bas et n'enveloppe plus mon dos comme la paume d'une main. Je dois étirer les jambes pour atteindre les pédales ; mes mains glissent du volant comme s'il était huileux. Et ma mère n'est définitivement plus là.

Je me dis que Wes s'est trompé. Il est nouveau ici, il s'est embrouillé et m'a apporté la mauvaise voiture.

– Ce n'est pas ma voiture ! je lance par la vitre.

Mais Wes est déjà dans le hall de l'immeuble, il discute avec Elron et ne m'entend pas. Je ne sais pas quoi faire, donc je ne fais rien à part rester assise là. *Évidemment que c'est ma voiture*, me dis-je pour me rassurer. Si j'ai l'impression que ce n'est pas la mienne, c'est uniquement parce que Wes a ajusté le siège à sa taille. Il faut simplement que je le remette dans la bonne position.

Je presse un bouton pour ajuster le siège, qui monte au lieu d'avancer, et, quand je le presse à nouveau, le siège recule plus loin encore, ce qui ne fait qu'empirer les choses. J'appuie sur un bouton de la portière, la vitre remonte, me privant de tout air. La climatisation est éteinte et je ne me souviens plus comment l'allumer. Il fait déjà chaud dans la voiture mais la température et l'humidité augmentent à chaque seconde. J'ai du mal à respirer. *Très bien, reste calme*, me dis-je en murmurant. Je prends plusieurs inspirations profondes, j'essaie de ne pas céder à la panique croissante en appuyant sur les boutons les uns après les autres.

Le siège bondit en avant, puis de nouveau en arrière, puis en avant, avant de se bloquer net dans une secousse si violente que ma main passe la première. Mon pied gauche lâche l'embrayage par réflexe en même temps que mon pied droit appuie sur l'accélérateur. « La voiture se conduit quasiment toute seule », entends-je ma mère dire au moment où la Porsche argentée bondit littéralement sur la route.

Dans le rétroviseur, je vois Wes se retourner, sa mâchoire tombe d'un seul coup quand il voit la voiture faire une embardée dans la rue. J'ai oublié où j'allais. Je fouille dans mon sac à main à la recherche de l'adresse que j'ai notée sur un bout de papier, sans succès. Pour ne rien arranger, le soleil m'aveugle et j'ai oublié mes lunettes de soleil.

Machinalement, je lâche le volant d'une main pour protéger mes yeux et je sens la voiture faire un écart sur la gauche. Elle a un moteur tellement puissant. « Trop puissant pour une fille », s'est un jour moqué Travis, même si je crois qu'il était juste frustré que je ne le laisse pas conduire. Mais il avait peut-être raison, après tout.

Est-ce qu'il est vraiment possible qu'une fille ait trop de puissance ? Voilà ce que je me demande en essayant de tenir une autre pensée inquiétante à l'écart. Elle s'impose quand même : Quand ai-je cessé d'être une *femme* pour redevenir une *fille* ? Je secoue la tête, je connais la réponse. Une autre vague de dégoût me balaie. Je me noie dans le dégoût. J'appuie plus fort sur l'accélérateur et passe la seconde. Erreur. Trop tôt pour embrayer. Je ne vais pas assez vite. Je sors à peine de l'allée, nom de Dieu.

Un immeuble en construction apparaît soudain face à moi. Je resserre ma main sur le volant, tourne vers la gauche pour éviter une voiture qui arrive sur ma droite, sans voir avant qu'il ne soit trop tard que plusieurs ouvriers traversent la rue juste devant moi. Je vois leurs visages se tordre de peur, j'entends les hurlements affolés des passants, j'entends mon propre cri couvrir les leurs tandis que je lutte pour contrôler le volant. Les pneus crissent quand la voiture monte sur le trottoir et continue sa course folle vers le grillage orange qui entoure le chantier.

— Non mais ça va pas ? crie quelqu'un quand l'avant de la Porsche s'écrase contre le grillage qui se déchire et vient retomber sur le capot comme la voilette d'un chapeau.

— Vous êtes folle ? crie une autre voix.

Je retire instinctivement la clé du contact afin d'immobiliser la voiture une bonne fois pour toutes.

J'ouvre la portière et sors en titubant.

— Mademoiselle Carpenter, hurle Wes dans mon dos. Vous allez bien ?

— Que s'est-il passé ? demande Elron, tandis que tous deux traversent la rue en courant.

Et soudain, une cacophonie de voix : « Vous êtes blessée ? » « Nom de Dieu, vous avez failli nous tuer. » « C'est quoi votre problème ? » « Vous êtes malade ? » « Où est-ce que vous aviez la tête ? »

— Il faut que j'y aille, dis-je aux silhouettes floues qui m'entourent.

— Vous devriez vous asseoir.

— Il faut que j'y aille.

— Vous voulez que j'appelle votre sœur ? demande Elron.

Combien de fois m'a-t-il posé cette question dernièrement ? Comme c'est ironique. Il y a une semaine, Claire existait à peine. Une demi-sœur en théorie peut-être mais, en réalité, rien de plus qu'un nom gribouillé au dos d'une vieille photo. Elle était une demi-rien-du-tout. Elle est désormais la moitié qui me complète. Je n'aurais jamais pu surmonter cette semaine sans elle. Alors pourquoi ne l'ai-je pas écoutée quand elle a voulu me dissuader de prendre le volant ? Pourquoi n'ai-je pas pris un taxi ?

Mes yeux vont de gauche à droite. Je remarque la fumée qui sort du moteur et l'énorme rayure qui entaille le capot comme une cicatrice. Je vois une femme éloigner son enfant de la scène. Comme si regarder trop longtemps dans ma direction pouvait pour toujours endommager la vue de son fils, comme une éclipse solaire. Je vois des gens commencer à partir tandis que d'autres se fraient un chemin pour mieux observer ce qu'il se passe.

Je vois David Trotter.

Il est seul de l'autre côté de la rue, il parcourt la scène d'un regard froid. Il trépigne et un sourire insolent se dessine sur ses lèvres.

– Non ! dis-je en suffoquant et en me retournant.

– Qu'y a-t-il ? demande Elron.

Je dissipe son inquiétude en secouant la tête. Quand je trouve assez de courage pour regarder de nouveau dans la direction de David Trotter, il a disparu.

Était-il vraiment là ?

Un ouvrier me touche le bras. Il a environ trente ans, taille et corpulence moyennes.

– Vous allez bien ? me demande-t-il.

Son haleine sent la menthe verte, le parfum du chewing-gum qu'il est en train de mâcher.

Je pousse un cri, comme si j'avais été brûlée par le bout d'une cigarette, et je fais un pas en arrière tandis qu'une main gantée s'approche de mon épaule. Je m'éloigne de la foule et descends la rue.

– Hé, vous ne pouvez pas vous contenter de quitter une scène d'accident.

– Mademoiselle Carpenter...

Un taxi s'arrête soudain devant moi, comme si je l'avais appelé. J'ouvre la portière et monte, sans être tout à fait sûre qu'il ne s'agit pas d'un mirage. Ce n'est que quand l'odeur rance de transpiration émanant du cuir vert usé de l'habitacle envahit mes narines et que j'entends le fort accent cubain du chauffeur que je commence à accepter sa réalité.

– Vous allez où ? demande l'homme.

Je lutte pour me souvenir de l'adresse. Puis j'entends la voix calme de Claire me la rappeler.

– 2501 Southwest, 18th Terrace, dis-je au chauffeur. Pouvez-vous faire aussi vite que possible ?

Le chauffeur me sourit dans le rétroviseur. Je note avec soulagement qu'il a une soixantaine d'années, des cheveux poivre et sel et un ventre si gros qu'il s'écrase contre le volant. Ce n'est pas l'homme qui m'a violée. Pour le moment, je peux me détendre.

– Accrochez-vous, dit-il.

*
* *

L'appartement 411 est situé au troisième étage d'un immeuble rose bonbon qui en compte cinq, juste en face de l'ascenseur. La chaleur du dehors me fait transpirer, et la fraîcheur de l'air conditionné me fait frissonner. Un mélange désagréable. Je frappe à la lourde porte en bois et j'attends. Mais on ne me répond pas. Je regarde ma montre et constate que j'ai douze minutes de retard. Elizabeth Gordon ne m'a probablement pas attendue, me dis-je, à la fois déçue et soulagée. Je suis sur le point de repartir quand la porte s'ouvre sur une jolie femme brune aux cheveux crépus, la bouche pleine de sandwich au thon. Elle a environ quarante ans, mesure près d'un mètre quatre-vingts, elle porte un pantalon gris et une chemise en coton bleu pastel. Une fine chaîne en or pend à son long cou, assortie à ses petites boucles d'oreilles dorées et à son anneau à l'annulaire gauche. Elle est très peu maquillée et sourit en délogeant discrètement quelques miettes de thon perdues entre ses dents du bout de la langue. Elle s'essuie la main droite sur son pantalon avant de me la tendre. Je la serre en me disant que ce doit être la réceptionniste du Dr Gordon.

– Vous devez être Bailey, dit-elle en me guidant vers la petite salle d'attente où sont alignées des chaises en plastique à hauts dossiers. Je ne vous avais pas entendue. Désolée pour le thon. J'essayais de l'engloutir avant que vous arriviez.

– Non, c'est moi qui suis désolée. C'est moi qui suis en retard. Le Dr Gordon est partie ?

– Je suis Elizabeth Gordon et je ne suis pas docteur.

Ce n'est qu'à ce moment-là que je remarque les diplômes encadrés sur le mur bleu pâle. Un diplôme de l'université de Vassar et un master en sociologie à Yale. Pas de diplôme médical mais impressionnant quand même.

– Pourquoi ne passerait-on pas dans mon bureau ?

Elizabeth Gordon ouvre une autre porte qui donne sur une pièce légèrement plus grande que celle où nous nous trouvons, de la même couleur bleu pastel. D'un côté se trouve un bureau, noyé sous des piles de dossiers et de feuilles volantes noircies d'une écriture illisible. De l'autre, un canapé marron et deux fauteuils dépareillés, l'un vert, le second bleu marine. Une tentative, il me semble, de donner à la pièce un air chaleureux et de mettre les patients à l'aise pour qu'ils se confient. Je me demande si le sandwich au thon était un stratagème du même genre.

– Désolée, je suis en retard, dis-je en m'excusant de nouveau quand elle m'invite à m'installer sur le canapé.

Je m'assois au bout et elle s'installe dans le fauteuil bleu marine en face de moi, elle croise ses longues jambes et pose les mains sur ses cuisses.

– Ça a l'air de vous mettre en colère.

– Je n'aime pas être en retard.

– Pourquoi ?

– Je ne trouve pas ça poli. C'est un manque de respect pour l'autre et le temps qu'il vous accorde.

Mon père était un maniaque de la ponctualité. Mais je ne le lui dis pas.

– Être en retard vous rend anxieuse ?

– Comme le reste, non ?

– Je ne sais pas. C'est à vous de me dire.

Elle sourit. Qu'est-ce qu'elle veut que je lui dise exactement ?

– J'ai appris par votre sœur que vous traversiez une période difficile.

Je me retiens de rire et lève les yeux au ciel, comme le fait souvent Jade quand elle s'adresse à sa mère.

– On peut dire ça comme ça.

Elizabeth Gordon griffonne quelque chose sur un bloc de papier. Je ne me souviens pas d'avoir vu ce bloc-notes dans ses mains et me demande d'où il sort.

– Voulez-vous en parler ?

– Pas vraiment.

– OK. De quoi est-ce que vous *voudriez* parler ?

– Je ne sais pas.

Elle attend.

– Pourquoi êtes-vous venue me voir, Bailey ?

– Ma sœur a pensé que ce serait une bonne idée.

– Oui. Elle m'a dit que vous aviez de terribles crises de panique depuis pas mal temps.

– Ça ne fait pas si longtemps que ça.

– J'ai cru comprendre que ça avait commencé après le décès de votre mère.

– Je crois.

– Il y a environ trois ans.

– Je crois, dis-je à nouveau, alors que je sais exactement – presque à la minute près – depuis combien de temps ça dure.

– Claire m'a également dit que votre père était décédé depuis peu.

– C'est exact.

– Et qu'il y a quelques semaines vous aviez été agressée et violée.

– Ma sœur est décidément très bavarde.

– Je crois qu'elle essaie juste de vous aider.

– Est-ce qu'elle vous a aussi dit que je couchais avec mon patron, un homme marié ?

Je scrute le visage d'Elizabeth Gordon à la recherche du moindre signe de désapprobation, mais il reste impassible, dénué de jugement.

– Elle a gardé ça pour elle. Est-ce que c'est de *ça* dont vous avez envie de parler ?

Je sens une chaleur monter de ma poitrine et me faire rougir.

– Non.

Je peux voir qu'elle réfléchit soigneusement à ce qu'elle va dire.

– Écoutez. Je sais par votre sœur que le viol a été un revers terrible pour vous et je constate que vous êtes très affectée par tout ce que vous devez affronter. J'espère que vous vous sentirez suffisamment à l'aise pour mettre des mots sur ces émotions et que l'on pourra travailler ensemble à les intégrer

141

à votre perception des choses, dans l'espoir que vous puissiez aller mieux...

– Je ne comprends pas du tout de quoi vous parlez.

– Je sais bien qu'il est plus difficile de parler de certaines choses que d'autres...

– Qu'est-ce que vous attendez de moi ?

– Je crois que la question est de savoir ce que *vous*, vous attendez de *moi*, non ?

– Je veux...

Je commence puis m'arrête.

– Je ne sais pas. Je ne sais pas ce que je veux.

Je secoue la tête, baisse les yeux vers la moquette beige à poils longs. Quand je relève la tête, ma voix n'est plus qu'un murmure.

– Bon sang, je voudrais simplement ne plus avoir constamment peur.

– De quoi avez-vous peur ?

– À votre avis ?

Le mépris dans ma voix s'accorde avec celui dans mon sourire.

– J'ai été violée, nom de Dieu. Il m'a presque tuée.

– Vous avez peur que ça se reproduise ?

– Il est toujours en liberté, non ?

– C'est une pensée plutôt effrayante.

– C'est ça que font les psychologues ? Souligner des évidences ?

Je la provoque volontairement, mais sans savoir vraiment pourquoi.

– Non. Les psychologues essaient de comprendre et de soutenir les gens qui viennent leur demander de l'aide, dit-elle, refusant de mordre à l'hameçon. Vous êtes effrayée et agressive, Bailey. À la fois au bord du gouffre et au bord de l'explosion. J'aimerais savoir ce qui vous est le plus insupportable.

– Vous voulez que je vous raconte mon viol en détail, docteur Gordon ?

– Elizabeth, corrige-t-elle gentiment. Je ne suis pas docteur, vous vous souvenez ? Et non, je ne veux pas de détails. J'essaie juste de vous inciter à mettre des mots sur ce qui vous perturbe le plus. C'est la seule façon dont je puisse vous aider. Les gens se sentent en général mieux quand ils laissent leurs problèmes ici. Mais je sais que c'est un processus difficile et qu'il se passe beaucoup de choses dans votre vie. Cela prendra du temps. La bonne nouvelle, c'est que nous avons tout le temps nécessaire.

– Nous avons à peine une heure.

Elle regarde sa montre.

– Aujourd'hui, oui. Mais j'espère que vous me ferez suffisamment confiance pour revenir.

– Je ne vois pas vraiment quel bien ça pourrait me faire.

– Vous n'avez pas à décider tout de suite. Pourquoi ne pas voir d'abord comment se déroule le reste de la séance ? Ça vous paraît raisonnable ? demande-t-elle avant que je ne puisse répondre.

– Je crois.

– Pourquoi ne m'en diriez-vous pas un peu plus sur vous pour commencer ? Quel âge avez-vous ?

– Vingt-neuf ans.

Je m'attends à ce qu'elle me dise que j'ai l'air bien plus jeune, ce qui serait un mensonge, mais elle ne le fait pas, ce que j'apprécie. Je lui parle de mon boulot, lui donne quelques vagues informations sur ma vie, et me garde bien de lui révéler quoi que ce soit d'intime.

– Parlez-moi de votre mère.

Mes yeux se remplissent de larmes.

– Que dire ? Elle était merveilleuse. La meilleure des mères... ma meilleure amie.

– Ç'a dû être terrible de la perdre si jeune.

– Elle avait cinquante-cinq ans.

– Je parlais de vous, corrige-t-elle gentiment. Et votre père ? J'ai cru comprendre par Claire...

– Alors vous n'avez rien compris, dis-je sèchement, tous les muscles tendus.

– ... qu'il était un peu plus âgé que votre mère, continue-t-elle, pour finir sa phrase. Qu'elle avait été sa secrétaire.

Je sens à nouveau mes muscles se tendre.

– Je suis sûre que Claire vous a tout dit de leur liaison.

– En fait, non. Vous voulez dire que votre père était marié quand il a commencé à voir votre mère ?

– Je sais où vous voulez en venir, dis-je, agacée.

– Et où je veux en venir ?

Elle a l'air très gênée. Ce qui ne fait que m'agacer encore plus.

– Vous pensez que, parce que ma mère a eu une liaison avec son patron quand il était marié, je me dis que ce n'est pas grave si je couche avec le mien ?

– Est-ce ce que *vous* pensez ?

– Je pense que ma mère n'a rien à voir avec mon aventure, voilà ce que je pense.

– D'accord. Je comprends.

– Est-ce que *vous* pensez que ma mère a quelque chose à voir avec ça ? lui dis-je après un silence pendant lequel mon cœur bat si vite et si fort qu'il manque de faire éclater ma poitrine.

– Je pense qu'il y a une multitude de raisons qui peuvent pousser une femme à sortir avec un homme marié. Parfois, c'est parce qu'elle se sent seule. Parfois parce qu'elle n'a rien de mieux à faire. Parfois parce que les hommes ne disent pas toute la vérité sur leur situation.

Elle s'arrête une seconde.

– Dans certains cas, entretenir une liaison avec un homme marié évite d'avoir à gérer les contraintes d'une relation plus « normale »...

– Vous pensez que c'est mon cas ?

– Dans votre cas, dit Elizabeth Gordon, et je peux la voir peser soigneusement ses mots avant de poursuivre, je ne sais pas. Nous verrons. C'est peut-être lié à votre désir de mieux comprendre votre mère.

Je m'affale sur le canapé et expire tout l'air de mes poumons en un seul souffle, comme si on m'avait frappée à la poitrine. Une fois encore, mes yeux se remplissent de larmes.

– Qu'y a-t-il, Bailey ?

– Je n'y arrive pas.

Je bondis sur mes pieds.

– Je dois y aller.

Je suis devant la porte, la main sur la poignée.

– Je ne suis pas venue pour ça.

– Dites-moi ce que vous ressentez exactement à cette minute, Bailey.

Je regarde le plafond puis baisse les yeux vers le sol. J'ordonne à ma main d'ouvrir la porte, mais elle reste immobile. J'exige que mes pieds se mettent à bouger, mais ils refusent.

– J'ai l'impression d'être complètement paralysée.

Je pleure, je force les mots à sortir de ma bouche.

– Et pourrait-on dire vulnérable ? demande Elizabeth en se levant.

– Bien sûr que je me sens vulnérable. Comment pourrait-il en être autrement ?

– C'est le fait d'être coincée ou d'être vulnérable qui vous fait le plus peur, qui vous met le plus en colère ?

– *Tout* me met en colère.

– Alors analysons *tout*. Le viol, la perte de votre mère, la mort de votre père, la liaison avec votre patron.

J'essaie de parler, mais aucun mot ne vient. Au lieu de ça, je reste plantée là, en larmes, les épaules secouées par mes sanglots.

– Nous avons touché un point sensible, dit-elle gentiment. Dites-moi ce que vous ressentez, Bailey. Essayez de mettre des mots dessus.

Je ne dis rien pendant plusieurs secondes puis, à ma grande surprise, j'entends les mots sortir de ma bouche.

– Je suis tellement triste.

– Alors je crois que vous êtes prête à commencer une thérapie, dit simplement Elizabeth Gordon, en passant son bras autour de moi pour me reconduire jusqu'au canapé.

13

– Eh ben, t'as pas chômé, en tout cas, aujourd'hui, dit Jade quand nous passons le pas de ma porte.

J'ai envie de sauter de joie en retrouvant les murs familiers de mon appartement. J'ai l'impression d'avoir réussi un atterrissage d'urgence après un vol secoué par de dangereuses turbulences. J'ai envie d'embrasser le sol en marbre de mon entrée avec la même vénération que les soldats embrassent leur terre quand ils reviennent de mission d'un pays hostile et lointain.

Jade ne se rend pas compte des émotions qui m'agitent. Elle marche tout droit vers la cuisine et ouvre le frigo, presque comme si c'était elle qui vivait ici à ma place.

– Tu veux boire un truc ? Je meurs de soif.

Je réalise que moi aussi.

– Il y a du Coca ?

Elle prend une canette et l'ouvre tandis que je m'adosse au comptoir, contente d'enfin pouvoir m'appuyer à quelque chose. Je regarde avec envie la fluidité des mouvements de ma nièce. Il n'y a rien d'hésitant chez elle. Elle verse la moitié du Coca dans un verre puis me le tend et boit le reste directement à la canette.

– J'adore quand ça pétille bien, explique-t-elle.

Je résiste à l'envie de marcher jusqu'à elle pour la prendre dans mes bras. Sait-elle à quel point je suis contente de la voir ? J'ai tellement redouté mon retour – les répercussions de l'accident que j'ai causé puis abandonné, bien qu'il n'y ait eu aucun blessé. Mais quand je suis sortie du taxi devant mon immeuble, j'ai découvert que ma voiture avait déjà été remorquée jusqu'au garage et que ma nièce de seize ans, qui avait séché ses cours de l'après-midi pour venir voir comment j'allais, m'attendait à la réception, avec son jean troué et son dos-nu vert citron, et qu'elle avait réussi à calmer les ouvriers comme la police.

– Comment tu as fait ? lui ai-je demandé dans l'ascenseur quand on montait.

– Je leur ai tous promis une fellation.

Elle rit en voyant l'expression horrifiée sur mon visage.

– J'déconne. Seulement à ceux qui étaient mignons. *J'déconne !* répète-t-elle aussitôt, en jouant avec les mèches de ses longs cheveux blonds entre ses doigts avant de les balancer sur ses épaules nues. Je leur ai juste expliqué la situation, je leur ai dit que tu avais traversé des moments difficiles et que tu allais justement voir une thérapeute quand l'accident est arrivé, et que la police devrait appeler l'inspecteur Marx – c'est bien son nom, hein ? – s'ils avaient besoin d'une quelconque information complémentaire. Je crois que c'est l'expression « information complémentaire » qui a fait pencher la balance.

Je souris une nouvelle fois.

– Encore un truc que tu as entendu dans *Dog, le chasseur de primes* ?

– *Télé-Tribunal.* Bref, les flics ont dit qu'ils passeraient peut-être un peu plus tard pour te poser des questions.

– Je n'en doute pas.

J'essaie de ne pas penser au genre de questions qu'ils pourraient me poser.

Elle finit son Coca et jette la canette vide dans la poubelle de recyclage sous l'évier.

– Alors c'était comment ? La thérapie, je veux dire.

– Pas mal.

– Vous avez parlé de quoi ?

Je secoue la tête.

– De tout.

– En une heure ? Tu dois parler super vite, dis donc.

– J'ai pris d'autres rendez-vous. Tous les mercredis à 13 heures pour commencer.

– Maman sera super contente. Je sais qu'Elizabeth Gordon l'a beaucoup aidée quand j'étais en centre.

– Et ça, c'était comment ? je lui demande, soulagée que l'on change de sujet.

– À peu près comme tu peux l'imaginer.

148

– Je ne peux pas l'imaginer, dis-je, en toute honnêteté. Raconte-moi.

– On peut aller regarder la télé ? demande-t-elle à la place, en marchant déjà en direction du couloir. C'est l'heure de *La Marieuse de millionnaires*.

– Qu'est-ce que c'est que ça ?

– Oh, mon Dieu. Tu n'as jamais regardé *La Marieuse de millionnaires* ? Patti Stanger est la meilleure.

– Qui est Patti...

Mais Jade a déjà disparu dans ma chambre ; je n'ai pas vraiment d'autre choix que celui de la suivre. Quand j'entre dans la pièce, je vois une jolie brune avec un décolleté remarquable envahir l'écran. Elle est en train de sermonner un groupe de jeunes filles nubiles sur les façons de séduire un millionnaire.

– Pas de sexe avant qu'il soit exclusif ! proclame Patti tandis que je m'affale sur mon lit, épuisée au dernier degré.

– Oh, merde. Je l'ai vu, celui-là.

Jade s'installe contre l'oreiller à côté de moi.

– Ce couple finit par coucher ensemble au premier rencard, ce qui est interdit, selon les règles de Patty. Elle dit qu'il faut être dans une relation sérieuse avant de coucher avec un type, sinon tu ne te sens pas en sécurité et ça ne marchera jamais. T'es d'accord avec elle ?

– Elle n'a pas tort.

Je me demande si je me sentirai de nouveau un jour en sécurité avec un homme. Je me demande si je me suis déjà sentie en sécurité avec un homme.

– Tu crois que tu recoucheras avec quelqu'un un jour ? demande Jade.

Je manque de m'étouffer.

– Quoi ?

– Désolée. Je suppose que ce ne sont pas mes oignons, hein ? Ma mère dit que je pose trop de questions et que je suis parfois hyper malpolie...

– Tu n'es pas malpolie, tu es juste...

– Déplacée ?

– Disons curieuse. On va faire un truc, dis-je en nous surprenant toutes les deux. Tu réponds à ma question et je répondrai à la tienne.

– C'était quoi, ta question ?

– Comment c'était, la prison ?

– Pour être vraiment honnête, c'était pas si terrible. Les gens étaient plutôt sympas. Ils voulaient m'aider. Un peu comme ta thérapeute, je suppose. Mais bon, t'es quand même enfermée. Tu ne peux pas regarder tes émissions ou sortir quand ça te chante. Et je déteste avoir à faire mon lit au carré et partager ma chambre avec une bande de tarés. Mais c'est pas comme si on m'avait violée avec un balai ou un truc dans le genre…

Je deviens aussitôt blême.

– Oh, merde. Désolée. Je ne voulais pas…

– Je sais.

– Je n'ai pas réfléchi.

– Ça va.

– Non, ça va pas. Ma mère a raison. Il faut que je réfléchisse avant de parler. Je suis vraiment désolée, Bailey.

Je prends une profonde inspiration.

– Tu y es restée combien de temps ?

– Moins d'un mois. Oncle Gene a tiré quelques ficelles et m'a fait sortir plus tôt. Il nie l'avoir fait, bien évidemment. Il fait genre dur à cuir…

Elle se met à zapper. Une succession d'images m'agresse les yeux tandis que les chaînes défilent.

– À toi. Tu crois que tu recoucheras avec quelqu'un un jour ?

Sincèrement, l'idée de faire à nouveau l'amour me terrifie. L'idée qu'un homme, *n'importe quel homme* – même Sean –, me caresse de façon intime fait trembler mon corps de dégoût.

– J'espère que je pourrai apprécier à nouveau le sexe un jour, dis-je, mais mes mots sonnent creux et peu convaincants, même pour moi.

– Je peux te poser une autre question ?

– Tu peux t'arranger pour qu'elle soit moins compliquée ?

C'est pire que la thérapie, me dis-je.

– Est-ce que tu aimais le sexe avant le viol ?

Jade se penche en avant et me fixe attentivement, en oubliant temporairement son émission de télé.

– Oui.

– T'avais des orgasmes ?

J'ai envie de lui dire que ce ne sont *vraiment* pas ses oignons, mais je ne le fais pas. Je réponds même à la question.

– Parfois.

Elle soupire.

– Je n'ai jamais eu d'orgasme.

– Tu as seize ans.

– J'ai lu que certaines femmes n'avaient *jamais* d'orgasme. Peut-être que ça sera mon cas.

– Bizarrement, j'en doute.

Elle glousse.

– Mais si jamais c'est le cas, c'est la faute de qui ? Du mec ou de moi ?

– Je ne suis pas sûre qu'il y ait un fautif dans l'histoire, dis-je en choisissant soigneusement mes mots. Il s'agit plus de découvrir ce qui fonctionne ou non pour toi et d'être capable de l'exprimer...

– Tu as eu beaucoup d'amants ? m'interrompt-elle.

Ma réponse était de toute évidence trop longue et trop sérieuse pour l'intéresser. Je fais un calcul rapide.

– Est-ce que six est considéré comme beaucoup ?

– Tu rigoles ? Pour une célibataire de ton âge, c'est genre rien du tout.

– Et toi ?

Elle ne dit rien pendant de longues secondes.

– Tu promets que tu ne diras rien à ma mère ?

J'acquiesce, en regrettant déjà d'avoir posé la question.

– Juste un, dit-elle si doucement que je ne l'entends presque pas.

– Juste un ?

– Je sais. Ma mère pense que j'ai couché avec genre quoi ? Vingt mecs ? dit-elle en se redressant, droite comme un I. Tu as promis que tu ne lui dirais rien.

– Je ne le ferai pas. Mais je crois sincèrement qu'elle serait soulagée.

– Qui a dit que je voulais qu'elle soit soulagée ?

Je ris.

Jade a l'air vexée.

– Tu penses que c'est une blague ?

– Non. C'est juste… Elle s'inquiète pour toi. C'est tout.

– Elle s'inquiète pour tout.

– Vraiment ?

– Tu as l'air surprise.

– Je crois que je le suis, admets-je ; Claire donne tellement l'impression de contrôler la situation.

– Elle s'inquiète surtout pour l'argent, dit Jade.

Je sens une pointe de culpabilité. C'est à cause de moi si Claire s'inquiète pour l'argent. Ce n'est pas juste que j'aie autant et elle aussi peu.

– Alors, parle-moi de ce garçon, dis-je, pour me forcer à penser à autre chose. C'est celui avec lequel ta mère t'a surprise ?

– Nan. C'était un garçon de mon cours d'anglais, l'année dernière, mais sa famille a déménagé en Arizona en juillet, et ça c'est terminé comme ça. C'est pas une grande perte. Je veux dire, toute cette histoire n'avait rien de mémorable, même si les gens disent qu'on n'oublie jamais son premier amour.

– Les gens disent beaucoup de choses qui ne sont pas toujours vraies.

Je marque une pause en pensant à Sean.

– Je crois que ce qui compte, c'est ton dernier amour.

Elle semble réfléchir sérieusement à ce que je viens de dire, son front se plisse sous l'effort de concentration.

– Est-ce que tu es amoureuse en ce moment ? me demande-t-elle.

Le suis-je ? Je le pensais à une époque.

– Je ne sais pas.

Le téléphone sonne et je sursaute.

– Tu veux que je réponde ?

Jade tend la main vers la table de nuit. Je fais oui de la tête et elle regarde le numéro qui s'affiche.

– À croire qu'il savait qu'on parlait de lui, dit-elle en attrapant le téléphone et en me tendant le combiné. C'est ton patron.

Je crois que Bailey se tape son patron. J'entends la voix de Claire dire ça.

Je saisis le combiné et le colle contre ma joue, comme si je voulais empêcher le moindre mot de s'échapper.

– Salut, dis-je en murmurant.

Mon cœur bat déjà à toute vitesse. Je ne sais pas pourquoi, mais je me dis que Sean a entendu notre conversation. Je fais signe à Jade de me laisser seule mais cette tête de mule refuse de comprendre. À la place, elle se penche en avant, les coudes posés sur ses genoux croisés, en me fixant du regard.

– Comment vas-tu ? me demande Sean.

– Bien.

– Je me disais que je pouvais passer te voir un peu plus tard, si tu es seule.

– Avec plaisir.

– Vers 5 heures ?

– Parfait.

– À tout à l'heure, alors.

Il raccroche sans dire au revoir. Sean n'a jamais été du genre à tourner autour du pot, au tribunal comme ailleurs. Il a toujours eu la même philosophie : Fais simple. Dis ce que t'as à dire. Et barre-toi.

– Qu'est-ce qui est parfait ? me demande Jade tandis que je balance le téléphone sur le lit.

Je secoue la tête. C'est une chose de parler de Sean avec ma sœur ou ma thérapeute. Mais je n'ai pas l'intention d'en discuter avec une gamine de seize ans.

– Il va passer te voir, n'est-ce pas ?

– Jade…

– Tout de suite ? Tu veux que je m'en aille ?

– Il ne vient pas tout de suite.

– Mais il va passer.

– Vers 5 heures, admets-je, puisque c'est peine perdue de prétendre le contraire.

– Tu veux que je reste ? *J'déconne !* dit-elle aussitôt. Je serai partie depuis longtemps. Promis. Et juste pour que tu saches, ajoute-t-elle, tout ce que tu me dis reste entre nous. Comme avec ta thérapeute.

Je souris.

– Tu ferais une excellente thérapeute.

– Tu crois ?

– Absolument.

– Et si j'étais détective privée, comme toi ?

– Je pense que, quoi que tu décides de faire, tu réussiras.

– Merci.

– Et juste pour que *tu* saches, tout ce que tu me racontes est strictement confidentiel également.

Elle décroise les jambes, se laisse retomber sur les oreillers et se concentre à nouveau sur la télé, on est revenues sur la chaîne de *La Marieuse de millionnaires*. Un épisode se termine et un autre est sur le point de commencer.

– Je t'aime bien, dit Jade sans me regarder.

– Je t'aime bien aussi.

*
* *

Il est presque 6 heures quand Sean frappe à ma porte. Jade est partie il y a un peu moins de deux heures. Je me suis douchée et j'ai enfilé un jean blanc et un pull gris un peu grand pour moi. J'ai même tenté de me faire un brushing et de me maquiller un peu. Le résultat n'est pas parfait mais ce n'est pas non plus un désastre complet. Au moins, je ne ressemble pas à un cadavre.

– Désolé pour le retard, dit-il quand je lui ouvre la porte.

Je suis dans ses bras la seconde d'après. Il me tient délicatement, comme s'il avait peur de me casser en deux s'il appuyait trop fort sur mon dos. Ses lèvres effleurent mes cheveux sans s'y attarder non plus. Je sens son souffle contre ma nuque. Je relève mon visage vers le sien et il m'embrasse tendrement, bien que brièvement et sans passion, comme s'il pensait qu'un autre homme rôdait et allait lui sauter dessus.

– Comment vas-tu ? me demande-t-il.

– Mieux depuis que tu es là.

Je lui prends la main et le conduis jusqu'au salon.

– Je ne peux pas rester longtemps.

– Je m'en doutais.

Je sais qu'il aime rentrer chez lui à temps pour border ses filles.

– J'espérais pouvoir m'échapper plus tôt, mais tu sais comment c'est. Il y a toujours un truc au moment où tu passes la porte.

On s'assoit côte à côte sur l'un des canapés, nos doigts se frôlent, à peine.

– Tu as beaucoup de travail en ce moment ? je lui demande, même si je connais déjà la réponse – il a toujours beaucoup de travail.

– Normal. Rien d'impossible à gérer.

– J'espère être bientôt de retour au cabinet pour donner un coup de main.

Je fais de mon mieux pour avoir l'air convaincante même si ce n'est pas vraiment ce que je ressens.

– Prends ton temps, rien ne presse.

Il lève la main pour caresser ma joue. Ma mâchoire se contracte aussitôt et mes côtes se serrent.

– Désolé, dit-il en reposant sa main sur sa cuisse.

– Ce n'est pas toi, dis-je.

– Je sais.

– Ça va prendre du temps, c'est tout.

– Je sais, répète-t-il.

Je prends sa main dans la mienne, la guide jusqu'à mon visage, l'appuie contre ma joue et embrasse sa paume. Est-il possible qu'Elizabeth Gordon ait raison à son sujet ? Est-ce que cette aventure est une façon pour moi d'essayer de mieux comprendre ma mère ?

– À quoi tu penses ? me demande-t-il.

– À rien.

– Si, tu pensais à quelque chose. J'ai bien vu à tes yeux que ça cogitait là-haut.

Je ris pour cacher mon embarras.

– Je ne sais pas. Je suppose que je suis vraiment contente de te voir.

– Comment tu te sens… vraiment ? insiste-t-il.

La réponse simple serait de lui dire que je me sens mieux. Mais la vérité c'est que je ne me sens pas mieux qu'hier et qu'avant-hier. Le soulagement que j'ai eu en discutant avec Elizabeth Gordon n'était que temporaire.

– Mieux.

– Bien, en tout cas, tu as meilleure mine.

– Maquillage.

– Non, c'est plus que ça. Je vois à nouveau un peu de ton ancienne étincelle.

On voit toujours ce qu'on a envie de voir, me dis-je.

– J'ai vu une thérapeute cet après-midi. Elizabeth Gordon.

Il secoue la tête en entendant son nom.

– Je ne la connais pas. Elle est bien ?

– J'espère.

– C'est une bonne chose que tu la voies, dit-il après quelques secondes. Je crois que ça va t'aider.

– J'espère, dis-je à nouveau.

J'attends qu'il me demande de quoi on a parlé, qu'il me cuisine comme Jade l'a fait tout à l'heure, mais il ne fait rien. Ne se demande-t-il pas si on a parlé de lui ? Il ne me pose pas la question en tout cas.

– De nouvelles affaires intéressantes ? dis-je, après un silence de plusieurs secondes.

– Pas vraiment. Toujours les mêmes histoires, ajoute-t-il pour me convaincre que je ne perds pas grand-chose.

– Pas de ragots croustillants au bureau ?

Il hésite.

– Rien ne me vient à l'esprit.

– Quoi ?

– Quoi ? répète-t-il.

– Tu as pensé à un truc, lui dis-je, en m'apprêtant à rejouer la scène d'il y a quelques minutes, mais en inversant les rôles. J'ai bien vu à tes yeux que ça cogitait là-haut.

– J'essayais juste de trouver quelque chose de suffisamment croustillant. Je suppose qu'il faudra que tu voies avec Sally pour ce genre d'histoires.

Il regarde vers la fenêtre et fixe l'horizon, les yeux dans le vague.

Je retiens mon souffle. On n'a jamais eu de mal à discuter auparavant. Les mots venaient sans effort entre nous deux. Même si, pour être honnête, on n'a jamais vraiment eu besoin de se parler.

– J'ai croisé ton frère ce matin, finit-il par dire.

– Heath ?

Il ne m'a pas appelé aujourd'hui. Je me demande comment s'est passée sa dernière audition, s'il a eu le rôle pour la pub Whiskas. J'espère que oui. Heath a besoin qu'un truc bien lui arrive.

– Gene, corrige Sean.

Je fais la grimace. J'avais oublié Gene. J'ai l'habitude de n'avoir qu'un seul frère.

– Il m'a demandé comment tu allais, si je t'avais parlé depuis notre mémorable après-midi ici.

– Qu'est-ce que tu lui as dit ?

– Que tu t'en remettrais probablement plus vite s'il abandonnait ses poursuites.

Je ne peux pas m'empêcher de rire.

– Et qu'est-ce qu'il a répondu ?

– Qu'il était disposé à en parler dès que tu t'en sentirais capable.

– Charmant. Je me sens déjà mieux.

Je pense à Claire, à ses problèmes d'argent.

– Tu crois que je devrais régler ça à l'amiable ?

– Je crois que Heath et toi devez faire ce que vous voulez.

– Mon père serait fou. Tu le connais. Tu étais son avocat.

Sean secoue la tête.

– Ton père était un homme borné, Bailey. Et malgré tout le respect que j'ai pour lui, il n'avait pas toujours raison.

– Donc tu penses que je devrais régler ça à l'amiable ? dis-je à nouveau.

– Je pense que tu ne devrais pas décider quoi que ce soit avant de reprendre un peu de forces. Souviens-toi juste qu'on parle d'une énorme somme d'argent et que ce qui compte, ici, c'est ta santé. Peut-être qu'un jour, en effet, il sera plus sage d'arrêter les frais, de faire la paix avec ta famille et de reprendre le cours de ta vie.

Il tend la main et me caresse le genou.

– Il vaut mieux que j'y aille.

– Déjà ? Tu viens à peine d'arriver.

Il regarde sa montre et se lève.

– Il se fait tard. Les filles…

– … aiment que leur père soit là pour leur dire bonne nuit.

Il se dirige vers l'entrée. Je tends ma main et attrape la sienne, je sens ses doigts glisser des miens quand il va pour ouvrir la porte.

– Écoute, je dois te dire quelque chose. Je serai absent pendant une semaine.

– Quoi ? Quand ça ?

– On part samedi. C'est cette croisière en famille que Kathy avait réservée il y a plusieurs mois. Dans les Caraïbes. Crois-moi, ce n'était pas mon idée.

Je me mords la lèvre inférieure de toutes mes forces pour m'empêcher de dire quelque chose que je pourrais regretter.

– Tu vas me manquer.

Qu'est-ce que je peux dire d'autre ?

– Tu vas me manquer aussi.

Il se penche et m'embrasse. Un baiser doux et tendre, plus long que celui de tout à l'heure. Je ne peux pas m'empêcher de me demander s'il n'y a pas autre chose, quelque chose qu'il ne me dit pas. J'ai envie de le serrer contre moi, de l'empêcher de partir. Je tends les bras vers son cou. Mais il est déjà en train de reculer et mes mains ne font qu'effleurer inutilement ses épaules tandis qu'il passe le seuil de la porte.

– Prends soin de toi jusqu'à mon retour, dit-il.

Et puis il disparaît.

Je fonce dans le couloir jusqu'à ma chambre, attrape mes jumelles et fixe la rue en bas, en cherchant sa voiture. Mais il fait nuit et toutes les voitures se ressemblent. Je les regarde, les unes après les autres, disparaître dans la nuit, en emportant leurs secrets avec elles.

14

Minuit vient tout juste de sonner, et une pluie fine commence à tomber quand les lumières s'allument dans l'appartement de l'autre côté de la rue. Je brandis les jumelles pour voir Narcisse entrer dans sa chambre. Il n'est pas seul. Une femme l'accompagne mais je suis presque sûre que ce n'est pas la même qu'hier. Cette femme-là est plus grande et plus mince, mais elle a les mêmes longs cheveux bruns. Il me semble qu'elle rit mais je n'en suis pas sûre.

J'ajuste la mise au point, mais les deux cercles refusent de s'aligner correctement. Tout reste brumeux. C'est peut-être à cause de la pluie. C'est peut-être parce que je suis épuisée. Tout à l'heure, j'ai traîné le fauteuil de mon bureau jusqu'à ma chambre et j'ai passé les dernières heures à somnoler dedans par intermittence, entre rêve et réalité, incapable de faire la différence entre l'un et l'autre, aussi mal à l'aise dans les deux.

Le brouillard qui m'entoure se dissipe soudainement. La pluie disparaît. Tout devient clair comme du cristal, tellement clair que je peux désormais voir la mince jeune femme brune aux cheveux longs de dos tandis que Narcisse lui offre à boire. J'arrive même à distinguer les olives dessinées sur le côté de son verre. J'imite son geste et l'attrape avec elle. Je peux sentir le froid sous mes doigts.

Narcisse et la femme portent chacun leur verre à leurs lèvres et je sens l'alcool me brûler la gorge quand ils l'avalent. Narcisse chuchote quelque chose à son oreille ; elle sourit et murmure à son tour. Malgré notre proximité, je ne les entends pas. *On a beau écouter, on n'entend rien*, me dis-je. *On a beau être proche de quelqu'un, on n'arrive jamais à créer un lien.*

La femme rit encore et je me demande ce que Narcisse a pu dire de si drôle. Il me paraît bien trop égocentrique pour vraiment avoir le sens de l'humour, mais peut-être que je me trompe. La femme semble captivée par ce qu'il dit. Elle est plus jeune que sa conquête d'hier soir, mais pas aussi jolie. Elle entrechoque son verre au sien pour un toast spontané. À quoi ? À la vie, la santé et la prospérité ? Aux gens qui vivent dans des gratte-ciel ?

J'observe Narcisse lui saisir son verre vide des mains et le poser sur la table devant la fenêtre, puis la prendre dans ses bras. Je le vois l'embrasser, ses mains caressent son dos, on dirait une rediffusion de l'épisode de la veille. Narcisse a ses habitudes. Je le vois défaire la fermeture Éclair de sa courte robe rouge dans son dos. Je la vois tomber par terre. Je constate, effarée, qu'elle est nue en dessous et je ne peux plus respirer en voyant les mains de Narcisse glisser pour lui attraper les fesses.

Il redresse la tête, comme s'il m'avait entendue, et il sourit comme s'il savait que j'étais en train de l'observer. Est-ce possible ?

Je suis ridicule. Impossible qu'il sache que je suis là, impossible qu'il puisse me voir assise dans l'obscurité de ma chambre. Mais le rictus qui déforme ses lèvres me nargue. *Je sais que tu es là*, me crient ses yeux. *Je sais que tu regardes*. Je pose les jumelles sur mes genoux. Impossible qu'il puisse me voir.

Ça suffit les bêtises. Ça suffit de me cacher dans le noir, d'espionner les voisins, peu importe l'imprudence avec laquelle ils choisissent de s'exhiber. Je suis trop épuisée pour avoir les idées claires, trop affamée pour fonctionner normalement. Il est temps de manger quelque chose et d'aller me coucher.

Mais évidemment, je ne fais rien de tout ça.

Narcisse est nu lui aussi désormais, j'observe la répétition du spectacle de la nuit dernière. Les seins nus et le ventre de la femme pressés contre la grande baie vitrée alors que la pluie tombe en rythme, les mains aventureuses de l'homme, leurs bouches affamées. Je la vois fermer les yeux alors que ceux de son amant sont grands ouverts, effrontément tournés vers moi pendant qu'il la pilonne par-derrière. Et comme la nuit dernière, je suis aussi captivée que dégoûtée.

Très vite, il la conduit jusqu'au lit. *A-t-il seulement changé les draps ?* me dis-je alors qu'il la pousse et grimpe sur elle, qu'il relève ses jambes vers le plafond et qu'il la pénètre à nouveau, chaque mouvement comme un poignard entre mes jambes.

Il est presque 2 heures du matin quand les lumières de sa chambre s'éteignent enfin. Je m'extirpe doucement de mon fauteuil, en nage. Je prends une autre douche, je fais une dernière ronde dans l'appartement, puis je rejoins mon lit, exténuée, et j'attends désespérément un sommeil qui ne vient pas.

*
* *

La même scène se répète le lendemain soir à 8 heures. Et le soir suivant. J'observe Narcisse qui s'apprête à sortir. Chaque fois, il suit quasiment le même rituel de préparation. Il choisit parmi deux cravates, il en pose une, puis une autre, devant sa chemise et il balance sur le lit celle qu'il ne retient pas. Certains soirs, il vise juste et la cravate atteint son but. D'autres soirs, le ruban de soie se déploie dans les airs et finit par terre, où il sera piétiné plus tard.

Je l'observe se coiffer, aller et venir à moitié nu dans sa chambre. Il s'arrête de temps en temps pour admirer son reflet dans le miroir avant d'ajuster un dernier détail quelconque, d'éteindre la lumière et de quitter l'appartement. Je l'observe rentrer à minuit avec une femme toujours différente – bien qu'elles aient des similitudes. Elles sont toutes plutôt grandes et minces, avec des cheveux bruns qui leur tombent en cascade dans le dos.

Elles me ressemblent toutes vaguement.

Ou cette ressemblance fait peut-être simplement partie de mon imagination. Peut-être que toute cette scène fait partie de mon imagination. C'est possible. Il pleut depuis des jours. Plein d'éclairs et de coups de tonnerre. Je n'ai pas dormi. Ou peut-être que c'est l'inverse. Peut-être que je n'ai fait que dormir. Peut-être que rien de tout ça n'est réel. Peut-être que ce n'est qu'un rêve.

Le téléphone sonne et je sursaute. Je regarde le réveil. Il est 7 heures du soir, on est samedi. Qui peut bien m'appeler ?

Claire travaille tard à l'hôpital ; Jade passe le week-end dans la résidence secondaire d'une camarade de classe à Fisher Island ; Sean est en croisière dans les Caraïbes ; Heath a disparu de la surface de la Terre ; la police n'a pas appelé depuis des jours.

L'écran du téléphone indique le numéro de mon amie Sally. Elle a appelé plusieurs fois et je n'ai ni décroché ni rappelé. Je sais qu'elle est bien intentionnée, mais je n'ai tout simplement pas la force d'écouter ses bavardages. Nous nous sommes connues au bureau et je ne sais pas si notre amitié pourra survivre à mon absence. Mais elle appelle peut-être pour me dire qu'elle a accouché en avance ou que, Dieu nous en garde, quelque chose s'est mal passé. Peut-être qu'elle m'appelle pour dire qu'il y a eu un drame en mer, que le paquebot de Sean a été frappé par la foudre, qu'il a chaviré et coulé. Peut-être que quelqu'un d'autre au bureau a été agressé et violé…

— Salut, dis-je, en décrochant le téléphone avant d'être submergée par les *peut-être*.

— Enfin ! dit-elle avec un soulagement évident. Tu es une fille difficile à joindre. Quand est-ce que tu vas te décider à acheter un nouveau portable ? Pour qu'on puisse au moins s'envoyer des textos.

— Bientôt. C'est un peu la course.

— Ah oui ? demande-t-elle, pleine d'espoir. Il y a du nouveau… ?

— Non, rien.

— Oh.

La déception dans sa voix est palpable.

— Mais tu te sens mieux, affirme-t-elle plus qu'elle ne le demande. Tu as une meilleure voix.

— Je me sens mieux, dis-je, et si elle sait que je mens, elle ne le laisse pas entendre. Comment tu vas, *toi* ? (À défaut d'être honnête, je peux au moins être polie.) Le bébé ?

— Toujours bien au chaud. Le roi des coups de pied.

— Bien.

— Je suis désolée de ne pas être passée cette semaine, on a été complètement débordés au bureau.

Sans transition, elle se lance dans le récit d'une affaire de divorce de la jet-set que le cabinet vient juste de décrocher.

Mon attention est détournée par les lumières de la chambre en face qui s'allument. Je vois Narcisse entrer dans la pièce, torse nu, pantalon déboutonné. J'attrape les jumelles et me rapproche de la fenêtre sur la pointe des pieds, la voix de Sally continue de parler dans mon oreille.

– Enfin, tout ça reste entre nous, évidemment, mais devine avec qui monsieur a couché ? Bailey ? Bailey, allez, devine.

De quoi elle parle ?

– Quoi ?

– Tu n'as pas entendu ?

– Le cabinet a une grosse affaire de divorce...

– Non, pas simplement grosse. Énorme. Aurora et Poppy Gomez ! On représente Aurora, Dieu merci. Il se trouve que Poppy la fait cocue depuis des années. Tu te rends compte ? La femme la plus sexy de la planète, sans compter qu'elle a vendu... quoi ? Trois *milliards* de disques ? Quant à lui, c'est un petit gnome affreux et il se permet quand même de faire des conneries. Je ne comprends pas. Qu'est-ce qui cloche chez ces types ? Bon, tu devines ou pas ?

– Quoi ?

– Avec qui il a couché dans sa propriété de South Beach, pendant qu'elle était occupée à donner des concerts dans le monde entier pour qu'il puisse garder son petit train de vie ?

– Je n'en ai pas la moindre idée.

– Oh, c'est tellement bon. Tu es prête ?

– Je suis prête, dis-je complaisamment.

– Mademoiselle la sainte-nitouche de la pop, « Je-la-garde-jusqu'au-mariage » Diana Bishop en personne.

– Tu plaisantes.

J'accentue comme si j'étais vraiment choquée, mais la vérité, c'est que je n'ai pas la moindre idée de qui est Diana Bishop et de ce qu'elle « garde » jusqu'à son mariage. Son nom m'est vaguement familier, quelqu'un que je connaissais sûrement dans mon ancienne vie, me dis-je en regardant Narcisse marcher vers la fenêtre et contempler la tempête dehors, les mains plongées dans son caleçon.

– Tu te rends compte ? Toute cette merde va exploser dans quelques jours. On essaie de garder ça secret, mais on reçoit déjà des appels d'*Entertainment Tonight* et *Inside Edition*. Et le *National*

Enquirer campe littéralement à la réception. *Des sources disent ceci ; des sources disent cela.* Tu sais comment ça se passe. On ne peut faire confiance à personne. Et il faut qu'on trouve le plus de merdes possibles sur Poppy, le plus vite possible. De la merde qu'on pourra utiliser au tribunal, j'entends. Et bien sûr, c'est là que tu entres en scène. On dirait que le contrat de mariage d'Aurora – qui n'a pas été négocié par notre cabinet, les gens ne retiennent jamais aucune leçon, c'est dingue… – n'est pas aussi bétonné qu'elle le pensait. Donc, une idée de quand tu vas revenir au boulot ?

– Quoi ?

– On aurait vraiment besoin de ton aide sur ce coup.

– Je ne peux pas.

– La demande vient tout droit de Phil Cunningham en personne.

– Je ne suis pas prête, Sally.

– Tu ne penses pas que ça te ferait du bien ? Te remettre en selle et tout ?

– Je ne peux pas, pas encore. Je suis désolée.

– Bon, rends-nous service à toutes les deux et réfléchis-y encore un peu. OK ? Ça pourrait t'aider à te sortir la tête de, tu sais, tous ces trucs.

Ces « trucs ». Un mot si étrange pour décrire ce que j'ai traversé.

– Bref, ce n'est pas la seule raison de mon appel.

Je retiens mon souffle, angoissée de découvrir quelles nouvelles horreurs m'attendent. Je remarque que Narcisse se masturbe franchement, maintenant. Sa main s'agite furieusement dans son caleçon, sa tête dodeline de droite à gauche, la mâchoire relâchée, bouche ouverte.

– Tu viens à la fête, n'est-ce pas ?

– Quoi ?

– Je le savais. Tu as oublié, n'est-ce pas ?

De quoi veut-elle parler ?

– La *Baby shower* qu'Alissa m'organise. Demain, 19 heures. Chez elle. Tu as confirmé il y a des semaines. Avant… dit-elle avant de s'interrompre.

Elle n'a pas besoin de continuer. On sait toutes les deux ce qui vient après « avant ».

– Je ne peux pas.

– Et voilà, tu recommences. Bien sûr que tu peux. Ça te fera du bien de sortir.

Il semblerait que Sally soit devenue une experte en ce qui concerne mon bien-être. Je me mords la langue pour ne pas dire ça à voix haute.

– Je dis simplement que tu ne peux pas rester cloîtrée chez toi jour et nuit. Ce n'est pas bon pour la santé. Et puis c'est pour un heureux événement, une bonne raison de faire la fête. Je vais avoir un bébé et tu as dit que tu serais là…

– Avant, lui rappelé-je, en voyant les efforts frénétiques de Narcisse lui apporter enfin satisfaction.

– Tous les gens du bureau viennent et Alissa a fait la déco sur le thème du rose, puisque c'est une fille. On a décidé de l'appeler Avery. Je te l'ai dit ? Bref, Alissa a préparé des sandwichs roses et un gâteau rose et, tu ne t'en souviens probablement pas, mais elle a même demandé à ce que les cadeaux soient roses. Non pas que tu aies besoin d'acheter quelque chose. Ta présence serait un cadeau bien suffisant.

Elle rit nerveusement.

J'acquiesce et la tête me tourne. Je vois Narcisse tirer un mouchoir de sa poche et s'essuyer les mains.

– Bon, tu vas essayer de venir, alors ?

– Je ne peux pas. Je suis désolée, Sally. Je ne peux tout simplement pas.

Silence. Pendant une seconde, je me demande si Sally n'a pas raccroché et je suis sur le point d'en faire autant quand elle recommence à parler.

– OK – une autre seconde de silence –, je comprends. Sincèrement.

– Merci.

– Tu vas nous manquer.

– Vous me manquerez aussi, dis-je.

Ces mots me rappellent la dernière visite de Sean.

– Et puisqu'on parle de bébés, qu'est-ce que tu dis de Sean Holden ? demande-t-elle brusquement, comme si elle avait lu dans mes pensées.

Je me tiens prête tandis que Narcisse regarde dans ma direction et que la foudre explose au loin.

– De quoi tu parles ?

165

– Personne ne t'a dit ? La femme de Sean est enceinte ! s'exclame Sally, et tout s'effondre en moi. Personne n'est censé le savoir pour le moment, bien sûr. Mais apparemment, elle a lâché le morceau à l'assistante de Sean. Je ne me souviens jamais de son nom…

– Jillian, dis-je, d'une voix qui ne m'appartient plus.

– C'est ça. Jillian. Je ne sais pas pourquoi mais je n'arrive jamais à me souvenir du nom de cette fille. Bref, elle a fait promettre à Jillian de ne rien dire, mais le bruit s'est répandu après leur départ en croisière. Ce sont les premières vacances qu'il prend depuis des années. Non mais t'imagines ? Ça fait plaisir de savoir qu'ils le font toujours à leur âge. Bailey ? Bailey, tu es là ?

– Je dois y aller.

Je raccroche avant qu'elle ne puisse prononcer un mot horrible de plus. Je reste devant la fenêtre, les yeux fermés contre les petits cercles des jumelles. C'était donc pour me dire ça que Sean est passé me voir. C'était ça, le secret caché derrière ses yeux.

Un autre éclair illumine le ciel noir. Je vois Narcisse devant sa fenêtre, une paire de jumelles devant les yeux, dirigées droit sur mon appartement. Je pousse un cri, me recroqueville, me plie en deux au ralenti, comme si j'avais reçu un coup de pied dans le ventre. Tout mon corps est en feu.

Mais quand je redresse la tête quelques secondes plus tard, Narcisse a disparu et son appartement est plongé dans le noir. Est-il possible qu'il n'ait jamais été là ? Je suis forcée de me poser la question.

*
* *

– Bien sûr qu'il était là, me rassure Claire. Tu l'as vu, n'est-ce pas ?

On est dimanche, il est environ 18 heures, Claire ne travaille pas aujourd'hui ni demain. Elle est venue pour qu'on dîne ensemble. Jade ne rentre de Fisher Island que plus tard dans la soirée.

– Je ne sais pas, lui dis-je franchement. Il pleuvait et j'étais épuisée et bouleversée. C'est peut-être mon imagination qui m'a joué des tours.

166

– Tu n'as rien imaginé du tout, dit Claire, puis : Pourquoi étais-tu bouleversée ?

Je me mets à faire les cent pas devant la fenêtre de ma chambre. La pluie s'est arrêtée. J'ai allumé les lumières et fermé les volets. Je ne suis pas sûre de pouvoir les rouvrir un jour.

– Je venais d'apprendre une nouvelle…

– De la police ?

Je raconte le coup de fil de Sally, la grossesse de la femme de Sean. J'attends son sermon : *Voilà ce qui arrive quand on perd son temps avec un homme marié.* Mais, à la place, elle dit :

– Je suis désolée, Bailey. Ç'a dû être vraiment dur pour toi.

– Je me sens tellement stupide.

– C'est lui qui est stupide. Tu aurais dû m'appeler.

– Je ne vais pas te déranger à chaque fois que ça ne va pas, surtout quand tu travailles. J'ai probablement imaginé tout le reste.

– Le fait que tu aies été bouleversée ne signifie pas que tu as halluciné, dit Claire. Tu as dit que tu observais Narcisse, qu'il se masturbait devant la fenêtre.

Je frémis en y repensant.

– J'ai fermé les yeux et quand je les ai rouverts, il me regardait.

– Avec des jumelles.

– Oui.

– Eh bien, si les lumières étaient éteintes, il n'a rien pu voir du tout, m'assure-t-elle.

C'est ce que je me dis depuis hier soir. Ma chambre était plongée dans l'obscurité. Même avec l'éclair, il n'y a aucune chance qu'il ait pu me voir.

– J'ai eu tellement peur.

– Pas étonnant. C'est vraiment flippant. J'aurais été terrorisée. Elle regarde en direction des volets fermés.

– Le monde ne manque pas de tarés, ça, c'est sûr.

– Attention. J'en fais partie.

– Tu n'es pas tarée, Bailey. Tu as traversé un épisode traumatique. Tu ne dors pas. Tu fais des cauchemars, tu as des flashbacks. Il est tout à fait normal que tu…

– … voies des choses qui n'existent pas ?

Elle hausse les épaules et j'aperçois Jade à travers elle l'espace d'une seconde.

– Ce n'est pas du tout ce que je crois. Je crois que nous devrions appeler la police.

– Quoi ? Mais pourquoi ?

– Pour leur raconter ce qui s'est passé.

– Leur raconter quoi, exactement ? Que je suis une espèce de voyeuse perverse qui a peut-être, ou peut-être pas, vu son voisin se masturber dans l'intimité de sa propre chambre...

– On ne peut pas vraiment parler d'intimité quand tu le fais face à ta fenêtre, toutes lumières allumées, corrige Claire.

– Mais c'est moi qui l'espionne avec des jumelles ! Pourquoi veux-tu que j'appelle la police ? Qu'est-ce que tu ne me dis pas ?

Elle hésite.

– Quoi ?

– C'est sûrement rien.

– Quoi ? dis-je à nouveau.

– Je ne veux pas t'inquiéter...

– Nom de Dieu, crache le morceau.

Elle prend une profonde inspiration et lâche les mots à contre-cœur.

– Tu as forcément remarqué que l'homme que tu observes correspond au profil de celui qui t'a violée.

Elle prend une autre inspiration et retient son souffle en attendant ma réaction.

Bien sûr que j'ai remarqué. Mais ça m'a semblé être une trop grosse coïncidence, une autre conséquence de ma paranoïa grandissante.

– Tu crois vraiment que ça pourrait être lui ?

– Tout ce que je dis, c'est qu'il correspond au profil. Et il s'agit d'un exhibitionniste et d'un pervers qui vit juste de l'autre côté de la rue. Peut-être qu'il t'a remarquée, que ce qu'il a vu lui a plu et qu'il a commencé à te suivre.

Elle s'arrête et cherche sur mon visage la preuve que je comprends bien ce qu'elle me dit.

– Je ne sais pas toi, mais, plus j'y pense, moins ça me semble fou et plus je suis inquiète. J'appelle la police.

Quarante minutes plus tard, l'inspecteur Castillo sonne à ma porte, accompagné d'un autre agent en uniforme qu'il me présente comme l'agent Baydow – « avec un *w*, mais ça se prononce

Bédo », précise-t-il. L'inspecteur Marx s'est mariée vendredi et elle est partie en voyage de noces. Je me sens légèrement trahie, non pas tant parce qu'elle m'a laissée mais parce qu'elle ne m'a pas annoncé la bonne nouvelle. Je me demande si elle s'est dit que je ne pourrais pas supporter son bonheur.

L'inspecteur Baydow est grand et mince. Il a des cheveux blond vénitien et une cicatrice minuscule qui danse sur l'arête du nez. Il a l'air tout juste sorti de l'adolescence. J'invite les deux hommes à me suivre jusqu'au salon. Claire et moi nous asseyons sur un canapé, main dans la main ; les officiers s'installent chacun à une extrémité de l'autre canapé, face à nous. Claire explique la situation tandis que l'inspecteur Castillo, toujours aussi décontracté dans sa chemisette à carreaux verts et blancs Brooks Brothers et son pantalon marron, prend des notes.

– OK, donc, pour être sûr d'avoir bien compris : vous pensez que ce voisin que vous avez vu se masturber hier soir pourrait être l'homme qui vous a agressée.

– C'est ça, confirme Claire à ma place.

– Vous l'espionniez avec vos jumelles, me dit Castillo avant de s'arrêter brusquement. Je peux vous demander pourquoi ?

– C'est dans mes habitudes, dis-je faiblement.

– Vous faites ça souvent ?

– Déformation professionnelle. Ça faisait partie de mon travail. Ça faisait partie de mon identité.

– Mais vous ne travaillez pas en ce moment.

– Non.

– Vous passez à côté de l'essentiel, là, inspecteur, dit Claire.

– L'essentiel étant… ?

– Que non seulement cet homme parade délibérément nu devant ses fenêtres et exhibe ses multiples conquêtes féminines, nues elles aussi, dit Claire, mais qu'en plus, il espionne Bailey. Elle l'a vu l'espionner hier soir.

– À travers *ses* jumelles *à lui*, ajoute l'inspecteur Castillo. Drôle de coïncidence, vous ne trouvez pas ?

– Je ne trouve pas du tout. Qui sait depuis quand il l'espionne ? Il sait que Bailey est détective – il l'a agressée pendant qu'elle était en planque –, et maintenant il trouve ça amusant de l'observer, il savoure son œuvre. La seule *coïncidence*, si vous tenez à appeler ça comme ça, c'est que Bailey se soit accidentellement mise à l'observer lui aussi.

Les deux officiers échangent un regard.

– Vous devez bien reconnaître que c'est un peu tiré par les cheveux.

– Je t'avais dit qu'on n'aurait pas dû appeler.

– Vous allez l'arrêter ou pas ? demande Claire.

– Pour quel motif ? Parce qu'il espionne ses voisins avec des jumelles ? Je devrais vous arrêter vous aussi, me dit-il.

– Est-ce que vous allez au moins l'interroger ? insiste Claire.

– On ne peut pas interroger les gens sans raison valable. Vous travaillez pour un cabinet d'avocats, me dit-il, vous le savez aussi bien que moi.

Castillo passe la main dans ses cheveux, clairement agacé.

– Très bien. On va jeter un œil.

Claire se lève aussitôt et se dirige vers ma chambre. L'inspecteur et l'agent la suivent, je leur emboîte le pas.

– Il est chez lui, dit triomphalement Claire. Les lumières sont allumées.

Elle saisit les jumelles sur le lit et les tend à l'inspecteur.

– Troisième appartement en partant du toit, la quatrième fenêtre en partant de la gauche.

– La lumière de votre chambre était-elle allumée quand vous regardiez hier soir ? demande l'agent Baydow.

– Non, répondons-nous en chœur.

– Tout était éteint, dis-je inutilement.

– Il n'y a donc aucune chance qu'il vous ait vue, souligne Castillo. Je doute même qu'il ait pu différencier votre appartement d'un autre, surtout avec la pluie, soupire-t-il en rendant les jumelles à Claire. Très bien, nous irons lui parler.

– Pouvez-vous le faire sans lui dire que nous l'avons espionné ?

J'entends la peur dans la voix de Claire et je ne peux pas m'empêcher de culpabiliser.

– Et si vous nous laissiez faire notre travail ?

C'est plus un ordre qu'une suggestion.

Le téléphone sonne et je sursaute en l'entendant.

– Est-ce que vous allez décrocher ? demande l'agent Baydow à la deuxième sonnerie.

Je me dirige vers le téléphone et porte le combiné à mon oreille.

— Bonjour, mademoiselle Carpenter ? dit la voix, et je ressens une angoisse familière. C'est Elron, de la réception.

Quelle mauvaise nouvelle va-t-il m'annoncer ?

— Oui ?

— Puis-je parler à l'inspecteur ?

Je me demande un instant comment Elron sait que la police est là. Puis je me souviens que c'est lui qui a appelé pour m'annoncer leur arrivée. Je tends le téléphone à l'inspecteur Castillo.

— Castillo, dit-il en guise de « Allô ».

Plusieurs secondes s'écoulent, puis :

— C'était quand ? Très bien, oui, merci. Redonnez-moi le numéro de l'appartement. Très bien, oui. Merci.

Il me rend l'appareil.

— On dirait que notre cher David Trotter a refait surface. J'ai bien peur que l'homme d'en face ne doive attendre.

15

Voilà ce qu'il se passe après le départ de la police : Rien.

Claire et moi attendons pendant plus d'une heure, mais ils ne reviennent pas. Ils ne téléphonent pas non plus.

– Tu crois que ça veut dire quoi ? je demande à Claire.

– Ça veut dire qu'on devrait préparer le dîner.

Je la suis à la cuisine et la regarde assaisonner les filets de saumon qu'elle a achetés tout à l'heure, puis peler et couper quelques pommes de terre avant de les inonder d'huile d'olive et de basilic et de les mettre au four. J'admire sa dextérité, je me souviens de l'époque où, moi aussi, j'étais capable de faire les choses aussi bien. Je décide soudainement de préparer ma salade préférée, une salade de pastèque, concombre et feta, une recette que je tiens de ma mère.

– Ça a l'air délicieux, me dit Claire.

Une vague de fierté m'envahit.

Je dresse la table dans la salle à manger, je décide d'utiliser ma vaisselle en porcelaine et mes serviettes en lin préférées. Je les garde pour quoi, après tout ?

– Et si on s'ouvrait un peu de vin ? je demande.

Je n'ai pas bu une goutte d'alcool depuis mon agression. Je ne sais pas pourquoi. Personne ne m'a dit que je n'avais pas le droit. Elizabeth Gordon dirait sans doute que cette abstinence est due à ma peur de perdre le contrôle, à mon besoin de rester sur mes gardes. Quelque chose dont on pourra parler lors de ma prochaine séance.

– C'est une idée *géniale*, dit Claire. Il se trouve qu'il y a un très bon chardonnay californien dans le frigo, je l'ai acheté en venant ici…

– Tu n'aurais pas dû.

173

– Tu n'aimes pas le chardonnay ?

– Bien sûr que si. Il ne s'agit pas de ça.

– Alors je ne comprends pas, dit-elle. De *quoi* s'agit-il ?

– Il s'agit de ne pas dépenser ton argent pour moi.

Je me souviens de Jade me disant que Claire s'inquiétait beaucoup pour l'argent.

– Tu m'apportes constamment à manger et plein de provisions. Tu m'achètes des magazines, et maintenant du vin…

– Le vin n'est pas que pour toi.

– Je sais bien, mais…

– Mais quoi ?

– Tu ne devrais pas.

– Pourquoi je ne devrais pas ?

– Parce que ce n'est pas bien.

– Pourquoi ce n'est pas bien ?

– Claire, dis-je, en soupirant de frustration.

On tourne en rond.

– Bailey, répond-elle, une lueur de malice dans ses yeux fatigués.

– Tu travailles dur pour gagner de l'argent, lui dis-je. Je ne veux pas que tu le dépenses pour moi.

– Tu es ma sœur, me rappelle-t-elle. Et tu traverses un moment difficile. Détends-toi, Bailey. Ça ne va pas durer éternellement. Tu te sentiras mieux très bientôt. Tu retourneras travailler. Tu reprendras ta vie en main. Tu n'auras pas besoin que je passe aussi souvent.

– Et si j'ai envie que tu passes ?

– Alors je le ferai, réplique Claire en souriant. Et j'apporterai du vin. Maintenant, sors-moi cette bouteille du frigo, trouve-moi des verres à vin et que la fête commence.

Je lui apporte la bouteille et elle dévisse le bouchon tandis que je repère deux verres à pied dans le placard au-dessus de l'évier.

– Fantastique ! s'émerveille-t-elle en remplissant les verres. On n'a même plus besoin de tire-bouchon. Le miracle de la technologie moderne.

Je porte mon verre à mes lèvres, je suis sur le point de prendre une gorgée quand elle m'arrête :

– Attends. On doit porter un toast.

Je revois aussitôt Narcisse et ses diverses conquêtes trinquer, leur Martini à la main. Je me demande ce que fait la police, s'ils l'ont déjà interrogé ou s'ils ont décidé de ne pas s'embêter, finalement. Je sais que s'ils l'interrogent, c'est uniquement pour me rassurer, pour satisfaire ce qu'ils considèrent, à coup sûr, comme rien d'autre que ma paranoïa grandissante. J'ai bien vu les regards en coin et les haussements de sourcils entre l'inspecteur Castillo et l'officier Baydow. Je sais qu'ils me voient comme une hystéro pathétique, une femme déglinguée par ce qui lui est arrivé. *Suis-je* vraiment paranoïaque ? Ont-ils raison ?

– À des jours meilleurs, lance Claire, en faisant tinter son verre contre le mien.

– Hum. C'est bon, ajoute-t-elle.

Bon, je répète en silence, en sentant la combinaison enivrante de pomme-cannelle et de fruit exotique ; et le mélange de beurre et de chêne qui persiste sur ma langue. Au moins Claire ne pense pas que je suis paranoïaque.

– Aux sœurs, dis-je.

– Aux sœurs.

Ses yeux se remplissent de larmes, elle tourne la tête et s'essuie les joues du dos de sa main libre.

– J'ai failli oublié, faut que je te montre quelque chose.

Elle ramasse par terre, à côté du comptoir, sa grande besace molle en cuir marron et se met à fouiller ; sa main émerge quelques secondes plus tard avec une enveloppe blanche.

– Pour te faire sourire, dit-elle en me la tendant.

– Qu'est-ce que c'est ?

Je prends une autre gorgée de vin et repose mon verre sur le comptoir. Puis j'ouvre l'enveloppe non scellée et en sors trois photos. Je crois d'abord voir des clichés de Jade. Puis je me rends compte que ce n'est pas Jade, mais sa mère, il y a environ seize ans. Ses cheveux sont plus longs qu'aujourd'hui et coincés derrière son oreille par un minuscule bouquet de lilas en plastique. Elle porte une robe courte en satin blanc qui n'est ni à la mode ni vraiment flatteuse, mais la ressemblance avec Jade est hallucinante. Ce qui est encore plus hallucinant, c'est l'homme à côté d'elle. Cet homme, c'est Elvis Presley.

– Oh, mon Dieu. Est-ce que c'est… ?

– Les photos de mon mariage, comme promis. Ça, c'est le sosie d'Elvis qui nous a mariés, et ça, dit-elle en montrant le jeune homme à l'air renfrogné qui porte un blouson de cuir et un jean, debout à côté d'elle sur les deux autres photos, c'est Eliot. Note bien ses petits yeux perçants et son air cruel et suffisant.

Ce n'est pas de la méchanceté gratuite. Claire n'exagère pas. Il est difficile de passer à côté du regard du marié ou de son expression. On dirait un gamin pris la main dans le sac, et les pieds aussi. « Une fouine sournoise ! entends-je mon père hurler depuis sa tombe. Qu'est-ce qui ne va pas chez cette fille ? Elle a épousé une maudite fouine. Elle ne voit pas qu'il ne l'a épousée que pour son héritage ? » Il avait raison, comme d'habitude. Eliot ressemble à une fouine sournoise et il l'a vraiment épousée pour son futur héritage, un héritage dont mon père, comme promis dans ses menaces initiales, a fini par la priver. Il est difficile aujourd'hui de comprendre ce que Claire a trouvé à cette face de rat de jeune homme, si différent, en tous points, de notre père si beau et charismatique. À moins que ce ne soit exactement ce qui l'a attirée.

Mais Eliot fait partie du passé et j'ai la possibilité de donner à Claire au moins une partie de ce qui lui revient de droit. Je me demande si Heath serait d'accord, s'il pourrait ne serait-ce qu'envisager de partager une partie de notre patrimoine. Accepterait-il de se réunir avec nos demi-frères et sœur afin régler le procès qui pend au-dessus de nos têtes à tous, un procès coincé dans nos griefs passés, qui nous empêche d'aller de l'avant, qui nous empêche de tourner la page, comme l'a suggéré Sean ? Ce qui est sûr, c'est que Sean l'a déjà tourné, la page, *lui*. Et mon frère a disparu dans la nature, comme d'habitude. Où est-il, bon sang ? Pourquoi n'a-t-il pas appelé ?

– Remarque comme aucun des deux mariés ne sourit, souligne Claire.

– Elvis a l'air heureux, lui, au moins, dis-je.

– Je vais boire à ça, dit-elle.

Et nous buvons.

Presque deux heures ont passé. Le dîner est terminé et nous sommes à la moitié de notre seconde bouteille de vin quand le téléphone sonne. Je sursaute en l'entendant et lâche mon couteau. Il tombe sur le sol en marbre et disparaît sous la table de la salle à manger.

— Ma mère dit que quand on fait tomber un couteau ça veut dire qu'un homme va passer. C'est une vieille superstition, dit Claire.

Je hausse les épaules, tout en bataillant pour ramasser le couteau et en manquant de tomber de ma chaise par la même occasion. Peut-être que si je le ramasse assez vite, l'homme, qui qu'il soit, décidera de ne pas venir.

— Je vais répondre.

Claire recule sa chaise et se dirige vers la cuisine. Je peux voir qu'elle titube légèrement.

— Allô ?… D'accord. Très bien. Vous pouvez les faire monter. Merci… C'était Stanley de la réception, annonce-t-elle en revenant dans la pièce. Il paraît que les policiers repassent nous voir.

Je me lève tant bien que mal. J'ai trop bu et la pièce tangue autour de moi. Je m'agrippe à la table pour ne pas tomber. Ce n'est pas bon, tout ça, je pense en nous voyant Claire et moi tituber jusqu'à la porte d'entrée.

— Messieurs, dis-je en faisant entrer les deux officiers dans l'appartement quelques secondes plus tard.

Je peux sentir le vin dans mon haleine et je vois bien au mouvement du nez de l'inspecteur Castillo qu'il l'a senti lui aussi. Pas seulement une hystéro paranoïaque, doit-il se dire, mais aussi une ivrogne.

— Désolé de repasser si tard, dit-il poliment, mais ses mots démentent la désapprobation à peine masquée de ses yeux.

Quelle heure est-il ? Je jette un œil à mon poignet bien que je ne porte pas de montre. À vrai dire, je n'en porte plus depuis le soir de mon agression. Peu importe l'heure qu'il est, le temps s'est arrêté de toute façon.

— On voulait vous donner des nouvelles.

Une expression de peur envahit le visage de l'inspecteur. Il recule d'un pas, pointe le doigt vers ma main droite.

— C'est un couteau ?

Je baisse les yeux, vois le couteau que je tiens dans la main et me mets à rire.

– Ta mère avait raison, dis-je à Claire. Elle disait que quand on fait tomber un couteau, ça veut dire qu'un homme va passer chez vous.

– Je ne suis pas sûr de comprendre, dit l'officier Baydow.

– Et si vous me donniez ce couteau, dit l'inspecteur.

– Il n'est pas très aiguisé.

Je le lui tends en gloussant.

– Et il sent le saumon.

– On dirait que vous avez bu quelques verres, remarque Castillo.

– Un millésime californien, dis-je en regardant Claire poser un doigt sur sa bouche pour me dire de me taire. Vous en voulez ?

Je ne prends pas en compte son avertissement. Claire n'est pas à ce point rabat-joie, d'habitude.

– Non, merci. Nous sommes toujours en service.

– Vous avez parlé à David Trotter ? demande Claire.

Je bataille pour essayer de me souvenir qui est David Trotter et pourquoi son nom me semble si familier.

– Oui. Il semblerait que sa mère ait eu une attaque cardiaque le soir de l'incident à la salle de sport, commence Castillo.

Qu'est-ce que tout ça a à voir avec moi ? Quel incident à la salle de sport, et quel rapport la mère de David Trotter a avec tout ça ?

– Elle vit à Palm Beach, et il est parti dès qu'il a appris la nouvelle. Il n'est rentré que ce soir. C'est pour ça qu'on n'arrivait pas à le localiser.

– Et vous l'avez interrogé à propos de Bailey ? continue Claire.

– Oui. Il affirme avoir dîné en grande pompe avec au moins une demi-douzaine d'investisseurs potentiels le soir où Bailey a été agressée.

– Vous le croyez ?

– On vérifiera son alibi. Ainsi que l'histoire concernant sa mère.

– Comment va-t-elle ? je demande.

L'inspecteur semble surpris par ma question.

– Je crois qu'il a dit qu'elle se rétablissait plutôt bien.

– Contente de l'entendre.

Je sens mon corps chanceler. Ça fait du bien d'entendre que quelqu'un se rétablit plutôt bien.

— On devrait peut-être s'asseoir, propose Claire.

— Et Narcisse ? je demande.

— Qui ? demandent à l'unisson les deux policiers.

— L'homme qui me fixe avec ses jumelles, dis-je, agacée.

— L'homme à qui on a parlé s'appelle Paul Giller, dit l'officier Baydow en reprenant ses notes. Comment vous l'avez appelé ?

— Narci...

— C'est le nom qu'on lui a donné parce qu'il passe son temps à se regarder dans le miroir, explique Claire.

— Vous savez, le vieux mythe grec, dis-je, en voyant l'officier Baydow lever les yeux au ciel et Castillo secouer la tête.

— Et qu'avait à dire Paul Giller pour sa défense ? demande Claire.

— Bon, vous comprenez bien qu'il fallait qu'on prenne des pincettes. On ne peut pas débarquer et dire à quelqu'un qu'on le suspecte de viol sans avoir des preuves à l'appui. Preuves que nous n'avons pas, de toute évidence. Et puis, s'il s'agit de notre homme, on ne veut pas lui mettre la puce à l'oreille avant d'avoir obtenu les preuves en question.

— Qu'est-ce qu'il a dit, inspecteur ? demande à nouveau Claire tandis que je m'adosse au mur le plus proche.

Je recouvre peu à peu mes esprits. Une migraine ophtalmique assourdissante m'attend.

— A-t-il un alibi pour la nuit où ma sœur s'est fait agresser ?

— Nous n'avons pas parlé de ça.

— Comment ? Ce n'était pas le but de votre visite ? Que lui avez-vous dit exactement ?

— Nous lui avons dit que nous avions eu quelques plaintes de voisins qui affirmaient l'avoir vu les épier avec des jumelles...

— Et ?

— Il a nié. Il a dit qu'ils avaient dû se tromper, qu'il ne possédait même pas de jumelles.

— Bien évidemment, il n'allait pas dire le contraire.

— Il nous a proposé de fouiller son appartement, précise l'officier Baydow, comme pour clore la discussion une bonne fois pour toute.

– Et vous l'avez fait ? demande Claire.

– Non, dit Castillo. On avait dit ce qu'on avait à dire.

– Et qu'aviez-vous à *dire* exactement ? Je vous en prie, éclairez-nous.

– Qu'épier ses voisins avec des jumelles constituait un acte de voyeurisme qui pouvait vous conduire au tribunal. Un fait dont vous, mesdames, feriez bien de vous souvenir.

– Et c'est tout ? C'est la fin de votre enquête ?

– Non. On va enquêter sur ce Paul Giller, savoir ce qu'il fait dans la vie, s'il a un casier, ce genre de chose. Mais à part ça, on ne peut pas faire beaucoup plus. À moins que vous ne soyez prête à l'identifier formellement… ajoute-t-il en me regardant.

Je secoue la tête en voyant la pièce pencher dangereusement.

– Vous êtes sûr que c'était le bon appartement ?

– Appartement 2706. Troisième étage en partant du toit, quatrième fenêtre en partant de la gauche, dit l'officier Baydow, en reprenant encore une fois ses notes. C'est ce que vous nous avez indiqué. C'était une erreur ?

– Troisième étage à partir du toit, quatrième fenêtre de la gauche. C'est ça.

– Alors je suis désolé, dit Castillo. Mais, à moins que vous n'ayez quelque chose de plus concret, nous avons les mains liées.

– Je comprends.

Et je suis sincère. C'est pour ça qu'il y a des détectives privés, des personnes comme moi, qui n'ont aucune restriction. Sauf que je ne suis plus une personne comme moi.

– Merci de nous avoir tenues au courant.

– On vous préviendra si on découvre quoi que ce soit.

J'ouvre la porte. Les hommes font un pas dans le couloir. L'inspecteur Castillo s'arrête, me rend mon couteau.

– Rangez-moi ça.

Je prends le couteau et ferme la porte.

– J'ai besoin d'un verre, dit Claire.

*
* *

– Oh, mon Dieu. Non mais viens voir ça !

Claire rit.

Nous sommes assises par terre dans mon dressing, les jambes tendues, une boîte pleine de vieilles photos qu'on a vidée ; les clichés nous entourent comme un vieux jupon.

– Regarde mes cheveux !

– Je trouve que tu es adorable.

– Tu es ivre.

– Oui, c'est vrai.

J'attrape un autre tas de photos, elles font partie des effets personnels que notre père nous a laissés à Heath et à moi à sa mort. Même si Heath avait l'air de se moquer de toutes les photos sur lesquelles il ne figurait pas. Il y a aussi plusieurs vieux albums remplis de photos des deux premiers mariages de notre père, des photos de Claire coincée entre ses deux parents, de sa mère enceinte de Gene, le ventre gonflé, des deux enfants qui regardent leur père avec adoration tandis que lui scrute l'horizon.

J'ouvre un autre album et découvre des photos de Thomas, Richard et Harrison ; je suis leur évolution, de l'enfance à l'adolescence. Il y a même une photo de Gene, ado, en tenue de football américain. Je remarque la ressemblance entre l'épouse n° 1 et l'épouse n° 2, et à quel point ma mère était différente d'elles.

– Elles ont l'air tellement tristes, tu ne trouves pas ? affirme Claire, avec la même tristesse dans ses yeux.

J'ai envie de la prendre dans mes bras mais ne le fais pas. À la place, je me lève et me mets à fouiller dans les tiroirs des placards encastrés dans le mur.

– Qu'est-ce que tu fais ? demande-t-elle.

Je finis par trouver ce que je cherche dans le tiroir du bas : un lot de chéquiers neufs. J'en attrape un, puis me mets à chercher un stylo.

– Qu'est-ce que tu fais ? demande à nouveau Claire.

J'en trouve un au fond du tiroir et remplis vite un chèque.

– Pour toi, dis-je en lui tendant le chèque et en me laissant retomber au sol plus fort que je n'aurais dû, bien que l'alcool dans mes veines amortisse la chute.

– Qu'est-ce que c'est ?

– Je veux que tu aies ça.

– Dix mille dollars ! Je ne peux pas accepter.

Claire essaie de me remettre le chèque dans la main.

– C'est le moins que je puisse faire après tout ce que tu as fait pour moi.

– Tu as trop bu, Bailey, me prévient-elle. Tu ne sais pas ce que tu fais.

– Je sais exactement ce que je fais. Considère ça comme une avance.

– Qu'est-ce que tu veux dire ?

Qu'est-ce que je veux *dire* ? Que j'envisage sérieusement de passer un accord avec mes demi-frères et sœur et de partager la fortune familiale ? Est-ce que je ne devrais pas en parler d'abord avec Heath ?

– Je crois que tu devrais d'abord en discuter avec Heath, dit Claire, comme pour faire écho à mes pensées. Elle laisse tomber le chèque sur mes genoux.

– Ce n'est pas juste que tu aies à t'inquiéter pour l'argent, dis-je en protestant.

– Qui a dit que je m'inquiétais pour… ? Oh. Jade a la langue bien pendue, à ce que je vois.

– Elle a simplement dit qu'il t'arrivait de t'inquiéter.

– Tout va bien, Bailey. J'ai un boulot. Gene nous aide dès qu'il peut. Il paye cette école privée très chic où Jade est inscrite.

– Mais notre père a laissé de l'argent pour les études de Jade…

– Ses études *universitaires*. Qui sait si elle en suivra un jour ?

– Elle en suivra, dis-je avec une conviction absolue.

S'il n'y a bien qu'une chose dont je suis sûre ces temps-ci, c'est que Jade nous rendra fières un jour. Je lui tends encore une fois le chèque.

– S'il te plaît… prends-le.

Claire hésite, puis soupire et fourre le chèque dans la poche de son jean.

– Mais je ne vais pas l'encaisser, si jamais tu changes d'avis en dessaoulant.

– Je ne changerai pas d'avis.

Les larmes lui montent aux yeux pour la seconde fois de la soirée. Cette fois, elle ne prend pas la peine de tourner la tête.

– Je ne sais pas quoi dire.

– Tu n'as rien à dire.

Claire se penche et me prend dans ses bras, me serre fort contre elle. Je me sens en sécurité, comme si j'étais enfin à la maison. Puis son téléphone portable se met à sonner et je sursaute en me redressant. C'est Jade, qui appelle pour dire qu'elle est rentrée de Fisher Island.

– Je devrais y aller, dit Claire.

– Attends. Prends ça avec toi.

Je rassemble les albums photo et les clichés éparpillés de mes demi-frères et sœur puis sors avec elle du dressing. Les lumières de la chambre sont allumées, les stores baissés.

– Tu peux partager ça avec Gene et les autres.

Elle les prend.

– Merci. Pour tout.

– Merci à *toi*. Pour beaucoup plus.

Claire a presque atteint le seuil de la porte quand elle s'arrête et se retourne vers moi en haussant malicieusement un sourcil.

– Qu'est-ce que t'en dis ? Un dernier coup d'œil, en souvenir du bon vieux temps ?

J'hésite tandis qu'elle balance les photos sur le lit, je finis par appuyer sur l'interrupteur qui éteint les lumières puis sur celui qui ouvre les stores. Elle attrape mes jumelles et s'approche de la fenêtre.

– Il n'a pas l'air d'être chez lui, dit-elle après un silence de quelques secondes. C'est sûrement mieux comme ça.

Elle rassemble à nouveau les photos et marche jusqu'à l'entrée. Une fois devant la porte, elle me serre contre elle. Je fonds dans ses bras.

– Je t'appelle demain.

Je sens les mots sur le bout de la langue, au bord de mes lèvres. Mais Claire ouvre la porte avant que je ne puisse les formuler. La porte se referme derrière elle et je la regarde marcher dans le couloir à travers le judas.

– Je t'aime, dis-je en murmurant, mes mots filant après elle.

Elle s'arrête tout à coup et se retourne, comme si elle m'avait entendue. Elle me fait un petit signe de la main, entre dans l'ascenseur qui l'attend et disparaît.

*
* *

183

Quand je reviens dans ma chambre, la lumière de l'appartement de Paul Giller est allumée. Je retiens mon souffle, attrape mes jumelles et avance vers la fenêtre. À travers les petits verres circulaires, je vois un homme et une femme se déplacer maladroitement dans la pièce. Je jette un œil au réveil sur ma table de nuit, aux chiffres illuminés en rouge. Il n'est même pas 23 heures, bien trop tôt pour qu'un type comme lui soit déjà rentré chez lui. D'un autre côté, maintenant que Narcisse n'est plus qu'un Paul Giller ordinaire, il est possible qu'il ait changé d'horaires.

Il n'y a d'ailleurs pas que ça qui a changé.

Il y a la femme, aussi. J'ajuste encore et encore ma mise au point pour essayer d'obtenir l'image d'elle la plus nette possible. Cette femme est clairement plus banale que les femmes avec qui je l'ai vu toute la semaine, et ses cheveux sont plus courts et plus clairs. Et loin d'être collé à elle, Paul Giller se tient debout à l'autre extrémité de la pièce, tout habillé, et feuillette un magazine.

Que se passe-t-il ?

C'est à ce moment-là que je remarque la valise ouverte sur le lit. Est-ce qu'il s'en va ? Est-ce que la visite de la police de ce soir l'a forcé à partir quelques jours, tout comme l'a fait David Trotter ? Je me demande si Paul Giller a lui aussi une mère qui vient d'être hospitalisée d'urgence, comme par hasard.

Paul lève les yeux de son magazine tandis que la femme approche du lit et se met à vider la valise : une veste en jean, un chemisier, puis un autre chemisier, un jean, une jupe longue de gitane et une paire de ballerines. Des tenues plutôt décontractées pour la plupart. Rien de très excitant. Pas de déshabillés à froufrous ni de lingerie sexy. Je la vois disparaître dans le dressing et revenir les bras chargés de cintres. Elle pend la jupe, le jean et la veste, puis retourne dans le dressing. Elle balance les chemisiers dans le panier à linge sale qui se trouve de l'autre côté du lit. Elle met les chaussures dans un sac à chaussures accroché à l'intérieur d'une porte de placard. Elle est de toute évidence à l'aise dans cet appartement. Chez elle.

Sa femme ? Je pointe mes jumelles sur ses mains, en essayant de distinguer la présence d'un anneau en or sur son annulaire gauche. Mais je suis trop loin. Je ne suis sûre de rien.

L'expérience me dit qu'il s'agit probablement de sa femme, qu'elle était partie toute cette semaine, laissant Paul se transformer en Narcisse et s'abandonner à ses fantasmes les plus exubérants. A-t-elle le moindre soupçon de ce qu'il fait quand elle n'est pas là ? Est-ce que ça la dérangerait si elle savait ?

Elle se rend dans la salle de bains adjacente et ferme la porte. Paul se déshabille en vitesse. Une fois en slip, il grimpe dans le lit. Il ne se pavane pas devant le miroir cette fois, il n'espionne pas mon appartement avec ses jumelles. Peut-être que l'avertissement de la police lui a fait peur. Peut-être qu'il ne possède vraiment pas de jumelles. Peut-être que j'ai imaginé tout ça, comme l'ont décidé, à n'en pas douter, l'inspecteur Castillo et l'officier Baydow.

Paul feuillette paresseusement son magazine tandis que sa femme, si c'est bien ce qu'elle est, revient dans la chambre. Elle porte un négligé en dentelle rose délicate. Elle s'est coiffée et a fait un effort pour avoir l'air jolie. Il lève la main pour l'arrêter, en montrant avec un agacement non dissimulé le magazine qu'il est en train de lire.

Je regarde la femme de Paul défaire les couvertures et ramper dans le lit à côté de lui. Elle se penche contre la tête de lit, en jetant des coups d'œil inquiets à son mari, comme si elle voulait qu'il arrête de lire et qu'il la prenne dans ses bras. Après quelques minutes, elle décide de prendre les devants, elle avance avec hésitation pour lui caresser la cuisse. Il baisse son magazine et secoue la tête. « Il est tard et je suis fatigué », puis-je presque l'entendre dire. Elle acquiesce et enlève sa main, reste assise en silence pendant plusieurs minutes avant de s'allonger complètement et de remonter la couverture jusqu'au-dessus de sa tête pour bloquer la lumière. Ou bien pour cacher ses larmes. Même à travers les draps, on peut sentir son humiliation.

Moins de cinq minutes plus tard, Paul, alias Narcisse, jette son magazine par terre et éteint la lumière. Me voilà dans le noir, ressassant l'image de la femme de Paul avec la couverture sur sa tête. Je sens une taie d'oreiller qu'on enfile sur mon visage, ma propre honte couler dans mes veines et courir vers mon cœur.

16

Le téléphone sonne juste avant 7 heures le lendemain matin.

Je me réveille en sursaut, même si je ne me rappelle pas m'être couchée la veille, encore moins m'être endormie. De toute évidence, j'ai bien dû faire les deux à un moment ou à un autre. Je me souviens vaguement de requins menaçants nageant sous mes pieds, d'hommes sans visage tendant leurs mains gantées vers moi, de femmes immobiles me regardant depuis des balcons lointains. La tête me cogne et un arrière-goût de vin alourdit ma langue, un rappel désagréable de tout l'alcool que j'ai bu hier soir.

– Allô ? dis-je dans un murmure en appuyant le téléphone contre mon oreille.

Je n'ai qu'une tonalité occupée en guise de réponse, pourtant je répète :

– Allô ? puis une troisième fois : Il y a quelqu'un ?

Je repose le téléphone et me laisse tomber sur l'oreiller, somnole encore une heure environ avant qu'une sonnerie stridente ne me secoue à nouveau, comme une main sur mon épaule. Cette fois, je pense à regarder l'écran. Numéro inconnu.

– Heath ? dis-je, en guise d'*allô*.

La pulsation sourde de ma gueule de bois cogne derrière mes yeux.

– Heath, c'est toi ?

Pas de réponse. Je suis sur le point de raccrocher, d'ignorer cet appel comme je l'ai fait du précédent, en me disant qu'il n'est qu'un écho matinal de mes cauchemars, quand j'entends une respiration à l'autre bout du fil.

La voix, quand elle se fait enfin entendre, est basse et granuleuse, comme le bruit de pneus sur une route de gravier.

– Dis-moi que tu m'aimes, grogne-t-elle dans mon oreille.

Je hurle et lâche le téléphone. Je le vois rebondir sur le sol à travers la pièce, s'arrêter sur le marbre de la salle de bains.

– Non, dis-je, en pleurs ; je tombe à genoux à côté de mon lit. Non, non, non, non.

Le téléphone sonne de nouveau, presque immédiatement. Une… deux… trois fois… quatre, je ressens chaque sonnerie comme un coup de poignard dans la poitrine. Si le téléphone ne s'arrête pas de sonner, il va me tuer.

Il s'arrête et c'est seulement à ce moment-là que je suis à nouveau capable de respirer, bien que péniblement. Les mains tremblantes, je me traîne jusqu'au combiné gisant sur le sol de la salle de bains comme un insecte retourné sur le dos. Je regarde l'écran, en m'attendant à voir les mots familiers : « Numéro inconnu ». À la place, je lis : « Carlito sur la Troisième » suivi d'un numéro. C'est quoi ce « Carlito » ? Ou qui ? Qu'est-ce que ça veut dire ? Je compose rapidement le numéro de « Carlito sur la Troisième ». On décroche.

– Allô, dis-je, avant que quiconque ne puisse parler.

– Dis-moi que tu m'aimes, murmure de façon obscène une voix grave.

– Non !

Je jette immédiatement le téléphone et je fonds en larmes.

Quelques secondes plus tard, le téléphone sonne de nouveau. « Carlito sur la Troisième », proclame fièrement l'écran et, une fois de plus, je ne réponds pas. Je l'écoute sonner quatre fois avant que l'appel ne soit transféré vers ma boîte vocale. « Vous avez deux nouveaux messages », m'informe le répondeur quelques secondes plus tard. « Pour écouter vos messages, tapez 1. » Je m'exécute. « Message 1. Bonjour, Johnny K. du garage Carlito, m'informe une voix. Je vous appelle simplement pour vous dire que votre Porsche est prête. Vous pouvez passer la récupérer quand vous voulez. »

Il laisse un numéro où le joindre.

– Oh, mon Dieu.

Je suis envahie par un nouveau torrent de larmes. Qu'est-ce que ça veut dire ?

Dis-moi que tu m'aimes.

« Message 2, continue le répondeur tandis que j'essaie de faire le tri entre mon imagination et la réalité. Bonjour. Jasmine, du garage Carlito, dit une femme. Est-ce que vous venez d'appeler ? Je crois que nous avons été coupées. » Elle laisse le même numéro.

Je rappelle. Une fois de plus, on décroche avant la première sonnerie. Cette fois, je laisse à la personne au bout du fil le temps de parler.

– Carlito sur la Troisième, Jasmine à l'appareil. À qui désirez-vous parler ?

– Pourrais-je parler à Johnny ?

– Johnny K. ou Johnny R. ?

– Comment ?

– Johnny R. ou Johnny K. ? dit-elle en inversant l'ordre.

– Je ne suis pas sûre. Attendez.

Je repasse le message dans ma tête : « Johnny K. du garage Carlito. »

– Johnny K., dis-je, plus fort que je ne voudrais.

J'imagine la pauvre femme écarter l'appareil de son oreille pour échapper au son de ma voix.

– Est-ce que c'est vous qui avez appelé il y a quelques minutes ? demande-t-elle.

– Je crois qu'on a été coupées, dis-je, en mentant.

– On aurait dit que quelqu'un criait « Non ! » ou quelque chose comme ça. C'était bizarre.

– Vraiment ? C'est *bizarre*, en effet.

– Restez en ligne, je vous passe Johnny.

Suit un court intermède de salsa.

– Johnny Kroft.

La même voix que sur mon répondeur. Rien à voir avec l'autre voix.

– Bailey Carpenter. Je crois que vous avez appelé pour ma voiture.

– Oui. La Porsche argentée.

– C'est bien celle-là.

– Oui, désolé d'appeler si tôt. Je voulais vous joindre avant que vous ne partiez travailler.

– À 7 heures du matin ?

– 7 heures ? Non. J'ai appelé il y a dix minutes.

Il y a dix minutes, me dis-je.

– Vous dites que ma voiture est prête ?

– Ouais. Il y avait une vilaine éraflure sur le capot et un des feux avant était abîmé, plus quelques petites bosses du côté conducteur dont on s'est occupé. La note s'élève à quatre mille sept cents dollars et vingt-six cents.

Dis-moi que tu m'aimes.

– Comment ?

– Désolé. Je sais que ça fait beaucoup, s'excuse Johnny Kroft. Que se passe-t-il ?

– Mais que voulez-vous ? C'est une Porsche, n'est-ce pas ? À voiture chère, réparations chères...

– Qu'est-ce que vous venez de dire ?

Dis-moi que tu m'aimes.

– Qu'est-ce que je viens de dire ? Ben... À voiture chère, réparations chères ? demande-t-il, comme s'il n'était pas sûr. Je suis désolé. Je ne voulais pas être malpoli. Bien sûr, c'est une grosse somme...

– Vous ne venez pas juste de dire que... ?

Je m'arrête. De toute évidence il n'a rien dit de la sorte. Nous évoluons dans deux réalités différentes. Ma réalité, c'est que je suis folle à lier.

– Donc je peux venir chercher ma voiture ?

– Quand vous voulez.

Il me donne l'adresse au coin de la 3ᵉ Rue et de la 1ʳᵉ Avenue, à quelques minutes à pied de chez moi. Je lui dis que je passerai dans la matinée. Il dit qu'il veillera à me montrer ce qui a été fait exactement, et ajoute qu'il pense que je serai contente.

Dis-moi que tu m'aimes.

Je raccroche. Mais les mots se fraient un chemin jusqu'à mon cerveau : *Dis-moi que tu m'aimes. Dis-moi que tu m'aimes. Dis-moi que tu m'aimes.* Ils me suivent jusque sous la douche. *Dis-moi que tu m'aimes. Dis-moi que tu m'aimes.*

Tu es officiellement tarée, me dis-je. J'attache mes cheveux mouillés en queue-de-cheval en sortant de la douche. J'enfile un jean blanc large et un grand tee-shirt noir à manches longues, avant d'ouvrir les volets et de regarder en direction de l'appartement de Paul Giller. Même sans jumelles je peux voir Paul et sa femme se déplacer dans la chambre. Ils sont habillés – lui dans sa tenue habituelle, jean, chemise, elle avec une sorte d'uniforme, du genre de celui que porte mon dentiste. Ils se croisent devant le lit sans se toucher.

Le téléphone sonne et je sursaute.

– Allô ?

– C'est Claire. Je te réveille ?

– Non. Je suis debout.

Je ne lui dis pas que je suis levée depuis 7 heures, quand le premier appel m'a réveillée en sursaut, parce que je ne suis plus sûre que ce soit arrivé. Claire et moi avons bu presque deux bouteilles de vin hier soir et j'ai toujours de l'alcool dans le sang, ce qui me fait sans doute entendre des choses qui n'existent pas. Il n'y a pas eu de coup de téléphone de l'homme qui m'a violée, pas de voix qui m'ordonne de dire quoi que ce soit. Le seul appel que j'ai reçu était celui du garage Carlito. Tout le reste n'est qu'une invention de mon cerveau paranoïaque et imbibé d'alcool.

– Ma voiture est prête, dis-je à Claire. J'étais sur le point de sortir pour aller la récupérer.

– Je t'en supplie, dis-moi que tu n'as pas l'intention de la ramener chez toi en conduisant.

Elle n'attend pas que je réponde.

– J'arrive.

– Non, Claire. C'est ton jour de repos. Tu es censée te détendre et ne rien faire…

– Ce n'est pas négociable. Et puis j'ai toujours voulu conduire une Porsche.

Elle raccroche et je retourne devant la fenêtre. *Tu as forcément remarqué que l'homme que tu observes correspond au profil de celui qui t'a violée, a dit Claire. Est-ce possible ?*

Qui est ce Paul Giller, de toute façon ?

Quelques secondes plus tard, je suis assise à mon bureau, dans la pièce d'à côté, penchée sur mon ordinateur. Je n'ai pas allumé mon Mac, ne serait-ce qu'une fois, depuis des semaines. Mes mains tremblantes planent au-dessus du clavier. *C'est ce que tu es*, me dis-je. *C'est ce que tu sais faire. Et si tu ne commences pas à faire quelque chose très vite, quelque chose de concret, tu ne retrouveras jamais ta santé mentale.*

Je tape « Paul Giller » sur Google.

Mon écran affiche immédiatement plus d'une douzaine de résultats. J'en écarte plusieurs d'office. Deux concernent un photographe nommé Paul Giller qui vit au Texas, et un autre un Paul Giller qui, à cent six ans, est le plus vieil habitant de l'Ohio. Mais les cinq suivants concernent un Paul Giller qui vit ici, à Miami, un Paul Giller dont les portraits ressemblent beaucoup à l'homme qui habite de l'autre côté de la rue. Un acteur, d'après sa fiche IMDb. « Plus d'informations sur IMDbPro », m'informe le moteur de recherche. Puis, « Contact ; Voir l'agent ; Ajouter ou modifier des photos ». Je me demande si Heath le connaît.

En quelques minutes, je connais son deuxième prénom (Timothy), sa date et son lieu de naissance (12 mars 1983, Buffalo – New York), j'apprends qu'il est le fils d'un grand chef d'orchestre décédé (Andrew Giller) et qu'il a son propre site Internet (www.paulgiller.com). Je le consulte aussitôt.

Il contient une courte biographie, une liste des coordonnées de ses agents, je les note tous, et sa filmographie (des petits rôles dans plusieurs films tournés dans la région et un second rôle dans une série télé – qui depuis a été annulée – tournée à Los Angeles il y a quelques années).

Sa brève biographie m'apprend qu'il mesure un mètre quatre-vingt-cinq pour quatre-vingt-six kilos. Je sais d'expérience qu'il faut toujours retirer cinq centimètres et ajouter cinq kilos, mais, dans le cas de Paul Giller, la description semble fidèle. D'après sa biographie, il a aussi passé du temps à Nashville, où il a enregistré un album, disponible sur iTunes (je peux écouter un extrait si je le veux, ce qui n'est pas le cas). Il y a aussi une liste de spots publicitaires, essentiellement locaux.

Une fois de plus, l'idée déconcertante qu'il puisse connaître Heath me traverse l'esprit. Pourrait-il y avoir un lien entre les deux ? « Ne sois pas ridicule », dis-je à haute voix, brusquement énervée sans savoir pourquoi. Je ferme le site de Paul Giller et me connecte à Facebook.

N'étant pas une « amie » de Paul, je n'ai qu'un accès limité à son profil. Ce que je *peux* voir, ce sont d'autres photos, certaines sérieuses, d'autres où il sourit, certaines de profil, quelques-unes où il est torse nu. Aucune photo où il est accompagné, ni d'un homme ni d'une femme, aucune photo de la femme que j'ai vue hier soir et ce matin, ni de celles que j'ai vues ces derniers jours. Il n'y a aucune allusion à aucune femme.

D'après la demi-douzaine de messages du genre « remets-toi vite » que je suis autorisée à voir sur son mur, je déduis que Paul Giller a passé récemment quelques jours à l'hôpital à cause d'une pneumonie tenace. S'il était à l'hôpital la nuit de mon agression, ça l'éliminerait évidemment de la liste des suspects.

Je quitte Facebook et j'appelle le numéro de l'agent de Paul. « Vous êtes chez Reed, Johnson & Associés, agents des meilleurs talents de Miami, annonce une voix de femme enregistrée. Nos bureaux sont fermés. Si vous voulez laisser un message pour Selam Reed, tapez 1. Si vous voulez laisser un message pour Mark Johnson, tapez 2. Si vous voulez… »

– Je ne veux pas, dis-je en raccrochant avant de retourner dans ma chambre.

Qu'est-ce que je croyais ? Évidemment que les bureaux sont fermés. Il est à peine 8 heures et demie du matin.

J'avance vers la fenêtre en attrapant les jumelles. Paul et la femme sont toujours dans la chambre. Ils s'ignorent toujours, prennent soin de ne pas se toucher quand ils se déplacent dans la petite pièce. La femme attrape son rouge à lèvres dans son sac à main, l'applique sans se regarder dans le miroir et quitte la pièce. Paul lui emboîte le pas.

Où vont-ils ?

La tenue de la femme indique qu'elle va travailler, tout comme l'heure qu'il est. La tenue de Paul n'indique rien du tout. Où peut-il aller de si bon matin ?

Avant d'avoir pu réfléchir à ce que je suis en train de faire, je cours dans le couloir, j'attrape mon sac à main, et je me dirige vers la porte. Si je prenais le temps de réfléchir, ne serait-ce qu'une minute, j'arrêterais mon délire et retournerais me tapir dans mon lit.

Sauf que je délire aussi dans mon lit.

L'ascenseur arrive quelques secondes après que j'ai appuyé sur le bouton et je suis sur le point d'y entrer quand je vois un homme à l'intérieur, debout sur la droite. Il est grand et costaud avec des cheveux grisonnants et un nez trop étroit entre ses yeux très écartés. Je suis à deux doigts de tomber à genoux de soulagement. Ce n'est pas l'homme qui m'a violée.

Mais est-ce que je peux vraiment en être sûre ?

– On va dans la même direction ? demande-t-il avec un sourire.

Je n'hésite que brièvement avant que mon instinct d'enquêtrice ne me pousse à l'intérieur. C'est ce que tu sais faire. C'est ce que tu es. Et le seul moyen de reprendre le contrôle de ta vie, c'est de prendre les choses en main. Si la police n'a pas le droit d'enquêter sur Paul Giller, moi, je peux. S'il y a des lois qui les empêchent de le suivre sans motif soi-disant valable, je n'ai aucune restriction de ce genre.

Je peux le suivre autant que je veux. Personne ne peut m'en empêcher.

L'ascenseur s'arrête au vingtième et un homme et une femme d'âge moyen entrent. Ils sourient. Il n'y a rien à craindre. Tu vas mieux, tu reprends le contrôle. Voilà ce à quoi je pense quand l'ascenseur s'arrête de nouveau, cette fois au quatorzième.

Les portes s'ouvrent et David Trotter monte.

Je pousse un cri, tout le monde se tourne vers moi alors que je recule dans le coin. Je voudrais disparaître mais c'est trop tard. David Trotter m'a vue. Il me regarde.

– Mais c'est quoi, votre problème ? demande-t-il quand les portes de l'ascenseur se referment derrière lui. Est-ce que je vous ai déjà fait quoi que ce soit ?

– S'il vous plaît, laissez-moi tranquille.

– *Vous* laisser tranquille ? Ma mère a eu une attaque, nom de Dieu ! Elle est à l'hôpital à Palm Beach, je prends le volant jusqu'à là-bas, je ne dors plus pendant des jours et quand je rentre chez moi, je trouve la police qui m'attend…

– Je suis désolée. C'était un malentendu…

– Un peu que c'en était un.

– S'il vous plaît…

– Calmez-vous, dit l'homme aux cheveux grisonnants.

– J'essayais de vous aider !

– C'était une erreur.

– Doucement, monsieur, dit la femme. Vous lui faites peur.

– Lui faire peur ? Cette salope m'a accusé de viol !

– Oh, mon Dieu.

J'ai l'impression de m'enfoncer dans le plancher au moment où l'ascenseur s'arrête au rez-de-chaussée et où les portes s'ouvrent sur le hall inondé de soleil.

– Gardez vos foutues distances, c'est tout, me prévient David Trotter, l'index de la main droite pointé vers moi comme un pistolet.

Puis il se retourne et sort de l'ascenseur.

– Puis-je vous aider, mademoiselle ? demande l'homme aux cheveux grisonnants, la main tendue.

Je secoue la tête en m'emmêlant les pieds. Puis je le bouscule pour sortir de l'ascenseur.

– Que vient-il de se passer exactement ? demande quelqu'un alors que je passe à toute vitesse devant le bureau de la réception.

– Mademoiselle Carpenter ! appelle une autre voix, mais je ne m'arrête pas.

Quelques minutes plus tard, je me tiens devant l'immeuble de Paul Giller. Je ne sais pas trop ce que j'ai l'intention de faire mais j'ai clairement l'intention de faire quelque chose.

*
* *

L'immeuble de Paul Giller – aux portes en fer forgé et en verre devant lesquelles je me tiens maintenant – est plus grand que le mien de quelques étages et d'une modernité plus austère. Ou peut-être est-il simplement plus austère. Le hall d'entrée n'a qu'un ton : du blanc – des murs et un sol en marbre blanc, un seul canapé blanc, de fausses fleurs blanches qui grimpent vers le plafond dans un grand vase en porcelaine posé dans un coin. Les volumes ne sont pas suffisamment meublés, ce qui est sans doute représentatif de cet immeuble, qui n'est qu'à moitié habité depuis la fin de sa construction. Conçu à l'origine comme un luxueux complexe, tout comme le mien, le chantier était déjà bien avancé quand l'économie s'est effondrée. Les investisseurs se sont envolés. Les prix aussi se sont effondrés très rapidement. Les acheteurs se sont faits plus rares jusqu'à tout bonnement disparaître.

Les constructeurs se sont regroupés et ont décidé de louer ce qu'il restait, même si, à en croire les grandes pancartes affichées à l'extérieur – APPARTEMENTS DE LUXE À LOUER AU MOIS. BAIL COURT TERME POSSIBLE –, ils ont eu un succès limité. Je remarque qu'il n'y a pas de concierge et que les noms des résidents sont affichés juste après la porte d'entrée. Je la pousse – elle est plus légère, moins imposante qu'elle n'en a l'air – et m'approche de la liste. Je repère le nom et le numéro d'appartement de Paul Giller. Je remarque également le nom du responsable de l'immeuble, mais quand je compose son numéro – en préparant mentalement une liste de questions à lui poser –, personne ne répond.

C'est alors que je les vois.

Ils marchent côte à côte et, bien qu'ils ne se touchent pas, ils semblent assez complices. Plus proches, de toute évidence, qu'ils ne l'étaient un peu plus tôt dans leur appartement. Il se penche vers elle en lui parlant et elle sourit. Peut-être qu'il s'est excusé pour son comportement grossier de la veille pendant que l'ascenseur descendait, qu'il a dit les mots qu'elle avait besoin d'entendre. Qui sait ? On ne voit que ce qu'on veut bien voir. On n'entend que ce qu'on veut bien entendre.

Pas toujours, me dis-je.

Dis-moi que tu m'aimes.

Je vacille. Un homme me bouscule en passant à côté de moi, son épaule percute la mienne alors qu'il se dépêche de sortir, comme si j'étais invisible.

Je réalise avec panique que je n'ai plus conscience de mon corps. Dans une vitre à proximité, je vois mon reflet disparaître dans un rayon de soleil. Je ne sais plus ce qui est réel et ce qui est imaginaire. Je ne sais plus qui je suis.

Sauf qu'en fait, je le *sais*. Je suis détective. Et je suis en train de faire ce que je sais faire de mieux : j'observe.

Je baisse la tête quand Paul Giller et sa femme – si c'est ce qu'elle est – passent près de moi, presque suffisamment pour que l'on se touche, et sortent de l'immeuble. Je les regarde s'arrêter au bord du trottoir et attendre que le feu passe au vert pour traverser.

La même pulsion qui m'a conduite jusqu'ici me pousse à les suivre.

Ils ne m'ont toujours pas remarquée et je fais bien attention à garder une distance de sécurité entre eux et moi. Ils s'arrêtent au coin de rue suivant puis s'embrassent rapidement avant de partir dans des directions différentes. J'hésite, je ne sais pas lequel suivre. Mais le choix est vite fait quand Paul interpelle un taxi, grimpe à l'intérieur et disparaît dans le trafic matinal. Mme Paul, comme j'ai décidé de l'appeler, continue son chemin à pied.

J'accélère pour la rattraper.

Le quartier est un curieux mélange d'ancien et de neuf, de grands immeubles en verre et de petits commerces sans étage, de restaurants à la mode et de vieux stands de jus de fruits branlants, d'exotique et de local, tout ça cohabitant côte à côte, emmêlé et indissociable, mais pas toujours assorti. Et, bien que l'anglais soit considéré comme la langue officielle du quartier de la finance, c'est l'espagnol qu'on entend le plus souvent dans ces rues.

Mais ce matin, je ne vois ni n'entends rien. Je suis concentrée sur une femme en uniforme bleu pâle qui marche à vive allure dans la rue en balançant les bras.

Je ne suis qu'à quelques pas derrière elle quand elle s'arrête brusquement et se retourne. Je me prépare au face-à-face. « Êtes-vous en en train de me suivre ? »

Sauf que ce n'est pas du tout ce qu'elle fait. Au lieu de ça, elle s'approche d'une vitrine et contemple une paire de chaussures fluo. J'attends en retenant mon souffle. Après un moment à contempler une paire d'escarpins à talons outrageusement hauts, violet et framboise, elle recule d'un pas. Je mets un genou à terre pour faire semblant de nouer mes lacets, mais si Mme Paul me regardait attentivement, elle s'apercevrait que mes sandales n'en ont pas. Je me redresse dès qu'elle reprend sa route.

Un jeune homme me frôle à une telle vitesse qu'il m'assomme presque. « 'Scusez », marmonne-t-il par-dessus son épaule en continuant sans s'arrêter, bien que je sois en train de chanceler, les mains en avant, le corps près de s'effondrer sur le bitume. Par chance, d'autres mains m'empêchent de tomber. L'une d'elles effleure le côté de mon sein.

Je dégage la main et fais un bond en arrière, comme si on m'avait tiré dessus.

– Relax, dit un homme d'âge moyen, en levant les bras en l'air comme si quelqu'un lui pointait une arme dans le dos.

Il secoue la tête et s'éloigne en grommelant.

– Tout va bien ? me demande prudemment une femme.

– Oui, dis-je, puis j'ajoute, tandis qu'elle s'éloigne : Merci.

Mais si elle m'entend, elle ne le montre pas. Je la perds dans la foule.

J'ai également perdu Mme Paul. Je me retourne, regarde dans toutes les directions, mais je ne la trouve pas.

Je suis aussi soulagée que déçue. Qu'est-ce que j'espérais faire en la suivant ?

C'est mieux comme ça, me dis-je, et je décide plutôt d'aller parler au responsable de l'immeuble de Paul, de lui soutirer toutes les informations dont je pourrais avoir besoin.

Et puis, bien sûr, elle réapparaît.

En me retournant, j'aperçois mon reflet dans la vitrine d'un salon de coiffure qui vient d'ouvrir. Elle est là, derrière le comptoir, à côté d'une autre jeune femme brune aux longs cheveux frisés qui porte de grandes boucles d'oreilles. Elles rient. Je pousse la porte, un souffle glacial d'air conditionné s'abat sur moi. Les deux femmes continuent leur discussion, elles m'ignorent quand je m'approche.

– Alors ? Qui est mon premier rendez-vous ? demande Mme Paul à la femme aux grandes boucles d'oreilles.

L'autre consulte l'écran de son ordinateur.

– Loreta de Sousa, dans une demi-heure.

Les épaules de Mme Paul s'affaissent.

– Merde. Tu parles d'une façon de commencer la semaine. Elle n'est jamais contente de la couleur qu'elle choisit. Elle n'a jamais la patience de rester tranquillement assise à attendre que le vernis de ses ongles sèche correctement. Puis elle les abîme et insiste pour qu'on recommence. Merde.

Pas une dentiste finalement. Une esthéticienne.

– Excusez-moi, j'ose leur dire.

Deux paires d'yeux ébahis se tournent vers moi.

– Puis-je vous aider ? demande la femme aux grandes boucles d'oreilles.

Je regarde directement Mme Paul.

– J'aurais voulu une manucure.

17

Le salon est propre et moderne ; des murs blancs, des bacs à shampoing noirs, des chaises pivotantes en cuir bordeaux et des miroirs partout. Bien qu'il soit encore tôt, nous sommes lundi matin et la plupart des salons de coiffure sont encore fermés ; l'endroit est très animé. Plusieurs clientes sont déjà là, une femme bavarde pendant qu'on lui lave les cheveux, la tête penchée en arrière toute gorge dehors, une autre a les yeux fermés et le crâne recouvert de bandelettes d'aluminium, une autre encore feuillette un magazine people tout en discutant sur son téléphone portable tandis que son coiffeur, un jeune homme à la taille fine avec des cheveux blond platine, des mèches roses et un pantalon léopard, butine autour d'elle comme une abeille géante, une paire de ciseaux à la main.

– Je suis désolée mais nous n'aurons pas le temps de faire également une pédicure. J'ai une cliente qui arrive dans une demi-heure, dit Mme Paul.

– Loreta De Sousa.

– Quoi ?

Elle s'arrête, se retourne, ses yeux marron s'écarquillent d'inquiétude.

– Vous la connaissez ?

– Je vous ai entendue mentionner son nom quand je suis entrée.

Mme Paul soupire de soulagement, puis secoue la tête avec un désarroi évident.

– Désolée. Ce n'est jamais bon pour les affaires qu'une cliente entende le personnel en critiquer une autre. Tabatha serait scandalisée.

– Tabatha ? C'est la propriétaire ?

– Oh, mon Dieu, non. Vous n'avez jamais regardé *Tabatha reprend les choses en main* ?

Je fais non de la tête.

– C'est cette émission sur la chaîne Bravo. C'est génial, dit-elle en me conduisant à une chaise qui fait face à une minuscule table de manucure. Tabatha, c'est une blonde super cool qui intervient dans des petites entreprises, comme des salons de coiffure, qui ont des ennuis. Elle plante des caméras en secret pour pouvoir épier tout le monde, puis elle leur dit tout ce qu'ils font de travers et comment ils doivent s'y prendre pour redresser la situation. Elle change la vie des gens. Vraiment.

– Incroyable.

Ce qui me semble surtout incroyable, c'est que ma nièce soit loin d'être la seule à être obsédée par la télé-réalité. Tabatha et ses différents clones changent, en effet, la vie des gens parce que la télé-réalité change le visage de la réalité elle-même. Cette idée me donne presque le tournis et je balaie la salle des yeux, pour trouver un point fixe.

Sur le mur à côté de moi, il y a plusieurs étagères en Plexiglas recouvertes de petits flacons de vernis à ongles colorés, du blanc le plus blanc au noir parfait. Derrière moi, il y a des étagères recouvertes de toutes sortes de produits de beauté – des lotions nettoyantes pour le visage, des laits pour le corps, des crèmes antiâge – et deux gros fauteuils en cuir bordeaux pour faire les pédicures.

– Les fauteuils font aussi massage, me dit Mme Paul, en suivant mon regard. Ils sont absolument fabuleux. C'est vraiment dommage que nous n'ayons pas le temps pour une pédicure. Peut-être la prochaine fois. Vous savez quelle couleur vous voulez pour vos ongles ?

Je hausse les épaules.

– Que me suggérez-vous ?

Elle me lance un bref coup d'œil.

– Alors, vous n'avez pas l'air d'être le genre de fille à aimer le pastel, est-ce que je me trompe ?

J'acquiesce.

– Que dites-vous d'un rouge ? J'ai une nouvelle teinte formidable.

Elle brandit un minuscule petit flacon rond. Il ressemble à peu près à tous les autres flacons de liquide rouge sur l'étagère, mais bon, ce n'est pas moi l'experte.

– Super.

Elle pose la bouteille de vernis sur la table puis se tourne vers l'évier. Je me dis qu'elle doit avoir une petite trentaine d'années, note qu'elle mesure un mètre soixante-dix et pèse environ soixante kilos. Elle a les cheveux châtain clair, coupés au carré. Elle est jolie, d'une façon un peu classique et ordinaire. Elle a les yeux marron, un nez fin, ses lèvres – probablement son meilleur atout – sont joliment pulpeuses. Si elle n'a rien de repoussant, elle n'a rien de spectaculaire non plus. En dehors d'une généreuse couche de mascara, elle est très peu maquillée. On a du mal à imaginer qu'elle puisse être la femme de Paul Giller, alias Narcisse, un homme dont les goûts tendent clairement vers les filles plus jeunes et beaucoup plus séductrices.

Mme Paul se retourne vers moi.

– Pardon, je viens de réaliser que je ne sais pas comment vous vous appelez.

– Avery, dis-je, en prononçant le premier nom qui me passe par la tête. Et vous ?

– Elena.

Elle me tend sa main droite et je remarque qu'elle ne porte aucune bague. Ça ne veut pas forcément dire grand-chose. Elle fait des manucures, après tout.

Elle pose un bol en plastique plein d'eau chaude savonneuse sur la table et y plonge ma main droite en examinant la gauche.

– Vous avez déjà fait une manucure ?

– Oui, bien sûr.

– Pas depuis un moment, je parie. Vos mains sont un désastre. Depuis quand vous arrachez-vous les cuticules ?

Je rougis aussitôt. Je m'arrachais les cuticules chaque fois que j'étais nerveuse, mais j'avais cette sale manie plus ou moins sous contrôle au moment où je me suis fait violer. Je ne me souviens sincèrement pas d'avoir recommencé, mais impossible de nier que j'ai retrouvé mes mauvaises habitudes. Je tente de reculer ma main pour la cacher mais elle la tient fermement.

– Vous voyez ces crevasses ? dit-elle en pointant les lignes fines qui strient la surface de mes ongles. Je vais essayer de les gommer un peu, mais si vous continuez, elles deviendront permanentes. Et ce serait vraiment dommage parce que, mis à part ça, vous avez de très jolies mains.

Elle prend une lime et brosse les ongles de ma main gauche. J'en profite pour réfléchir à la meilleure façon de procéder.

– Donc, vous êtes au salon de beauté, un lundi de bon matin, dit-elle avant que je ne puisse me décider. Que faites-vous dans la vie, Avery ?

– Ce que je fais ?

– C'est une question difficile ?

Elle redresse la tête en fronçant les sourcils.

– Je suis entre deux emplois.

Ce qui n'est pas tout à fait un mensonge.

– Un départ forcé ?

J'acquiesce. Ça, pour avoir été forcée, me dis-je, en me demandant depuis quand j'ai ce sens de l'humour macabre.

– De quel type d'emploi ?

Un autre silence. Une autre semi-vérité.

– Assistante juridique.

– Ça consiste en quoi ?

– Vous me posez une colle.

Je suis soulagée de l'entendre rire.

– C'est sans doute pour ça que vous vous êtes fait virer, dit-elle.

C'est à mon tour de rire. Je décide que j'aime bien Elena. Elle mérite mieux que Paul Giller.

– Sérieusement. Que fait une assistante juridique exactement ? Et je vous en prie, ne me dites pas qu'elle assiste les juristes.

– C'est une secrétaire glorifiée, dis-je à la place.

Ça a l'air de la satisfaire.

– Ça doit être dur. Tous ces ego.

J'imagine les avocats de Holden, Cunningham & Kravitz, tous rassemblés, comme pour une photo de classe. Sean Holden jouerait des coudes pour être devant, reléguant tout le monde à l'arrière-plan, à des rôles secondaires. Même dans mon imagination, même en sachant tout ce que je sais désormais, voir son visage suffit à m'attirer et je sens mon corps tanguer vers lui.

Sans prévenir, une femme enceinte apparaît derrière lui. Il y a deux petites filles à côté d'elle, leur visage est flou mais leur

202

regard est bien net. Elles me fixent d'un air accusateur. « Laisse notre père tranquille », m'avertissent-elles en silence. Je veux qu'elles disparaissent.

– Que s'est-il passé, alors ? me demande Elena. Votre entreprise licenciait ?

– À vrai dire, je suis tombée malade, dis-je, en reprenant mes esprits et en me souvenant de la raison de ma présence ici. Une pneumonie.

Je lève les yeux vers elle, en espérant qu'elle morde à l'hameçon, qu'elle me parle du séjour récent de Paul Giller à l'hôpital.

– Sans blague. Et ils vous ont virée pour ça ?

– J'ai manqué beaucoup de jours de travail.

– Je ne crois pas qu'ils puissent vous renvoyer parce que vous tombez malade. Je sais bien que vous connaissez beaucoup de juristes, mais j'ai un cousin qui est avocat et il est vraiment doué. Vous devriez peut-être le contacter.

Je sursaute et recule ma main.

– Désolée, je vous ai pincée ?

– Non. Ça va.

– Il s'appelle Peter Sullivan. Mon cousin, je veux dire. Il travaille chez Ron Baker & Associés. Vous les connaissez ?

Par chance, je n'ai jamais entendu parler de Ron Baker & Associés. Il y a des centaines de cabinets d'avocats à Miami, voire des milliers.

– Et vous, vous travailliez pour qui ?

J'hésite, je tousse dans le creux de mon bras pour gagner du temps.

– Bennett & Robinson, dis-je en combinant les premiers noms de deux cabinets célèbres.

– Connais pas. Je pense que vous devriez appeler mon cousin, répète-t-elle avec encore plus d'emphase dans la voix.

Elle plonge ma main gauche dans le bol d'eau savonneuse et commence à s'occuper de la droite.

– On dirait que vous avez un sérieux dossier de licenciement abusif, Avery...

Je me retourne pour voir qui d'autre vient d'entrer dans le salon.

– Avery ?

Et c'est là que je réalise que c'est à moi qu'elle s'adresse.

– Oh, pardon.

– Vous avez oublié votre nom ?

– Vous disiez ?

– Que la pneumonie c'est une sacrée saloperie, dit-elle. Ma mère en a eu une il y a quelques années. Et puis ce type que je connais était à l'hôpital à cause d'une pneumonie il y a peu.

Ce type que je connais ?

Il y a peu ?

– Il était vraiment très malade. On l'a mis sous intraveineuse, la totale.

– C'est horrible. Est-ce qu'il a perdu son *emploi* lui aussi ?

– Nan. C'est un acteur. Il ne travaille pas la moitié du temps de toute façon. Il est inscrit dans une agence d'intérim qui lui trouve des petits boulots. Des boulots étranges. Rien à voir avec la comédie. Hé, mais c'est peut-être ce que vous devriez faire, vous inscrire dans une agence de ce genre.

– Peut-être.

On parle donc *bien* de Paul Giller.

Elle commence à me couper les ongles avec un coupe-ongles géant.

– Vos ongles sont vraiment très durs.

Je ne sais pas si sa remarque est une constatation ou un compliment. J'ai envie de lui poser plus de questions sur ce *type qu'elle connaît* mais je dois y aller doucement.

– Et ça fait longtemps que vous travaillez ici ? je lui demande en décidant de prendre une autre direction, pour mieux revenir ensuite.

– À peu près deux ans.

Je jette encore une fois un bref coup d'œil autour de moi.

– L'endroit est plutôt agréable.

– Je m'y plais.

– Vous vivez dans le quartier ?

– Pas loin.

– Il y a tellement d'immeubles en construction.

– Ouais, concède-t-elle, sans rien ajouter d'autre.

– Vous êtes mariée ?

Et puis mince, après tout.

– Non. Vous ?

– Non.

Elle finit de me couper les ongles puis se met à les limer.

– Rond ou carré ?

– Quoi ?

– Vos ongles ? Je peux les limer en taille carrée ou ronde ! Comme pour les diamants, ajoute-t-elle en riant.

– Je ne sais pas.

– Je préfère rond, personnellement. Ils sont plus faciles à entretenir comme ça et, de toute évidence, vous ne passez pas beaucoup de temps à vous occuper de vos ongles.

Je prends son reproche comme une tape sur la main et, une fois de plus, recule la mienne.

– Désolée. Je vous ai fait mal ?

– Non. C'est juste… disons ronds alors.

– C'est parti pour ronds.

Elle se remet à limer.

– Donc, personne de spécial dans votre vie ?

J'insiste, en m'attendant à ce qu'elle me demande de me mêler de mes oignons.

Elena s'arrête de limer et relâche sa prise sur mes doigts. Elle a cet air pensif dans les yeux, celui que j'ai sans doute quand je pense à Sean.

– Un peu. Il y a ce type. Mais c'est plus une histoire par intermittence.

Je sens mon cœur s'accélérer.

– Le type de la pneumonie ?

– Comment avez-vous su ?

– Le hasard. Vous avez dit qu'il était à l'hôpital ?

– Ouais.

– Il y est resté longtemps ?

– Deux jours.

Elle secoue la tête en se souvenant.

– Mais il a gardé la chambre pendant des semaines, après ça. Il ne pouvait littéralement pas sortir de son lit. J'ai emménagé chez lui. Je me suis occupée de lui. Je l'ai soigné jusqu'à ce qu'il aille mieux. Vous savez comment sont les hommes quand ils sont malades. C'était pathétique.

– C'était quand, tout ça ?

– Août, je crois. Peut-être fin juillet. Les mois se suivent et se ressemblent dans cette région, vous savez comment c'est.

Je sais exactement comment c'est. Je sais aussi que Paul Giller était donc sorti de l'hôpital quand j'ai été agressée et qu'on ne peut par conséquent pas le rayer de la liste des suspects. Je la regarde s'occuper de mes cuticules.

– C'est vraiment un désastre complet, tout ça, dit-elle.

– Je crois qu'on peut dire que c'est la faute de mon ex.

– Comment ça ?

– Je l'ai surpris en train de me tromper.

– Que s'est-il passé ?

– J'ai dû m'absenter quelques jours. Je suis rentrée plus tôt que je ne l'avais prévu. Plus tôt qu'*il* ne l'avait prévu, clarifié-je, en observant le visage d'Elena. Je l'ai trouvé au lit avec ma meilleure amie.

– Merde. Pourquoi c'est toujours la meilleure amie ? Et qu'est-ce que vous avez fait ?

– Je l'ai viré à coups de pied.

– Et votre amie ?

– Quelle amie ?

Elle acquiesce. Un acquiescement qui dit « je suis passée par là », même si elle ne dit rien d'autre. Si elle soupçonne Paul Giller de la tromper, elle n'a aucune intention de m'en parler. J'ai sans doute appris tout ce que je pourrai apprendre d'elle.

Je tente encore une ou deux questions, si elle aime voyager, ce à quoi elle répond :

– Non, pas spécialement.

Je lui dis que j'envisage de profiter de mes vacances forcées pour faire un voyage et lui demande si elle a une destination à me conseiller. Elle dit que San Francisco, c'est toujours sympa. Je lui demande si elle y est allée récemment et elle me répond que non. Je pense au voyage dont elle vient juste de rentrer, mais je n'arrive pas à trouver une façon de l'interroger sans lui révéler que j'épie l'appartement de son petit ami et que je l'ai vue défaire sa valise. Et puis, qu'est-ce que ça change où elle était ? La seule chose qui compte, c'est que Paul Giller n'était pas à l'hôpital quand on m'a agressée.

– Pouvez-vous relâcher un peu votre main ? me demande Elena en commençant à appliquer le vernis sur mes ongles. La relâcher complètement, en fait. Vous êtes raide comme un bâton.

– Désolée.

Je fais de mon mieux pour m'exécuter.

– C'est mieux ?

– Ça devrait faire l'affaire.

Nous restons assises en silence pour le reste de la manucure. Une fois finie, je jette un coup d'œil à mes mains. On dirait que quelqu'un m'a coupé le bout des doigts et qu'il ne reste plus que dix petits moignons en sang.

– Comment vous trouvez ça ? me demande-t-elle.

– Très joli.

– Il faut que ça sèche.

Elle pose une sorte de petit radiateur sur la table et y fait glisser mes mains.

– J'espère que vous n'aviez pas de rendez-vous tout de suite.

Je me souviens tout à coup que Claire m'attend au garage Carlito. Non mais qu'est-ce qui ne va pas chez moi ? Comment j'ai pu oublier ça ? Je baisse les yeux vers mon poignet, mais je ne porte pas de montre.

– Quelle heure est-il ? je demande, plus fort que je ne le voulais, ce qui fait sursauter Elena.

– Presque 10 heures.

– Merde !

Je retire mes mains du petit radiateur, saute sur mes pieds à une vitesse telle que la chaise sur laquelle j'étais assise se renverse sur le côté.

– Faites attention à vos ongles, m'avertit Elena.

– Il faut que j'y aille.

J'attrape mon sac.

– Vous pouvez régler à la réception ! crie-t-elle derrière moi.

Je n'ai pas la moindre idée de la somme que je dois, ni le temps de demander, donc, je plonge la main dans mon sac, sors deux billets de vingt dollars de mon porte-monnaie et les balance sur le comptoir en courant vers la sortie. « Pourquoi je tombe toujours sur des folles ? » entends-je Elena dire à la femme aux créoles dorées tandis que la porte se referme violemment derrière moi.

*
* *

207

– Bon sang, mais t'étais où ? me demande Claire quand je passe enfin la porte de « Carlito sur la Troisième ».

– Je suis désolée. J'ai fait un petit détour.

– Oh, mon Dieu, dit-elle en regardant mes mains et en devenant aussitôt blême. Qu'est-ce que tu as fait ?

Mes yeux suivent les siens jusqu'à mes doigts, je découvre ce qu'il reste de ma manucure et le vernis qui tache mes mains des deux côtés, comme des rigoles de sang séché.

– Je vais bien. C'est juste du vernis à ongles.

– Du vernis ?

Claire attrape mes doigts pour en avoir le cœur net.

– C'est une longue histoire.

– J'espère que c'en est une bonne.

– Mademoiselle Carpenter ? demande un homme en s'approchant.

Ma sœur se tait aussitôt et je regarde pour la première fois autour de moi. Nous sommes au milieu de ce qui semble être une boule de cristal géante. De chaque côté, les murs sont incurvés et transparents, on n'a pas du tout l'impression d'être à l'intérieur, mais dehors, au beau milieu du trottoir bondé. Le sol est en carrelage mais on dirait du bitume, même la sensation sous les pieds, sauf à quelques endroits où l'on a stratégiquement placé plusieurs tapis tissés et colorés. Quelques faux arbres donnent une impression de végétation luxuriante. Le coin réception est meublé de canapés en cuir jaune et lisse, ils sont ultramodernes, des lignes inclinées et des courbes douces. Une magnifique jeune femme à la peau mate est assise à un bureau transparent des années cinquante, devant un ordinateur qui semble flotter dans les airs. Elle porte un tee-shirt violet foncé avec un décolleté plongeant, exhibant ainsi, d'une façon pas franchement subtile, ses prothèses mammaires, comme si elle cherchait à dire : « Je les ai payées. Je vais les montrer. » Je me pose des questions sur ce genre de confiance en soi. Ça m'inquiète. Je me dis que ça pourrait être mal interprété.

J'étais complètement couverte le soir où je me suis fait agresser, me dis-je à nouveau. *Ma tenue n'avait absolument rien de provocant. Je devrais avoir honte de penser des choses pareilles. Je suis plus intelligente que ça. Je sais que le viol n'a rien à voir avec le sexe, c'est une histoire de pouvoir, de colère et de haine.*

– Mademoiselle Carpenter ?

Je me retrouve face à un homme assez beau d'un peu moins de quarante ans. Ses cheveux châtains et raides tombent dans ses yeux noisette et viennent effleurer son nez aquilin. Bien qu'on ne soit qu'en milieu de matinée, on peut déjà voir sa barbe repousser. Malgré son sourire chaleureux, l'ombre prématurée de sa barbe lui donne un air un peu menaçant. Il porte un jean et une chemise à carreaux bleus et blancs, un badge – *Bonjour, je m'appelle Johnny K.* – est épinglé à la poche de devant. Johnny K. peut-il être l'homme qui m'a violée ? Je recule d'un pas et écrase involontairement les orteils de Claire.

– Ravi de voir que vous êtes enfin arrivée. Votre sœur commençait à s'inquiéter.

– Désolée.

Il rit, comme si j'avais dit quelque chose d'incroyablement intelligent.

– Venez. Je vais vous montrer les réparations que j'ai faites sur votre voiture.

Claire et moi le suivons jusqu'à une sortie au fond de la salle en verre, qui mène à un garage en béton rempli de voitures de luxe à différents stades de réparation. Je remarque une Mercedes marron glacé suspendue et deux hommes qui travaillent sur son châssis. Je vois une Jaguar bleu pâle qu'on repeint minutieusement, une Ferrari rouge vif flambant neuve avec une énorme bosse sur le flanc.

– Est-ce que tu vas bien ? demande Claire. Tu es un peu pâle. Tu veux t'asseoir ?

Je secoue la tête. Je ne compte pas moins de six mécaniciens en train de travailler. À l'exception d'un d'entre eux, ils ont tous les cheveux foncés, entre vingt et quarante ans, de taille et de corpulence moyennes. Une seule exception : un homme qui approche plus de la cinquantaine et qui perd ses cheveux, bien que lui aussi soit de taille et de corpulence moyennes. N'importe lequel de ces hommes pourrait être celui qui m'a violée.

– À quoi tu penses ? me demande Claire en plissant les yeux.

– À rien.

– Menteuse.

Elle me serre doucement le bras.

209

– Comme vous pouvez le constater, m'explique Johnny Kroft, nous avons lissé les bosses et verni les égratignures, repassé une couche de peinture, nous l'avons nettoyée de fond en comble et abracadabra, comme neuve. Super voiture. Si vous voulez la vendre un jour, c'est moi que vous appelez en premier.

– Je ne vendrai jamais cette voiture, lui dis-je.

– Non ? Bon, je vous comprends en même temps. Bref, voici votre facture dans le détail. Vous pouvez payer à la réception. Je vais demander à quelqu'un de vous conduire votre voiture devant l'entrée.

Claire et moi le remercions et retournons dans la partie principale du bâtiment.

– Je suis désolée, dit la réceptionniste, mais nous n'acceptons pas les chèques. On prend Visa, MasterCard, American Express…

– Je n'ai pas… on me les a volées, dis-je, tandis que Claire sort son porte-monnaie et tend sa carte de crédit à la jeune femme. Qu'est-ce que tu fais ?

– C'est bon. Je viens juste de toucher de l'argent.

– Non ! Cet argent était pour toi.

Elle hausse les épaules.

– Tu sais, l'argent, ça va, ça vient.

– Je te le revaudrai, dis-je en insistant, parce que je sais que je n'ai pas d'autre solution.

– On en parlera plus tard. Pour l'instant, laisse-moi te ramener chez toi.

18

On ne rentre pas à la maison.

À la place, on descend Brickley Bay Drive en direction de South Beach, avec l'océan qui rugit à côté de nous. En sortant du parking de chez Carlito, j'ai proposé qu'on aille se balader et Claire a tout de suite accepté. Ça me fera du bien de sortir un peu de chez moi, me suis-je dit après réflexion, de changer de décor, de voir ma sœur sourire à nouveau.

– N'est-ce pas le plus beau paysage du monde ? demande Claire en passant les vitesses avec un plaisir évident.

J'incline le siège passager et profite de la pure majesté du décor : le ciel sans nuages, les palmiers, le sable de la plage, le bleu profond et vibrant de la mer.

C'est la première fois que j'autorise quelqu'un à conduire ma voiture. Même Heath n'y a jamais eu droit. J'aime profondément mon frère mais même lui reconnaît qu'il est facilement distrait, voire souvent complètement inconscient. Où est-il ? Je me le demande encore. Ce n'est pas son genre de disparaître aussi longtemps sans au moins passer un coup de fil. Pourquoi n'ai-je aucune nouvelle de lui ? Pourquoi n'a-t-il pas répondu à la demi-douzaine de messages que j'ai laissés sur son répondeur ?

– J'ai toujours rêvé de voir Paris, dit Claire.

– On devrait y aller. Peut-être cet été quand Jade sera en vacances. Toutes les trois, on pourrait…

Elle fait non de la tête.

– L'idée est tentante, mais il est juste impossible que je puisse me permettre…

– Si, c'est possible. Tu verras. Je vais appeler l'agence de voyages de papa et leur demander de regarder ce qu'on peut faire.

Claire secoue de nouveau la tête.

– Quoi ? je demande.

– Ça a l'air si facile quand tu le dis.

– *C'est* facile.

– Pas selon mon expérience.

On a eu des vies tellement différentes elle et moi. J'ai grandi dans un foyer aimant avec deux parents qui m'adoraient. J'ai été gâtée et choyée, on anticipait le moindre de mes besoins, on exauçait tous mes souhaits. Les voyages à l'étranger, les cadeaux hors de prix, l'appartement dans un gratte-ciel. Je n'avais qu'à demander. La plupart du temps, ce n'était même pas nécessaire. Claire n'a rien eu de tout ça. Elle a dû se battre toute sa vie, travailler dur pour chaque dollar qu'elle a gagné, chaque jour de vacances qu'elle a pris. Elle a toutes les raisons du monde de m'en vouloir. Et pourtant elle est là.

– Je ne pourrai jamais assez te remercier, lui dis-je.

– Pour quoi ?

– Pour tout ce que tu as fait… tout ce que tu continues de faire.

– Je t'en prie, dit-elle avec détachement. Tu en aurais fait autant pour moi.

– Je ne crois pas, lui dis-je honnêtement.

Dans la situation inverse, si c'était Claire qui avait été violée, j'aurais sans doute eu de la peine pour elle. J'aurais peut-être même téléphoné pour lui demander si je pouvais faire quoi que ce soit, comme font les gens quand ils ne s'attendent pas vraiment à ce qu'on les prennent au mot. Mais mes efforts se seraient certainement limités à ça. On partage peut-être l'ADN de mon père, mais on n'a pas partagé grand-chose d'autre pendant toutes ces années. Jusqu'il y a quelques semaines, nous étions presque des étrangères l'une pour l'autre. *Désormais*, me dis-je avec un élan de fierté, *nous sommes sœurs*.

– Tu as faim ? me demande Claire quand on atteint Miami Beach.

On avance à la vitesse d'un escargot sur Collins Avenue, embouteillée comme d'habitude.

Je me rends compte que j'ai oublié de petit-déjeuner.

– Oh oui.

Nous rions toutes les deux devant l'enthousiasme surprenant de ma réponse.

– Dans ce cas, je vote pour que nous nous arrêtions bientôt déjeuner.

South Beach est célèbre pour ses restaurants. Je suis sur le point de suggérer mon préféré, l'Afterglow, un endroit branché sur Washington Avenue, fréquenté par la jeunesse dorée ; qui se vante de proposer un menu ultrasain, essentiellement crudivore, quand je me souviens qu'il se vante également d'avoir les prix parmi les plus chers en ville. Il y a un tas d'autres restaurants tout aussi exagérément chers dans le quartier, mais puisque je n'ai pas de carte de crédit, je décide qu'il serait préférable qu'on se contente d'un endroit où je pourrai payer avec les espèces que j'ai sur moi. Je me dis dans un coin de mon cerveau qu'il faudra que je me souvienne de passer les coups de fil nécessaires afin de faire remplacer mes cartes volées. Je ne peux pas continuer à compter sur Claire pour me dépanner.

– Rappelle-moi d'appeler la banque tout à l'heure pour te commander de nouvelles cartes de crédit, dit Claire, comme si elle lisait dans mes pensées.

Je tends la main pour prendre la sienne.

– Tu es formidable.

– Oh, je t'en prie. Pas de sentimentalisme mielleux avec moi, me prévient-elle. Je ne suis pas très douée question sentimentalisme.

J'essuie les larmes qui me montent aux yeux avec le dos de ma main pleine de vernis.

– Tu crois que je plaisante ? Demande à Jade. Ou encore mieux, demande à mon ex-mari, si jamais tu trouves ce salaud. Ils te diront que je n'ai pas un gramme de sentimentalisme en moi. Ni de romantisme, d'ailleurs. Trop pragmatique, sûrement.

– Est-ce qu'on ne peut pas être romantique *et* pragmatique ?

– Pas selon mon expérience, insiste-t-elle.

Un silence confortable s'installe, on ne se dit plus rien avant d'avoir atteint South Beach, où l'on se gare sur un parking de Lincoln Road avant de continuer à pied. Les rues sont bondées, comme toujours : des fils à papa pourris gâtés en vêtements griffés dépassent sur leurs rollers de vieux retraités aux cheveux gris qui poussent leurs déambulateurs ; des juifs orthodoxes austères en costume noir font de leur mieux pour ignorer les drag-queens à la tenue excentrique qui se tiennent devant de fantastiques bâtiments Art déco aux couleurs pastel ; des touristes en chapeaux de paille essaient tant bien que mal de ne pas se laisser bousculer.

Nous marchons sur le boulevard qui longe l'océan. Le vent s'est levé et joue avec nos cheveux. Ça me fait un bien fou. Pour la première fois depuis longtemps, j'ai l'impression d'être vraiment en vie. Je ne suis plus une victime. Je suis une fille qui marche avec sa sœur le long d'une plage noire de monde, un vent d'espoir soufflant dans ses cheveux.

Jusqu'à ce que je le voie, debout à un coin de rue.

– Qu'est-ce qu'il y a ? demande Claire. Qu'est-ce qui ne va pas ?

L'homme a aux alentours de trente ans, de taille et de corpulence moyennes, les cheveux bruns et un regard si intense qu'il me brûle la peau comme un fer rouge.

– Bailey, qu'est-ce qu'il y a ?

Je baisse la tête et le désigne du menton tout en gardant les yeux au sol. Mon cœur bat follement, il me remonte dans la gorge, étrangle mes mots avant qu'ils ne puissent se former dans ma bouche. Quand ma voix réussit enfin à se frayer un chemin, elle est méconnaissable.

– Cet homme, là-bas.

– Lequel ?

Je relève la tête, je vois au moins une douzaine de personnes rassemblées au croisement qui attendent que le feu passe au vert. Un tiers de ces personnes sont des femmes et, parmi les hommes, une bonne moitié au moins ont une petite trentaine d'années, de taille et de corpulence moyennes, avec des cheveux foncés. Aucun d'entre eux n'a l'air de savoir que j'existe, ne serait-ce que vaguement. Personne ne me regarde.

L'homme aux yeux perçants a disparu.

Était-il vraiment là ?

– Fausse alerte, dis-je à Claire, en forçant un sourire crispé.

– Tu es sûre que ça va ?

– Très bien.

Je jette un coup d'œil furtif aux alentours et ne vois personne d'autre susceptible d'éveiller mes soupçons.

Mis à part, bien sûr, tous les hommes que je vois.

Il faut que j'arrête de faire ça. Je vais me rendre folle.

Trop tard ! crie une petite voix à l'intérieur de ma tête. Je me mords la langue pour la faire taire et attrape la main de Claire pour traverser la rue ; je la laisse me guider.

On finit par s'éloigner du bord de mer pour chercher un restaurant devant lequel une queue ne s'étendrait pas sur la moitié d'un pâté de maisons. Nous trouvons finalement un petit café sur Michigan Avenue où l'on n'attend presque pas avant d'être assises. Une serveuse avec de long cheveux bruns, un léger déhanchement et des talons avec plus de centimètres que la minuscule jupe noire qui lui recouvre à peine les fesses nous fait traverser une salle fraîche et tamisée jusqu'à une petite table dans le coin le plus reculé du patio extérieur, à l'arrière du restaurant. Le patio est entouré de bougainvilliers violet vif et recouvert de parasols à rayures blanches et corail pour préserver les clients du soleil. On s'installe dans les fauteuils ronds de notre table pour deux, une table aux pieds en fer forgé avec un plateau de verre. Quelques secondes plus tard, un serveur arrive avec les cartes. Il doit avoir vingt-cinq ans, taille et corpulence moyennes, des cheveux et des yeux foncés. Il a de grandes mains. Je fixe le carrelage à travers le plateau de verre de la table en essayant de ne pas imaginer ces mains autour de mon cou. « Dis-moi que tu m'aimes », dit le serveur en se penchant au-dessus de mon épaule pour me tendre la carte.

Mes yeux se braquent sur les siens.

– Comment ?

– Puis-je servir à ces dames quelque chose à boire ? répète-t-il avec un sourire naturel.

– Je vais prendre un verre de votre vin blanc, dit Claire, en me lançant un regard suspicieux. Bailey ?

– Juste de l'eau.

– T'es sûre ?

J'acquiesce. Je regrette que nous soyons venues ici, d'avoir suggéré cette balade, d'avoir eu ne serait-ce que l'idée de quitter mon appartement.

– Bouteille ou carafe ?

– Bailey ? me presse encore Claire.

Je n'ai aucune idée du temps qui s'est écoulé depuis qu'il a posé la question. Je ne suis même plus certaine de la question.

– En bouteille.

– Plate ou gazeuse ?

Je dégouline de sueur.

– Gazeuse.

– Perrier ou San Pellegrino ?

– Je vais prendre du vin, finalement, dis-je, en chassant le serveur d'un geste impatient.

– Deux verres de blanc, ça arrive tout de suite, dit-il joyeusement.

– Depuis quand c'est devenu plus compliqué de commander de l'eau que du vin ? je demande à Claire.

– Tu es sûre que ça va ?

– J'ai juste faim.

– Bien, c'est bon signe… ton appétit revient.

Je réussis à feindre un autre sourire. Je me souviens d'avoir lu quelque part que si on simule quelque chose pendant suffisamment longtemps, on peut finir par vraiment le ressentir. J'espère que c'est vrai, même si je doute de pouvoir faire semblant assez longtemps pour que ça devienne une réalité

– Alors, dit Claire en examinant la carte, le saumon poché a l'air pas mal.

– Il a l'air, approuvé-je, alors que je ne sais pas du tout où il se trouve sur le menu.

Je ne vois qu'une bouillie de lettres.

– Bailey, dit Claire, et je réalise à son regard inquiet que ce n'est pas la première fois qu'elle prononce mon nom. Bailey, qu'est-ce qu'il se passe ?

– Trop de choix, dis-je, alors que le serveur revient avec nos verres de vin.

– Voudriez-vous entendre nos suggestions du jour ?

Il les énumère puis nous laisse quelques minutes pour choisir.

– Tout à l'air tellement délicieux, dit Claire.

J'ai déjà oublié les suggestions.

– Je vais prendre la salade de homard au pamplemousse, dit Claire au jeune homme quand il revient, et je hoche la tête pour montrer que je prends la même chose.

C'est plus facile comme ça. En plus, j'ai perdu l'appétit. Le simple fait de penser à de la nourriture me donne la nausée.

– Aux jours meilleurs qui nous attendent, lance Claire en levant son verre de vin pour trinquer et le frapper contre le mien.

– Aux meilleurs jours qui nous attendent, dis-je aussi, en portant le verre à mes lèvres.

– Alors, dit Claire d'un ton soudain très sérieux, je crois que j'ai été assez patiente. Vas-tu enfin me dire ce qu'il s'est passé ?

– Ce qu'il s'est passé ?

Je n'ai pas la moindre idée de ce dont elle parle.

– Ce matin. Ce besoin urgent de se faire faire une manucure.

Je prends une profonde inspiration, en me repassant les événements de ce matin, j'essaie de les remettre dans un ordre qui serait sensé pour Claire comme pour moi. Assez étrangement, repenser à ça, me remémorer les détails, m'aide à me calmer. J'arrive à lui parler clairement et sans m'émouvoir de la recherche Internet que j'ai faite sur Paul Giller, de la filature de lui et sa femme, une femme qui s'appelle Elena et qui n'est, en réalité, *pas* sa femme. Je vois le visage de Claire passer de la curiosité à l'inquiétude puis carrément à la panique.

– Attends une minute, m'interrompt-elle. Tu dis que tu as fait une recherche sur Paul Giller ? Qu'est-ce que tu as trouvé ?

– Pas grand-chose. Juste qu'il est acteur et qu'il a eu une pneumonie tellement sévère qu'il a dû être hospitalisé il y a peu.

– Merde, murmure Claire. Et tu es vraiment entrée dans son appartement ?

– Dans son immeuble.

– As-tu la moindre idée du danger que ça représente ? Je veux dire, et si c'était l'homme qui t'a violée ? Réfléchis une minute, Bailey. Et s'il t'avait vue ?

– Ça n'est pas arrivé.

– Tu en es sûre ?

– J'en suis certaine.

Vraiment ? À quand remonte la dernière fois que j'ai été sûre de quelque chose ?

– Et ensuite tu l'as suivi ?

– Jusqu'à ce qu'il prenne un taxi. Puis je l'ai suivie, elle.

Claire essaie à la fois d'intégrer et d'ignorer cette dernière révélation. Elle se penche au-dessus de la table.

– Bailey, j'ai besoin que tu me promettes quelque chose.

– Quoi ?

– J'ai besoin que tu me promettes que tu ne t'approcheras plus de l'appartement de Paul Giller, que tu vas laisser le travail d'enquêteur aux vrais enquêteurs.

– Je suis une vraie enquêtrice, lui rappelé-je.

– Tu es aussi la victime.

J'ouvre la bouche pour protester, mais elle enchaîne :

– Je sais que tu tiens à faire quelque chose. Je sais que tu as besoin de réponses. Mais c'est une chose d'espionner un homme en sécurité dans ton appartement et c'en est une autre de partir à sa recherche, de le suivre, et d'interroger sa petite amie. C'est juste…

– … fou ?

– … chercher des ennuis. Promets-moi que tu ne referas plus rien de ce genre.

– Claire…

– Bailey… dit-elle, en se servant de mon prénom comme d'un point d'exclamation pour mettre un terme à la discussion une fois pour toutes. Promets-moi, dit-elle de nouveau, alors que le serveur s'approche avec nos salades homard-pamplemousse.

– Bon appétit, mesdames.

– Promets-moi, répète Claire dès qu'il est parti.

– Je te le promets, je réponds à contrecœur.

– Très bien.

Elle prend une longue et profonde inspiration.

– Nous n'en parlerons plus. Mange.

Je pique un morceau de homard avec un quartier de pamplemousse, porte le tout à ma bouche et l'avale.

– Je crois qu'on est censé mâcher.

Je prends un autre morceau et j'exagère délibérément chaque mastication.

– Petite maligne, lance Claire. Puis, après un court silence : Alors, quel est le verdict ?

– Délicieux, dis-je, alors que pour moi ça n'a aucun goût.

On peut lire l'inquiétude sur son visage, une série de petites rides entourent sa bouche, les froncements de l'arête de son nez sont encore plus marqués qu'il y a ne serait-ce qu'une semaine, comme s'ils menaçaient de devenir permanents. Je m'en veux d'être la cause de cette inquiétude, d'être un souci de plus pour elle. Je décide de ne plus rien faire qui pourrait la contrarier davantage. Je vais tenir ma promesse et ne m'approcherai plus de Paul Giller. Je vais laisser la police faire son travail. Je vais remettre de l'ordre dans ma vie.

— C'est pour moi, dis-je, quand le serveur réapparaît à la fin du déjeuner en nous tendant l'addition.

Je feins de vérifier la note, mais la bouillie de chiffres que je vois n'a aucun sens. J'attrape mon sac, en sors une poignée de billets de vingt dollars en espérant que ça suffira.

— Des espèces ? Ça fait longtemps que je n'en ai pas vu, dit le serveur en riant et en dévoilant deux grandes canines.

Je sens ces dents mordre mon sein et j'ai du mal à respirer.

— Y a-t-il un problème ? demande-t-il tout à coup.

— Aucun problème.

— Je reviens dans une minute avec votre monnaie.

— Pas la peine.

Je veux juste qu'il s'en aille.

— Bien, merci infiniment, mesdames. Ce fut un plaisir de vous servir. Passez un bon après-midi.

*
* *

— D'humeur à faire du lèche-vitrine ? je demande à Claire.

La seule chose dont j'ai vraiment envie, c'est de rentrer chez moi et de me mettre au lit, mais j'ai peur de le lui dire. Je ne veux pas qu'elle perde son enthousiasme, qu'elle perde tout intérêt pour moi, qu'elle perde confiance en ma guérison et toute confiance dans le rôle qu'elle peut y tenir.

Nous passons l'heure suivante à faire les vitrines de la quasi-totalité des magasins de South Beach.

— Mon Dieu, que j'aimerais encore pouvoir rentrer dans un truc comme ça, dit Claire en voyant un Bikini string bleu et blanc dans un des innombrables magasins de maillots de bain qui font face à l'océan. Qu'est-ce que je raconte ? Je ne suis jamais rentrée dans un truc comme ça. Même dans ma soi-disant fleur de l'âge. J'ai hérité des hanches de ma mère, fit-elle en riant.

Alors que moi, j'ai hérité de l'argent de ton père, je réplique en silence.

— Je te trouve magnifique, dis-je à haute voix.

Son regard se brouille et elle se retourne. Nous traversons la route qui longe la plage et je retire mes chaussures pour sentir le sable se glisser entre mes orteils. Depuis combien de temps n'ai-je pas marché sur cette plage ? Je venais ici tous les jours quand ma mère était malade. J'aimais le bruit de l'océan, ses vagues qui s'écrasent sur le rivage. Je trouvais du réconfort dans son ressac, son renouvellement permanent, sa constance.

– Tu as vécu près d'ici, non ? observe Claire.

– Un peu plus haut, oui, à quelques pâtés de maisons à l'ouest.

Ça me semble à la fois triste et étrange que Claire n'ait jamais vu la maison où j'ai grandi, que mon père ait à ce point cloisonné les différentes facettes de sa vie, les ait gardées séparées.

– Tu veux aller voir ?

– Si tu as envie de me montrer.

– Bien sûr.

Je prends sa main et la guide pour retraverser la rue.

– J'aimerais beaucoup.

19

La maison dans laquelle j'ai grandi est une hacienda tentaculaire, d'un seul niveau de mille deux cents mètres carrés, avec un toit en tuiles de corail, des plafonds de sept mètres cinquante et des sols en marbre italien. Un portail en fer forgé noir sculpté sépare la rue de l'allée semi-circulaire en briques orange et grises, une allée qui peut facilement contenir une demi-douzaine de voitures. À gauche de l'entrée principale se trouve un garage quatre places qui abritait à une époque une Rolls noire, une Bentley aux tons cuivre ainsi qu'un bolide rouge de chez Maserati et la Porsche argentée que j'ai héritée de ma mère. Mon père a fini par vendre la Rolls et la Bentley et Heath était censé hériter de la Maserati, mais tous ces biens sont pour l'instant gelés à cause du procès entamé par nos demi-frères et sœur. Procès qui nous empêche également de mettre cette maison en vente pour l'instant. Elle reste donc inhabitée, chaque meuble est à sa place, intact, les agents immobiliers comptent bien qu'elle ait toujours l'air entretenue dehors comme dedans.

J'ai toujours adoré cette maison. Les pièces ont beau être immenses, elles sont chaleureusement décorées. Un mélange de tons chauds et d'énormes canapés, de fauteuils confortables, de tables en bois d'époque et de tapis finement tissés. Des peintures abstraites aux couleurs vives recouvrent les murs, œuvres d'artistes connus comme obscurs. Déjà petite, j'adorais me promener dans ce labyrinthe de pièces, explorer chaque recoin de cette architecture typiquement espagnole. J'avais un faible pour l'immense patio, rempli de fleurs et de grands arbres touffus. Heath et moi considérions cet endroit comme notre terrain de jeux personnel. On se cachait au milieu des arbustes et on sautait de derrière les hortensias bleus et blancs pour faire peur à l'autre.

– On ne pourra pas entrer, dis-je à Claire quand nous tournons au coin de mon ancienne rue. Je n'ai pas la clé.

Normalement, j'ai deux jeux de clés de cette maison. Le premier se trouve dans le tiroir de mon bureau, chez moi. L'autre était sur le même trousseau que la clé de mon appartement, celui qu'on m'a volé la nuit de mon agression.

– C'est celle au bout de la rue, n'est-ce pas ? demande Claire.

J'acquiesce et nous continuons d'avancer.

Je sais que quelque chose ne va pas avant même d'avoir atteint le milieu du pâté de maisons. Le portail, d'habitude fermé, est grand ouvert. Quand on s'approche, je vois plusieurs voitures qui bouchent l'allée. Il y en a même une à moitié garée dans l'herbe, les pneus lourds de l'arrière-train écrasent une fragile rangée d'impatiens blanches et violettes.

– On dirait que tu as de la visite, dit Claire en sortant son téléphone portable de son sac.

– Qu'est-ce que tu fais ?

– J'appelle la police.

– Non, lui dis-je en reconnaissant la Volvo vert foncé. Je connais cette voiture.

– Ah bon ?

– C'est celle de Travis.

– Ton ex-petit ami ?

C'est plus une affirmation qu'une question, même si Claire me regarde en attendant que je confirme.

– Que ferait-il ici ? Comment aurait-il pu entrer ?

– Aucune idée.

On passe le portail grand ouvert, on approche de l'énorme porte d'entrée en bois et en verre. On essaie d'apercevoir quelque chose à travers les feuilles de palmiers délicatement sculptées qui ornent la vitre. Je vois le hall en marbre, avec sa grande table en chêne sur laquelle est posé un spectaculaire bouquet de fausses fleurs. Elles ont l'air si vraies que c'en est perturbant. Au fond se trouve le patio central ou Heath et moi avions l'habitude de jouer. Il a l'air vide.

J'essaie de remuer la poignée. La porte s'ouvre.

– J'appelle la police, répète Claire.

– Attends, insisté-je, en sentant l'inimitable odeur de marijuana atteindre mes narines.

Si Travis est ici, ça veut dire que Heath l'est probablement lui aussi. Heath a une clé et Travis n'en a pas. À moins qu'il ne l'ait volée dans mon sac la nuit de mon viol. Ce qui veut dire que c'est lui qui m'a violée. Ce qui est impossible. Je le sais. N'est-ce pas ?

— Attends, s'il te plaît.

Claire baisse son téléphone.

— Heath ! Heath, tu es là ?

On jette un œil dans les deux couloirs qui mènent respectivement aux ailes droite et gauche de la maison.

— Tu penses sincèrement que ton frère est assez stupide pour violer une injonction de la cour ?

Heath n'est pas stupide. Mais il n'est pas spécialement connu pour prendre des décisions intelligentes.

On tourne et on pénètre dans le premier des trois salons de la maison. J'entends un gémissement et sens quelqu'un bouger à ma gauche. Je me fige. Un bras mince s'agrippe au dossier d'un canapé couleur sable et une touffe de boucles rousses et emmêlées apparaît. Elle plisse les yeux, bien que le soleil soit derrière elle.

— Qui êtes-vous ? demande une voix planante et endormie.

— Je m'appelle Bailey. Cette maison m'appartient.

— Sans déconner. Ravie de vous rencontrer, Bailey. Je m'appelle Samantha.

La fille, qui ne doit pas avoir plus de dix-huit ans, tente de se relever, et c'est à ce moment-là que je m'aperçois qu'elle est nue. Par chance, elle s'effondre sur le canapé avant d'avoir réussi à se redresser complètement et elle ne prend même pas la peine de réessayer.

— Je n'arrive pas à y croire, dit Claire.

— Heath est là ? je demande à Samantha, la gorge serrée.

— C'est qui, Heath ? me répond-elle sans articuler.

— Et Travis ?

— Oh, ouais, Travis, dit Samantha, comme si cette réponse allait me suffire.

Nous faisons demi-tour pour quitter la pièce, mais j'ai du mal à marcher. La panique grandit en moi à chaque pas... je commence à avoir l'habitude.

– Enchantée ! crie Samantha tandis que nous sortons et commençons à remonter le couloir.

– On se croirait dans une scène de film, dit Claire quand nous traversons la salle à manger, avec sa table étroite en chêne de style médiéval et ses douze chaises, jusqu'à la grande cuisine moderne et sa tout aussi grande table de petit déjeuner. À l'exception de Samantha, nous ne croisons personne. Nous revenons sur nos pas, reprenons le couloir en sens inverse.

Nous traversons le deuxième salon et le bureau de mon père avec son impressionnante bibliothèque, puis la salle de télé avec son écran géant accroché au mur, face à deux rangées de quatre fauteuils en cuir bordeaux. Les stores sont baissés et la télévision est allumée, bien que le son soit coupé et que personne ne la regarde.

– Heath.

Je l'appelle en m'emparant de la télécommande intégrée à l'un des fauteuils pour éteindre la télé. Le mouvement me donne mal au cœur. Je lutte contre une envie irrépressible de m'enfuir.

Nous entrons dans le troisième salon, le plus petit, avec ses quatre canapés qui forment un carré parfait au centre de la pièce. Puis nous jetons un œil dans les quatre chambres d'amis, toutes vides. L'odeur douce et écœurante de marijuana s'intensifie au fur et à mesure que nous avançons. Nous finissons par atteindre le bout de l'immense couloir sinueux et nous arrêtons devant la chambre de mes parents. Elle est fermée. Claire et moi échangeons un regard et j'agrippe la poignée. Elle brandit son téléphone dans sa main, comme s'il s'agissait d'une arme, les doigts prêts à composer le numéro de la police. Mon cœur bat si fort que j'ai l'impression qu'il est sur le point d'exploser.

La chambre est plongée dans le noir, donc, je ne les vois pas tout de suite.

– Aïe ! crie quelqu'un quand la porte percute un tas de chair humaine couchée à quelques centimètres à peine de mes pieds.

Je cherche l'interrupteur à tâtons et allume les plafonniers. La lumière inonde la pièce.

– Bordel ! s'exclame une voix d'homme depuis le lit qui trône au milieu de la chambre.

Heath ?

– Bon sang, éteins-moi ça, veux-tu ?

– Qu'est-ce que c'est que ce… ? demande une autre voix d'homme depuis le sol, au pied du lit. Une tête inconnue apparaît, avec un joint qui pend à ses lèvres minces et mi-closes. Il disparaît de nouveau presque aussitôt.

Malgré la lumière, j'ai du mal à déterminer combien ils sont exactement. En plus de mon frère et de l'homme couché au pied du lit, il y a deux femmes, plus ou moins nues, affalées sur la couette du lit. Sans oublier ce corps à moitié inconscient, dont le sexe reste à déterminer, allongé par terre devant la porte de la chambre.

– Doux Jésus, s'exclame Claire quand la porte de la salle de bains adjacente s'ouvre et laisse apparaître Travis.

Il me voit et une expression gênée envahit aussitôt son beau visage. Il porte un jean et une chemise Tommy Bahama bien trop grande que je n'avais jamais vue. Il est pieds nus.

– Bailey dit-il, comme pour accuser ma présence. Qu'est-ce que tu fais ici ?

Mon pouls se calme. La panique laisse place à l'indignation.

– Qu'est-ce que *je* fais ici ?

– Je sais que tout ça ne doit pas avoir l'air génial…

– Croyez-moi, vous n'avez pas la moindre idée de l'air que ça a, dit Claire.

– Qui êtes-*vous* ? demande Travis.

– Bon sang, qu'est-ce qui se passe ici ? je demande.

– Je crois que c'est avec ton frère que tu devrais discuter de ça.

Travis avance vers le lit. La main de Heath sort de sous les couvertures pour saisir un oreiller et se recouvrir la tête avec.

– Va t'en, dis-je doucement.

– Bailey…

– Et emmène tes amis avec toi.

Travis acquiesce en silence. Il avance jusqu'au pied du lit, se penche et frappe la tête de l'homme qui est couché là. Le joint éteint tombe des lèvres de l'homme, mais même ça, ça ne réussit pas à le réveiller. Travis se penche au-dessus du lit, entre les deux femmes à moitié conscientes et à moitié nues.

– Très bien, mesdemoiselles. La fête est finie. Il est l'heure de se lever.

– Je veux que vous sortiez tous de chez moi.

– Aux dernières nouvelles, c'était chez moi aussi, daigne dire Heath de dessous de son oreiller.

– Aux dernières nouvelles, dit Claire, c'était au tribunal d'en décider.

– Qui êtes-vous ? demande à nouveau Travis.

– Attends, dit Heath, le visage toujours caché. Laissez-moi deviner. Est-ce un oiseau ? Est-ce un avion ?

Il se redresse d'un seul coup, l'oreiller lui tombe du visage, en rabattant ses cheveux sales sur son front et dans ses yeux.

– Non ! C'est Super-Claire !

– Heath, pour l'amour de Dieu…

– Tu ne l'as sûrement pas reconnue, Travis, parce qu'elle porte son costume de tous les jours, celui de la gentille infirmière, celui de la Mère Teresa des sœurs perdues de vue, mais ne te laisse pas avoir. Super-Claire a une identité secrète. Sous cette chemise bleue pas vraiment flatteuse et son pantalon beige trop serré se cache la combinaison rouge et bleu d'une véritable manipulatrice, d'une amie perfide et d'une voleuse d'héritage. Je n'ai pas besoin de vision aux rayons X pour voir à travers toi, dit-il à Claire en pointant un doigt tremblant vers elle avant de s'effondrer à nouveau sur le lit en explosant de rire comme un gamin.

– C'est bon, t'as fini ? je lui demande.

– Et *toi*, t'as fini ? répète-t-il.

– Je t'en prie, ne me force pas à appeler la police, dis-je.

Le mot « police » semble réveiller tout le monde. Les deux femmes emmêlées dans la couette se redressent, leurs bras et leurs jambes nus semblent imbriqués de telle façon qu'il est impossible de dire où commence l'une et où finit l'autre.

– Où est ma culotte ? bredouille l'une des deux, en cherchant à tâtons à travers la pile de draps froissés.

– Je ne crois pas que tu en portais, beau cul, dit Heath en donnant une claque amusée à ses fesses nues alors qu'elle continue à chercher, penchée au bord du lit.

Les deux hommes allongés par terre se redressent, les yeux vitreux, les gestes raides, mais paradoxalement assez gracieux. On a l'impression que la scène se passe au ralenti. Le jeune homme au pied du lit – il a environ vingt-cinq ans, des cheveux bruns, un torse maigre et imberbe et un jean slim noir déboutonné – jette un œil en direction de la porte.

– Quelqu'un a prononcé le mot « police » ?

– J'ai bien envie d'un verre d'eau, dit l'autre homme désormais adossé à la porte de la chambre.

Il me dit ça à moi, comme si j'étais à son service, et affiche un air de plus en plus excédé quand il voit que je ne réagis pas. Il porte un caleçon avec des dessins de Mickey Mouse, bien qu'il ait au moins trente ans, et ses cheveux mi-longs teints en blond, presque platine, me font aussitôt penser à un pissenlit géant. On distingue des racines foncées à la surface de son crâne. J'estime, à la longueur de ses racines, qu'il a dû se teindre lui-même les cheveux il y a environ un mois. Peut-être au moment de mon agression. Peut-être juste après. Je ferme les yeux et tente de chasser ces pensées de mon cerveau. Que fait mon frère avec tous ces gens ?

– Je crois que vous devriez vous rhabiller et vous en aller, dit Claire.

– Je crois que tu devrais aller t'occuper de tes malades, répond Heath en riant.

– Heath, l'avertis-je. Je t'en prie. Ce n'est pas drôle.

– Là-dessus, tu as tout à fait raison, dit-il en écartant les draps qui recouvrent ses jambes. C'est pathétique.

Claire lui balance un jean en pleine tête. Je ne sais pas où elle l'a trouvé. Je ne sais même pas s'il appartient à Heath.

– Pour l'amour du ciel, couvre-toi. Tu ne vois pas que tout ça, c'est la dernière chose dont ta sœur ait besoin en ce moment ?

– La dernière chose dont ma sœur ait besoin... reprend Heath en refusant de se laisser intimider... c'est qu'une personne fasse semblant de s'inquiéter pour elle alors qu'en réalité elle ne pense qu'à son propre intérêt.

– Et de qui pourrait-il bien s'agir ? demande Claire en le regardant droit dans les yeux.

– Qu'est-ce qui se passe ? demande une des filles tandis que Heath enfile son jean en essayant d'être aussi discret que possible au moment où il atteint son bassin musclé.

– J'ai cru que la police avait débarqué, dit son amie.

– Vous êtes flics ? demande l'homme au torse imberbe.

227

Est-ce l'homme qui m'a violée ? Quelqu'un d'aussi ordinaire aurait-il pu s'emparer aussi facilement de moi ?

L'homme nous regarde, Claire et moi, puis Travis.

– Elles sont flics ou pas ?

– J'aurais vraiment besoin d'un verre d'eau, dit le pissenlit.

– Je vous donne deux minutes à tous, puis j'appelle la police, annonce Claire.

– Oh, arrête, meuf, gémit le pissenlit. Faut que tu nous donnes plus de temps que ça. Je sais même pas où est mon pantalon.

– Où est Samantha ? demande une des filles, en tâtant le lit, comme si ça copine pouvait s'être perdue quelque part entre les plis des draps.

– Je crois qu'elle est dans le salon, répond Claire.

– Qu'est-ce qu'elle fait là-bas ?

– Vous n'aurez qu'à lui demander en sortant.

– Je suis vraiment désolé pour tout ça, dit Travis. Sincèrement, Bailey, je…

– Va-t'en, c'est tout.

Travis se tourne vers Heath.

– Allez, mec. Allons-nous-en.

– Je ne crois pas.

– Tu violes une injonction de la cour, lui rappelle Claire.

– Eh ben fais-moi un procès. Ah, j'ai oublié. Tu m'en fais déjà un. Fais-moi un autre procès, dit-il de façon encore plus provocante. Qu'est-ce que vous faites ici, de toute façon ? Vous êtes au courant que vous violez une injonction de la cour ?

Je suis sur le point d'expliquer que j'avais juste l'intention de montrer à Claire l'extérieur de la maison où j'ai grandi, quand celle-ci m'interrompt :

– Ne perds pas ton temps. Une minute, prévient-elle en regardant sa montre.

Ils sautent tous dans les vêtements sur lesquels ils ont pu mettre la main puis déguerpissent.

Tous, sauf Travis et Heath.

– Bailey, s'il te plaît…, répète Travis.

– Contente-toi de t'en aller.

Travis se dirige vers la porte sans un mot. Heath se hisse hors du lit, il est sur le point de le suivre.

– Pas toi, lui dis-je.

– Tu viens de…

– Pas toi, je répète.

– Je te propose un marché, dit Heath. Je reste… si le docteur Schweitzer s'en va.

– Heath…

– C'est à prendre ou à laisser.

Il se tourne vers Claire.

– Tu peux me la laisser quelques minutes, n'est-ce pas, sœur la sainte ? Tu n'as qu'à aller tenir compagnie à Travis. Apprendre à mieux le connaître. Je crois que tu vas découvrir que vous avez beaucoup de points communs. C'est un peu une sangsue lui aussi.

– Bailey ? me demande Claire.

– C'est bon.

– C'est bon, répète Heath.

Claire quitte la pièce à contrecœur. Heath referme la porte derrière elle en la poussant avec son pied nu.

– Que se passe-t-il, Heath ?

– Il ne se passe rien. Tu dramatises. J'ai reçu quelques amis. Et alors ?

– C'est eux que tu appelles tes amis ?

– Oui, pourquoi ?

– Est-ce que tu connais au moins leurs prénoms ?

– Qu'est-ce que ça change comment ils s'appellent ? Ce sont des citoyens irréprochables, des acteurs comme moi et des futures stars, jusqu'au dernier d'entre eux.

– Ce sont des bons à rien.

– C'est un peu exagéré.

– Attends une minute. Tu as dit qu'ils étaient acteurs ?

Mon cerveau turbine à plein régime. À quoi je pense ?

– Est-ce que tu connais Paul Giller ?

– Qui ?

Les yeux de Heath se posent sur la porte, puis sur le sol, partout sauf sur moi.

– Paul Giller. C'est un acteur. Est-ce que tu le connais ?

– Je devrais ?

– Pourquoi tu ne me regardes pas ?

– Pourquoi est-ce que tu cries ?

– Est-ce que tu connais Paul Giller ?

– Je te l'ai déjà dit : non. C'est quoi ton problème ?

– C'est toi mon problème, dis-je, en hurlant de frustration. Tu invites ces étrangers dans la maison de nos parents, tu te défonces de façon délirante en plein milieu de l'après-midi, tu entres par effraction…

– Je ne suis pas entré par effraction. J'ai une clé, tu te souviens ? Je ne comprends pas pourquoi tu es si en colère. C'est quoi le problème ? Je suis chez moi. Chez nous. Notre père nous a laissé cette maison à nous, ainsi que sa considérable fortune, et nos cupides demi-frères et sœur, sainte Claire y compris, n'ont absolument aucun droit dessus. Je me battrai jusqu'à ma mort avant de leur laisser le moindre centime.

– Avec quoi ? je lui demande honnêtement.

– Comment ça, avec quoi ?

– Il va te falloir plus que de la volonté pour te battre contre eux. Gene menace de nous embarquer dans un procès qui va durer des années, et il a le pouvoir et la capacité de le faire. Tôt ou tard, le peu d'argent que tu as réussi à économiser disparaîtra. Je ne sais pas quand je me sentirai assez forte pour retourner travailler et toi, tu n'as pas de boulot.

– Quoi ? Tu penses que je n'essaie pas ?

– Je n'ai pas dit ça.

– J'étais à ça, à *ça*, dit-il en rapprochant son pouce et son index pour insister, d'obtenir cette foutue pub Whiskas. Putain, je me suis roulé par terre pendant des heures, *des heures*, avec ce foutu chat qui me léchait le visage, en donnant au réalisateur exactement ce qu'il disait vouloir. La pub est dans la poche, me dit mon agent, un spot national, finis les cachets miteux d'intermittent. Et puis, à la dernière minute, ils décident qu'ils veulent changer de direction. Rien de personnel, me dit mon agent. Le réalisateur a adoré ma prestation. C'est juste que je suis un petit peu trop beau par rapport à ce que le client à en tête. Après avoir vu la cassette de l'audition, le client s'inquiète que je puisse faire de l'ombre au putain de chat. Donc ils ont décidé de prendre un mec plus lambda, quelqu'un à qui les amoureux des chats au physique moyen pourront s'identifier.

– Je suis désolée, Heath. Je sais à quel point ça doit être frustrant.

– Tu ne peux pas savoir à quel point c'est frustrant, explose-t-il. Tu n'as pas la moindre idée de ce que ça fait de se faire claquer la porte au nez. Encore et encore. Tout a toujours été si facile pour toi.

Est-ce qu'il est sérieux ? Son égocentrisme me coupe le souffle. Heath a toujours été égocentrique – ça fait partie de son charme, étonnamment –, mais peut-il à ce point ignorer ce que j'ai traversé ces dernières semaines ?

Comme si on avait soudainement inscrit mes pensées en rouge au milieu de mon front, il se radoucit.

– Je suis désolé, dit-il en posant la main sur son cœur. C'était déplacé. Même pour moi.

Il m'offre son plus beau sourire en coin, celui qui dit *Pardonne-moi*.

– Je n'avais pas l'intention de passer mes nerfs sur toi. Je sais que c'est un peu le bordel pour toi ces temps-ci...

Heath n'a jamais été doué pour gérer la moindre difficulté. Je sais qu'il a besoin de garder à distance ce qui m'est arrivé, de minimiser le traumatisme, sinon, il s'effondrera.

– C'est juste que j'ai passé ma vie à entendre ce genre de conneries, continue-t-il en retournant confortablement à sa petite personne.

Mes jambes me lâchent et je me laisse tomber au bord du lit avant de m'écrouler par terre.

– Je suis soit trop beau, soit pas assez. Soit trop grand, soit trop petit. Quoi qu'il arrive, je ne corresponds tout bonnement jamais. Je ne suis jamais assez bien.

Je sais qu'il ne parle pas que de sa carrière sur le déclin, qu'il fait de toute évidence référence au regard déçu qu'il prétendait voir sur le visage de notre père, mais je n'ai pas la force d'entamer le débat maintenant.

– C'est la nature du métier, dis-je plutôt, et j'ai le cœur serré pour lui, malgré son égocentrisme. Tu le savais en te lançant là-dedans.

– Ce n'est pas comme si je me tournais les pouces. Je vais à des auditions, je m'implique vraiment.

– Et l'écriture ?

– Quoi, l'écriture ?

– Ce scénario sur lequel tu bosses...

– Je bosse toujours dessus, m'interrompt-il. Où veux-tu en venir, Bailey ? Est-ce que tu dis que je devrais renoncer à mes rêves et prendre un boulot de merde dans un bureau ? C'est là que tu veux en venir ?

– Non, bien sûr que non.

Je dis ça en dépit de ce que je pense vraiment. À savoir que, malgré ce que vous entendez à la télé dans des émissions comme *The Voice*, où tous ces gagnants en larmes encouragent tous ceux qui les regardent de leurs salons à s'accrocher à leurs rêves, quoi qu'il arrive – en ne tenant pas compte des milliers d'autres candidats, des millions d'autres ambitieux désespérés dont les rêves de célébrité ne deviendront jamais réalité –, il est parfois mieux de choisir un autre rêve, mieux de vivre une vie pour de vrai que de rêver d'une vie qui n'arrivera jamais.

– C'est juste que tu n'as aucun revenu et que tous tes biens ont été bloqués...

– Tout ce qu'il me faut, c'est une ou deux pubs nationales, et je n'aurai plus besoin de l'argent de papa pour vivre, peu importe l'issue du procès. J'aurai même assez d'argent pour prendre soin de toi, pour changer, comme tu as toujours pris soin de moi. Ne sois pas en colère contre moi, Bailey, s'il te plaît. Je supporte pas quand t'es en colère contre moi. Je t'aime plus que tout au monde. Tu es tout ce que j'ai.

– Je t'aime aussi.

Je lutte contre l'envie de le prendre dans mes bras.

– Je me disais que c'était peut-être plus intelligent, sur le long terme, de passer un accord à l'amiable...

– Tu te moques de moi ? Elle se moque de moi ? demande-t-il au mur à côté de lui.

– Heath, écoute-moi. Ce n'est pas comme s'il n'y avait pas plein d'argent à partager. On parle de millions de dollars. De dizaines de millions...

– Je ne donnerai pas dix cents à ces vautours.

Je baisse la tête. Ce n'est pas de ça dont je voulais lui parler, même si je ne me souviens plus de ce dont je *voulais* lui parler. J'ai presque envie de sourire. Heath a ce pouvoir-là.

– C'est juste que, si papa avait voulu partager ses biens équitablement, continue mon frère, il l'aurait fait.

– Je sais.

À vrai dire, je ne le sais pas. La vérité, c'est que rien ne plaisait plus à mon père qu'une bonne bagarre. Claire dirait sûrement que ce procès, c'est ce qu'il voulait depuis le début.

– Et nous devons respecter la volonté de papa, dit Heath. On ne peut pas choisir la solution de facilité. Malgré tout ce qu'on a traversé ces derniers temps.

Tout ce qu'on a traversé, me dis-je en silence. Mais à haute voix, je dis :

– Tu es sûr que tu ne connais pas Paul Giller ?

– Jamais entendu parler de lui.

Je n'ai pas d'autre choix que de le croire.

– Promets-moi que tu ne recommenceras plus ! Que tu respecteras l'injonction de la cour et que tu ne remettras pas les pieds ici !

– Je serai un bon petit garçon désormais. Je le jure.

– Tu n'as pas à jurer. Promets-moi juste.

Il me lance un de ses sourires les plus sincères, un de ceux qu'il m'a avoué avoir passé des heures, voire des jours, à parfaire devant son miroir. Si j'étais une productrice qui cherchait un acteur pour le rôle du grand frère sensible et profondément incompris de l'héroïne malchanceuse, je l'engagerais sur-le-champ. Son sourire redouble.

– Je te promets, dit-il.

20

– Je suis vraiment très en colère contre mon frère, aujourd'hui.

Je suis installée sur le canapé marron dans le bureau d'Elizabeth Gordon qui est assise face à moi, dans son fauteuil bleu marine, presque dans les mêmes positions que nous occupions il y a une semaine.

– Qu'est-ce qui vous met en colère ?

Je lui raconte l'incident dans la maison de mes parents.

– Qu'est-ce qui vous met le plus en colère, le fait que votre frère ait enfreint une décision judiciaire, ou qu'il soit chez vos parents tout court ?

– Qu'il ait enfreint une décision judiciaire, je réponds rapidement. Trop rapidement, me dis-je en réalisant qu'elle doit se dire la même chose.

– C'est plus que ça, je continue, sans avoir aucune idée de ce que je suis sur le point d'ajouter.

– Je sens que vous êtes partagée, dit Elizabeth. Essayez d'exprimer ce que vous ressentez, peu importe ce que c'est.

Combien de fois ai-je entendu de jeunes parents encourager leurs enfants de trois ans énervés à « exprimer ce qu'ils ressentent ». Mon viol m'a-t-il à ce point infantilisée ?

– Ce n'est pas juste le fait qu'il ait été dans la maison. C'est qu'il y avait quelque chose de tellement sordide dans tout ça.

Je lui parle de l'état dans lequel étaient les chambres et des parasites avec lesquels traîne mon frère. Je ne lui parle pas de ce sentiment au fond de moi qui me dit que Heath me cache quelque chose.

– Avez-vous eu peur ?

– Non. Pourquoi aurais-je eu peur ?

– Une chambre pleine d'hommes nus et défoncés, souligne-t-elle. On pourrait facilement comprendre que ça soit intimidant pour vous.

Elle incline la tête, ses cheveux bruns frisés tombent sur son épaule droite, révélant un petit diamant à son oreille gauche.

– Vous ne portez pas les mêmes boucles d'oreilles, dis-je.

Elle touche machinalement le lobe de son oreille gauche.

– Lesquelles je portais la dernière fois ?

– Des petits anneaux en or.

– Vous êtes très observatrice.

Elle se penche en avant.

– Pourquoi ne me dites-vous pas ce que vous ressentez ?

– C'est tout le problème.

– Quoi donc ?

– Je ne suis plus sûre de savoir ce que je *ressens*.

– Comment ça ?

– Je me sens tellement bizarre tout le temps.

– Vous voulez parler de crises d'angoisse ?

– Parfois. Mais c'est plus que ça.

– En quoi est-ce différent ? Faites-moi confiance, Bailey, dit-elle après un silence. Je sais que ça a été dur ces derniers temps…

Je l'interromps :

– Dur est bien en dessous de la réalité.

– Et quelle est la réalité ?

– C'est comme si je ne pouvais plus respirer. C'est comme si je perdais la tête.

– C'est bien, Bailey.

– Comment ça, *c'est bien* ? En quoi ça pourrait être bien ?

– Écoutez-moi.

Elle se penche en avant sur sa chaise.

– Il est difficile pour les gens de comprendre comment fonctionne ce que nous faisons ici. Mais en m'expliquant les choses à moi, vous vous les expliquez aussi à vous.

Elle pose son stylo sur le bloc-notes qu'elle a sur les genoux.

– Imaginez-vous sur une patinoire. Vous avez peur de passer à travers la glace parce qu'elle est très fine. La thérapie aide à consolider la glace pour que vous puissiez mieux patiner. En toute confiance. Pour l'instant, vous ne patinez pas sur une glace très épaisse.

Elle se tait une seconde pour laisser l'image s'installer.

– Je comprends qu'il soit très perturbant pour vous de penser à toutes ces choses, et encore plus de les verbaliser, mais si vous réussissez à sortir tout ça, ça vous aidera...

Je baisse les yeux vers la moquette beige.

– Je ne suis pas sûre d'en être capable. Je ne sais pas.

– Il vaut mieux partager tout ce qui se passe en vous maintenant – mettre des mots sur ces émotions –, plutôt que de garder ces émotions enfermées, prêtes à exploser. Je sais que vous ne faites pas vraiment confiance aux autres ces temps-ci. Mais ce qui est important, c'est de savoir si vous avez confiance en *moi*. Pouvez-vous avoir suffisamment confiance en moi – et en vous – pour mettre des mots sur ces émotions ? Si vous y arrivez, je vous promets que ça vous aidera à soulager vos plus grandes angoisses.

– Comment pouvez-vous me promettre une chose pareille ?

– Parce que j'ai la capacité de vous aider, Bailey, si vous me laissez faire.

– C'est juste que je ne sais pas si je suis prête.

– Je serai là, Bailey. *Au moment* où vous serez prête.

– Vous n'avez pas idée de ce qui m'arrive.

– Eh bien, alors, *racontez-moi* exactement ce qui vous arrive.

– Je ne dors pas. Je fais des rêves horribles. Et après, je me réveille encore plus angoissée.

– Parlez-moi de vos rêves. Décrivez-les-moi avec autant de détails que possible.

Je parle de mes cauchemars récurrents : des requins sous mes pieds dans des eaux placides ; des hommes sans visage qui m'attendent sur le rivage ; de la femme qui m'observe avec ses jumelles depuis le balcon de son appartement, le visage de cette femme étant le mien.

– Ce sont des rêves dus à l'angoisse, me dit Elizabeth. Vous vous sentez impuissante, désorientée et effrayée, peut-être même un peu coupable.

– Coupable ?

– J'ai l'impression que vous vous sentez coupable de ce qui vous est arrivé.

– Je sais que je ne devrais pas...

– Oubliez les « je devrais » et « je ne devrais pas ». Le fait est que *c'est* ce que vous ressentez. Que croyez-vous que vous auriez pu faire différemment, Bailey ?

– J'aurais pu être plus attentive, plus vigilante.

– J'aurais pu être plus petite, dit-elle avec un haussement d'épaules.

– La comparaison n'a pas de sens. Vous n'avez aucun contrôle sur votre taille.

– Et c'est important d'avoir le contrôle ?

– Vous ne pensez pas ?

Elle griffonne le mot *contrôle* au milieu de la première page de son bloc-notes. Elle me surprend en train de regarder et écarte doucement le bloc de mon champ de vision.

– Je crois qu'on aime tous sentir qu'on a le contrôle.

– Sauf que ça n'existe pas, n'est-ce pas ? C'est ce que vous essayez de me dire ? Que je n'avais pas plus de contrôle sur la situation que vous n'en avez sur votre taille.

– Je n'essaie pas de vous dire quoi que ce soit. C'est *vous* qui *me* dites quelque chose. Est-ce qu'être plus attentive, plus vigilante ce soir-là, aurait changé quelque chose ?

– Je l'aurais entendu plus tôt. J'aurais pu le voir. J'aurais pu l'arrêter.

– Vraiment ? En étant réaliste, vous pensez que vous auriez pu l'arrêter ?

Je me revois accroupie au milieu des arbustes en fleurs, en train d'épier l'immeuble de l'autre côté de la rue à travers mes jumelles. J'entends les branches craquer et je sens un léger souffle d'air. Encore une fois, je sens le goût des mains gantées qui recouvrent ma bouche et étouffent mes cris, je sens les coups sur mon ventre et mon visage, ils anéantissent toute tentative de résistance, me plongent au bord de l'évanouissement. Aurais-je pu faire autrement ?

– Je ne sais pas.

– Moi, si, dit-elle. Vous n'auriez rien pu faire pour l'arrêter.

– J'aurais pu crier.

– Vous croyez que quelqu'un vous aurait entendue ?

– Je ne sais pas.

Il était tard. La plupart des gens étaient sûrement au lit ou collés devant leur télé. Les fenêtres fermées à cause de la chaleur

238

dehors, l'air conditionné tournant à plein régime pour éviter l'humidité. Même si quelqu'un m'avait entendue, il est probable que mes cris ne l'auraient pas inquiété ou qu'il les aurait ignorés. Même si des gens avaient regardé par la fenêtre, ils n'auraient sans doute rien vu. Je m'étais bien cachée.

Je me rappelle soudain avoir eu l'impression qu'on m'observait depuis un de ces appartements quand j'étais venue en reconnaissance ce matin-là. J'avais mis cette sensation sur le compte de ma paranoïa professionnelle, mais peut-être que ce n'était pas le cas. Peut-être que quelqu'un m'observait. Peut-être même qu'il s'agissait de l'homme qui m'a violée.

– En fin de compte, ce que vous auriez pu faire ou voir ne compte pas vraiment, dit Elizabeth, sans avoir pourtant conscience de mes divagations intérieures. Parce que la seule chose qui compte *vraiment,* c'est ce que vous avez *vu* et ce qu'il s'est *passé pour de vrai.* Et c'est déjà bien assez lourd à affronter pour qu'on évite de s'occuper de ce qui *aurait pu* se passer. Ce sont ces « aurait pu » qui vous bloquent, Bailey, qui vous empêchent de vous confronter aux vraies questions.

– Qui sont ?

– À vous de me le dire.

– Et si je ne le sais pas ?

– Eh bien, nous devrons les découvrir ensemble. C'est sur ça que nous devrons travailler.

J'acquiesce, en m'attendant à ce qu'elle m'annonce que le rendez-vous est terminé, qu'on tient un bon point de départ pour notre prochaine séance. Mais en jetant un coup d'œil à ma montre, je réalise que notre séance vient tout juste de commencer.

– Peut-être avez-vous autre chose à me dire, dit-elle.

– Comme quoi ?

– Je ne sais pas. L'incident avec votre frère mis à part, que s'est-il passé ?

Je peux vraiment faire ça ? Je peux vraiment *tout* lui dire ? Je peux vraiment lui parler en toute confiance de ma *folie* ? Je prends une profonde inspiration puis expire doucement, l'air s'échappe de mon corps comme d'un ballon. Je force les mots à sortir de ma bouche.

– Je crois que je perds la tête.

– De quelle manière ?

– Je le vois partout.

– L'homme qui vous a violée ?

– Oui.

Je secoue la tête.

– Je veux dire, c'est dingue, hein ? Je ne l'ai pas vu et pourtant je le vois partout. Dès que je croise un homme entre vingt et quarante ans, blanc ou noir, du moment qu'il est de taille et de corpulence moyennes, je le regarde et je me dis : *Ça pourrait être lui.*

– Ça ne m'a pas l'air fou du tout. Vous avez raison, ça *pourrait* être lui.

– L'autre jour, j'ai cru le voir à un croisement de rues à South Beach, je continue parce qu'il va en falloir plus pour me rassurer.

– Poursuivez.

– J'ai l'impression d'entendre sa voix qui murmure à mon oreille, qui me dit de lui dire que je l'aime. Parfois, je me réveille en pleine nuit, persuadée que le téléphone sonne, mais quand je décroche, je n'entends que la tonalité. Quand je consulte l'historique des appels, je vois que, oui, quelqu'un a *bien* appelé et je me dis que c'est peut-être l'homme qui m'a violée. Sauf que ça ne l'est peut-être pas. Peut-être que c'est juste mon frère…

– Pourquoi votre frère appellerait-il en pleine nuit juste pour raccrocher ?

– Je ne sais pas.

– La police a sûrement les moyens de vérifier…

– La police pense déjà que je suis folle.

– Pourquoi ça ?

Je reviens sur l'incident avec David Trotter.

– Et puis il y a ce type, dis-je.

– Quel type ?

Qu'est-ce que je fous ! me dis-je encore. Mais puisque j'ai commencé, autant aller jusqu'au bout.

– Il s'appelle Paul Giller. Il vit dans une des tours derrière la mienne.

– C'est un ami ?

– Non, dis-je assez fort.

Trop fort. Elizabeth écrit quelque chose sur son bloc-notes.

– Je ne le connais pas du tout.

– Mais vous savez comment il s'appelle.

– Oui, la police me l'a dit.

– C'est un suspect ?

– Ils ne pensent pas.

– Mais *vous*, si.

Je lui parle de Paul Giller, Narcisse, de la façon dont j'ai commencé à l'espionner, de la raison pour laquelle je continue à le faire, de mon impression d'être incapable de m'en empêcher.

– Je devrais certainement avoir honte de vous raconter ça.

– Il n'y a aucune raison d'avoir honte. Vous me dites ce qui se passe dans votre tête.

– Mais je l'ai espionné alors qu'il avait des rapports sexuels…

– Devant sa fenêtre, toutes lumières allumées et rideaux ouverts, me rappelle-t-elle.

– Je ne crois pas qu'il ait des rideaux, dis-je pour la corriger. Je crois qu'ils viennent juste de s'installer.

– Ils ?

Je lui parle d'Elena, de la filature jusqu'à son travail, des informations que je lui ai soutirées pendant ma séance de manucure improvisée.

– Fou, non ?

– Ça ne semble pas fou du tout, réplique Elizabeth. Risqué, peut-être. Mais pas fou. Vous avez repris le contrôle de la situation de la meilleure façon que vous connaissez. Vous avez fait ce que vous faisiez dans votre métier.

Je coince mes mains entre mes genoux pour m'empêcher d'applaudir. *Elle ne pense pas que je suis folle*, crie une voix dans ma tête. *Elle pense que je reprends le contrôle.*

– Et donc un soir vous avez surpris cet homme en train de vous observer à son tour avec des jumelles ?

– J'ai *cru* l'avoir vu. Mais quand la police est allée l'interroger, il a affirmé qu'il ne possédait même pas de jumelles. Il leur a proposé de fouiller son appartement.

– L'ont-ils fait ?

– Non.

Elizabeth hausse les épaules avec emphase, comme pour signaler qu'elle n'est pas surprise.

– Donc il a pu mentir. Paul Giller a-t-il un alibi pour la nuit de votre agression ?

– La police dit qu'on ne peut pas lui poser la question sans preuve pertinente. Vous ne croyez vraiment pas que je suis folle ?

– Eh bien, récapitulons ce que nous savons jusqu'à présent, voulez-vous ? Vous découvrez qu'un homme qui correspond au profil de celui qui vous a violée vit dans l'immeuble juste derrière le vôtre, votre sœur et votre nièce l'ont vu aussi. C'est exact ?

– C'est exact.

– Donc, nous savons qu'il n'est pas le fruit de votre imagination. Nous savons qu'il existe vraiment. Et qu'il aime parader nu devant sa fenêtre pour que tout le monde le voie.

– Oui, enfin, il *habite* au vingt-quatrième étage…

– Très bien. Donc pour que la *moitié* du monde le voie, corrige-t-elle avec un sourire. Et votre sœur et votre nièce ont aussi été témoins de son comportement.

– Oui.

– Donc nous savons que tout cela est bien *réel*. Et qu'il aime avoir des rapports sexuels devant sa fenêtre.

– Eh bien, à vrai dire, je suis la seule à l'avoir vu faire ça, lui dis-je, d'une voix soudainement toute petite.

– Êtes-vous en train de dire que ça n'est peut-être pas arrivé ?

– Je ne sais pas.

– *Croyez-vous* que vous n'avez fait que l'imaginer ?

– Non.

– Pardon ?

– Non, dis-je à nouveau, et ma voix devient plus assurée en le répétant.

– Bien. Moi non plus.

– Et vous ne croyez pas que je suis paranoïaque ? Ou en pleine psychose ?

– Pas de psychose, non. Et je dirais que vous avez de bonnes raisons d'être un peu paranoïaque. Vous avez été brutalisée et violée. Votre monde a été chamboulé. Vous avez tous les droits de ressentir ce que vous ressentez.

J'en ai le droit. Je ne suis pas folle.

– Vous avez traversé un enfer, Bailey. Et ce malade que vous avez espionné – qu'il ait su que vous l'ayez épié ou non, qu'il soit l'homme qui vous ait violée ou non – n'arrange pas les choses.

242

Vous êtes de toute évidence tendue et sur vos gardes. Les rêves que vous faites, comme vos angoisses en général, expriment ce sentiment que vous avez d'avoir perdu le contrôle de votre vie. Vous avez fait une distinction très intéressante aujourd'hui : vous ne savez plus ce qui est réel et ce qui ne l'est pas. Ça ne veut pas dire que vous êtes folle.

Je ne suis pas folle.

– Vous connaissez le terme de *syndrome de stress post-traumatique*?

– Bien sûr. Les hallucinations ne sont-elles pas un symptôme?

– Elles peuvent l'être. Mais ça ne veut toujours pas dire que vous êtes folle.

Je souffre d'un syndrome de stress post-traumatique. Je ne suis pas folle.

– Donc, que puis-je faire contre ça?

– Exactement ce que vous êtes en train de faire. Venir ici. En parler. Vous souriez. À quoi pensez-vous?

Je sens le sourire dont je n'avais pas conscience s'agrandir, s'étirer sur mes joues.

– Je trouve ça drôle, c'est tout.

– Quoi donc?

– Je me sens mieux.

– Comment ça?

– Vous venez de dire que je ne suis pas folle, même si j'ai l'impression de l'être. Donc je ne suis peut-être pas folle, après tout. C'est fou, non?

Je ris.

– Vous n'avez pas perdu la notion du réel. Vous êtes juste angoissée et traumatisée.

– Merci.

Je veux me lever, partir, quitter son bureau avant que le sentiment d'euphorie se dissipe.

– Merci beaucoup.

– Nous avons encore beaucoup de travail à faire, Bailey.

– Je sais. Mais le simple fait de savoir que vous ne pensez pas que je suis folle me donne l'impression de reprendre le contrôle.

– Vous *n'êtes pas* folle.

– Je ne suis pas folle.

– Vous souvenez-vous de la dernière fois où vous avez eu l'impression d'avoir le contrôle, Bailey? me demande Elizabeth.

Je cherche dans mes souvenirs, et sens mon assurance fraîchement retrouvée s'envoler.

– Je ne sais pas. Probablement avant la mort de ma mère, admets-je. Tout est sens dessus dessous depuis.

– Évidemment, vous n'aviez aucun contrôle sur ce qui est arrivé à votre mère. Mais vous avez trouvé le moyen de surmonter cette épreuve. Vous avez trouvé le moyen de reprendre le contrôle de votre vie.

– Vous voulez dire, en devenant détective ?

– Je ne crois pas que vous ayez fait ce choix par hasard. Ou parce que tout était sens dessus dessous, comme vous dites. Vous vouliez des réponses. Vous avez choisi un métier qui vous permet de les chercher activement vous-même. Ça a été la même chose après la mort de votre père. Votre travail vous a aidée à faire votre deuil, vous a aidée à avancer. Et aujourd'hui encore, quand la police a refusé d'enquêter sur Paul Giller, vous avez pris les choses en main et mené votre propre enquête. Ce n'était peut-être pas la chose la plus prudente à faire, mais ça vous a certainement aidée à vous sentir moins victime. Ça vous a donné l'impression de reprendre le contrôle de votre vie.

Elle a raison, je crois. Je n'ai jamais autant l'impression de contrôler ma vie que quand je travaille.

– Sauf que j'ai été violée pendant que je travaillais, dis-je à voix haute avant qu'elle ne me demande de formuler mes pensées.

– Ce qui a rendu tout ça encore plus traumatisant pour vous. Vous avez été agressée dans la situation où vous vous sentez d'habitude le plus sûre de vous.

Cette fois-ci, je me lève.

– Vous m'avez donné beaucoup de choses auxquelles réfléchir.

– J'espère que ça vous a aidée.

– Je crois que vous m'avez peut-être guérie.

Je ris, pour souligner ma piètre tentative d'humour. Mais au fond de moi, j'espère qu'elle va dire que ce n'est pas une blague, que je *suis* guérie, qu'il n'est pas nécessaire que je revienne, que mes angoisses sont parties parce que *je ne suis pas folle, je ne suis pas folle, je ne suis pas folle.*

– Nous grattons à peine la surface, Bailey, dit-elle à la place. Il y a encore beaucoup de choses dont nous devons parler.

– Comme ?

– Eh bien, pour commencer, nous n'avons jamais vraiment parlé de votre père.

– Je pense que c'est le problème de Claire, pas le mien.

– Vous n'avez rien à dire à son sujet ?

– Seulement qu'il me manque.

– J'en suis sûre. Donc, vous êtes en train de dire que certains hommes sont bons.

Je souris.

– Je crois que oui.

– Je crois que c'est une bonne façon de conclure notre séance d'aujourd'hui, pas vous ?

*
* *

Je sors du bureau d'Elizabeth en courant, me dirige au coin de la rue et hèle le premier taxi qui passe.

Je ne suis pas folle.

Tous les hommes ne sont pas des menteurs invétérés. Ils ne frappent pas tous leur petite amie, ils ne mentent pas en disant qu'ils ne couchent plus avec leur femme, ils n'organisent pas tous des orgies de sexe et de drogue dans la chambre de leur défunt père. Ce ne sont pas tous des violeurs.

Je ne suis pas folle.

– Où va-t-on ? demande le chauffeur de taxi.

Il a la quarantaine, des épaules larges, un dos musclé, une moustache, des cheveux ondulés. Normalement, tout ça provoquerait chez moi une crise de panique, mais ce n'est pas l'homme qui m'a violée. Tous les hommes ne sont pas des violeurs. Certains hommes sont bons.

Je ne suis pas folle.

Je suis sur le point de donner mon adresse au chauffeur quand je change d'avis. *Je n'ai jamais autant l'impression de contrôler ma vie que quand je travaille.*

Il est donc temps de se remettre au travail. La police prétend avoir interrogé tous les gens qui habitent autour de l'endroit où j'ai été violée. Mais jusqu'à présent, leur enquête n'a rien donné. Et si la police ne peut pas m'aider, je vais devoir m'aider toute seule.

Ce qui signifie retourner sur les lieux du crime.

Pour reprendre la phrase d'Elizabeth Gordon, ce n'est peut-être pas la chose la plus prudente à faire, mais j'aurai moins l'impression d'être une victime, j'aurai plus l'impression de contrôler ma vie. Je prends une profonde inspiration.

– Northeast 152 Street, Miami nord.

21

Cette rue a l'air si inoffensive en plein jour, me dis-je, en balayant du regard la rangée d'immeubles pastel. Aucun bâtiment ne fait plus de six étages, ils sont tous bien entretenus, résolument d'une autre époque, avant que les tours de verre ne deviennent la norme. Les palmiers forment de grandes ombres douces au centre de l'immense chaussée. Le taxi s'arrête dans une de ces zones d'ombre, à un demi-pâté de maisons environ de l'endroit où j'avais garé ma voiture la nuit de mon agression.

– C'bon ? demande-t-il.

– Ça ira, dis-je, même si ce n'est pas vrai.

J'ai commencé à trembler environ dix minutes après être montée dans le taxi. Les palpitations se sont accentuées au fur et à mesure qu'on approchait, et mes mains tremblent désormais si fort que je ne peux que jeter l'argent de la course à la tête du chauffeur. J'ouvre la portière arrière avec tant de force qu'on a vraiment l'impression que je vais la casser. Je bondis hors du taxi avant d'avoir eu le temps dire au chauffeur que j'ai changé d'avis, que je me suis trompée, que ce n'est pas là que je voulais aller, que c'est, à vrai dire, le dernier endroit sur Terre où j'ai envie de me trouver.

Le taxi redémarre. Je me retrouve seule, debout sous un rayon de soleil inopiné, comme si les projecteurs venaient de me localiser. *Mesdames et messieurs,* lance une voix invisible, *regardez qui voilà ! Mais oui, la seule, l'unique, Bailey Carpenter, qui revient là où tout a commencé – ou devrions-nous dire là où tout s'est effondré ? Que fais-tu ici, Bailey ? Dis à ton public adoré ce que tu viens faire ici.*

Dis-moi que tu m'aimes.

Je fais deux pas hésitants avant que mes genoux tremblants ne m'obligent à m'arrêter pour ne pas m'écrouler sur le trottoir.

Je prends une demi-douzaine d'inspirations profondes, expire doucement à chaque fois, en essayant de dissiper la panique qui m'envahit. Je reprends le contrôle.

Je ne suis pas folle.

– Excusez-moi. Est-ce que je peux vous aider ?

La petite voix est féminine et amicale, tout comme la femme à qui elle appartient. Elle doit faire environ un mètre cinquante et a au moins quatre-vingts ans, elle a le visage bronzé, parcouru de lignes et de creux. Un autre retour en arrière, me dis-je. À l'époque où la chirurgie esthétique n'avait pas encore transformé le visage des femmes en un masque sans âme ni expression. Elle porte un corsage à fleurs et un pantalon en toile à carreaux roses et blancs qui vont paradoxalement bien ensemble. Je la regarde approcher, en tirant un petit chien derrière elle au bout d'une laisse vert fluo. Le chien, un petit yorkshire potelé, porte un ruban vert assorti, il a le poil épais et soyeux et, quand la femme s'arrête, à environ trente centimètres de moi, le chien s'enroule autour des sandales de sa maîtresse, respire par petits souffles saccadés et irréguliers, sa petite langue dépassant sur le côté de sa minuscule bouche, puis il lève les yeux et me fixe d'un air interrogateur, comme s'il savait que je n'étais pas du quartier.

– Vous avez l'air perdue, me dit la femme.

Je trouve que ce n'est pas une si mauvaise définition de ma personne.

– Non, je réponds pourtant. Tout va bien, merci.

– Quelle chaleur, bon sang, dit la femme. Trente-deux selon le journal de ce matin.

Elle dégage quelques cheveux fins, gris et trempés de son visage.

– Comme moi, trente-deux. Enfin si vous ajoutez soixante ans. J'ai eu quatre-vingt-douze ans la semaine dernière.

Comment est-il possible que des femmes vivent jusqu'à quatre-vingt-douze ans quand d'autres meurent à cinquante-cinq ?

– Félicitations, dis-je, en essayant de ne pas lui en vouloir pour sa longévité. Vous êtes superbe.

Elle reçoit mon compliment en gloussant comme une petite fille et en agitant timidement ses doigts de toute évidence rongés par l'arthrose.

– J'essaie de sortir faire une petite balade plusieurs fois par jour, même si cette humidité est criminelle pour mon brushing. Mais Choupi a besoin de sa pause-pipi. N'est-ce pas, Choupi ?

Choupi lève ses grands yeux marron en colère vers sa maîtresse, comme s'il essayait de déterminer combien de temps encore ils allaient traîner ici et si ça valait la peine qu'il se relève déjà.

– Vous vivez dans le quartier ?

– L'immeuble rose, juste derrière vous.

Elle tend le menton vers un immeuble carré de quatre étages avec des volets blancs.

– Ma fille essaie de me convaincre de déménager dans une de ces résidences médicalisées, elle dit que ça me simplifierait la vie. Je crois plutôt que ça lui simplifierait la vie à *elle*. Moi, j'aime bien ma vie comme elle est. Bien sûr, j'ai dû arrêter le golf, ajoute-t-elle avec malice.

Je repense à Travis. C'est lui qui m'a appris à jouer au golf et je n'étais pas mauvaise, à vrai dire. Ça ne l'a pas surpris que je pige le truc aussi vite. « Y a-t-il quelque chose au monde que tu ne saches pas faire ? » m'avait-il demandé, avec une pointe d'ironie dans son compliment. Je le revois debout sur le seuil de la salle de bains de la chambre de mon père, pieds nus, avec cet air coupable sur son beau visage.

Se sentait-il coupable parce qu'il était embarrassé, voire même honteux ? Où s'agissait-il d'autre chose ? De quelque chose de plus grave ?

– Est-ce que je peux vous poser une question ? je demande à la vieille femme.

– Bien sûr.

– Je crois savoir qu'une jeune femme s'est fait violer récemment dans cette rue…

– Ah bon ?

Ses yeux noisette et humides s'écarquillent d'inquiétude.

– Où avez-vous entendu ça ?

Je hausse les épaules, comme si je ne m'en souvenais pas vraiment.

– C'est arrivé il y a un mois environ…

– Je n'en avais pas la moindre idée.

De sa main libre, elle agrippe le col de sa chemise à fleurs et resserre les deux pans l'un sur l'autre contre son cou ridé.

– Vous n'en avez pas entendu parler du tout ?

– Non. Vous êtes sûre que c'était cette rue ?

– Certaine. La police n'est jamais venue vous voir ?

– Non. Pas une seule fois. Oh, mon Dieu. C'est un quartier si sûr d'habitude. Vous êtes certaine que c'était la 152ᵉ, Northeast et pas Southeast ?

Je montre le massif de buissons au bout de la rue, ma main tremble aussitôt et je la replace le long de mon corps.

– Je crois que ça s'est passé là-bas.

– Mon Dieu. Je n'arrive pas à y croire. C'est tout simplement terrible. Pauvre petite. Est-ce qu'elle va bien ?

– Je ne sais pas, lui dis-je en toute sincérité.

– Tu entends ça Choupi ? murmure la femme en se retournant. Une femme a été violée dans notre rue. Il est peut-être temps qu'on déménage, après tout.

Elle me regarde à nouveau.

– Est-ce que ça vous dérangerait d'attendre, me demande-t-elle, jusqu'à ce que je sois bien rentrée dans l'immeuble ?

– Bien sûr que non.

Je la regarde remonter l'allée qui mène à l'entrée de son immeuble et pousser la porte ; elle s'arrête et me fait signe de m'en aller. Je descends la rue, à chaque pas que je fais, ma respiration devient plus difficile, moins régulière. J'essaie de me convaincre que c'est à cause de l'humidité étouffante, mais je sais que ce n'est pas vrai.

J'approche de l'endroit où j'avais garé ma voiture cette nuit-là. Une Honda Civic blanche est désormais à cette place et je m'arrête devant, en essayant de ne pas me revoir les jambes écartées, assise n'importe comment au pied de la portière passager, le bras tendu au-dessus de ma tête pour essayer d'attraper la poignée, mon corps tremblant de douleur de la tête aux pieds. J'essaie de ne pas entendre l'alarme de la voiture qui accompagne mon évanouissement.

Selon la police, un vieux monsieur d'une résidence voisine a entendu l'alarme et, en regardant par la fenêtre, m'a vue allongée par terre puis a appelé les secours. Non, il n'a rien vu de ce qu'il s'était passé, a-t-il dit à l'officier qui l'a interrogé.

Il n'a vu ni l'agression ni qui que ce soit de suspect s'enfuir. Il a simplement entendu l'alarme se déclencher et découvert une femme allongée au bord de la route.

Tandis que je continue d'avancer sur le trottoir, je me demande de quel résident il s'agissait. Je m'arrête à côté du massif de buissons au bout de la rue, juste en face de l'immeuble jaune citron de quatre étages que j'observais ce soir-là. Ç'avait été si facile de me glisser au milieu des arbustes, de m'accroupir parmi les fleurs et de disparaître dans la nuit.

Sauf que je n'ai pas disparu.

Quelqu'un m'a vue. Quelqu'un m'observait.

Il y a toujours quelqu'un qui observe.

Je m'accroupis. Ou bien ce sont mes jambes qui me lâchent ? Je m'appuie sur mes chevilles tremblantes, je pivote vers l'immeuble d'en face, en brandissant mes jumelles imaginaires vers l'appartement qui se trouve à l'angle du deuxième étage, dans la même position que quand j'ai entendu le bruit des brindilles qui se cassent et senti l'air se fendre derrière moi, comme des rideaux qu'on ouvre.

Je me retourne instinctivement, mon corps se prépare à une nouvelle pluie de coups de poing, je lève les bras pour me protéger la tête. Je me mords la langue pour m'empêcher de crier, même si quelques sanglots réussissent à s'échapper quand je réalise qu'il n'y a personne. Mes yeux scrutent les étages tout en haut de l'immeuble derrière moi. Il est tout à fait possible que quelqu'un m'ait vue, que quelqu'un ait assisté à toute la scène. Voire pire : l'homme qui m'a violée pourrait très bien habiter dans une de ces résidences. La police a-t-elle vraiment interrogé tout le monde ?

Je conclus que les deux appartements du dernier étage de l'immeuble beige tout de suite à ma droite sont ceux qui ont sans doute la meilleure vue, la moins entravée, sur ce coin de rue. Je bondis sur mes pieds et décide de commencer par les personnes qui habitent là.

— Hé, bonjour ! s'exclame un jeune homme debout sur le trottoir, à moins de soixante centimètres des buissons au milieu desquels je me trouve, aussi surpris par ma soudaine apparition que moi par la sienne.

Je suffoque, une suffocation aussi sonore qu'un cri.

– Désolé, se reprend-il aussitôt. Je ne voulais pas vous faire peur. C'est juste que je ne m'attendais pas à tomber sur quelqu'un ici.

– Moi non plus.

L'homme a trente ans environ, grand et mince, des cheveux châtain clair et des fossettes, exactement le genre d'homme que j'aurais trouvé attirant il y a à peine un mois. Une bouteille d'eau à moitié pleine se balance dans sa main droite. Il porte la tenue classique du joggeur, un tee-shirt, un short en nylon qui lui arrive aux genoux et des baskets. J'inspecte le côté de ses chaussures, à la recherche de l'éternelle virgule Nike. Par chance, il n'y en a pas.

Bien évidemment, cela ne veut rien dire. Celui qui m'a violée a forcément plus d'une paire de baskets. Je regarde minutieusement autour de moi, la rue est vide, je plonge la main dans mon sac à la recherche de mon pistolet, avant de me souvenir que je n'en ai plus. Je n'ai pas de bombe lacrymogène non plus, ni de matraque. Pas même un parfum avec lequel je pourrais lui asperger les yeux s'il s'approchait de trop près. Je n'ai toujours pas remplacé mon téléphone portable. Je ne peux appeler personne, je ne peux rien faire.

– Vous avez perdu quelque chose ? demande l'homme, d'un ton détendu et amical, rien à voir avec celui de l'homme qui m'a violée.

– Une boucle d'oreille, dis-je, parce que c'est la première chose qui me vient à l'esprit.

Avec un peu de chance, il ne se rendra pas compte que je n'en porte pas.

– Vous avez besoin d'aide ?

– Non. C'est bon. Je l'ai trouvée.

Je montre mon sac à main du doigt, comme si je venais de la ranger précautionneusement dedans.

– Quelle chance. Comment a-t-elle pu atterrir dans les buissons ?

Pourquoi a-t-on cette conversation ? D'où sort-il ? Depuis combien de temps est-il là ? Est-il possible qu'il m'espionne depuis que je suis sortie du taxi ? Me regardait-il le soir de mon agression ? Est-ce lui qui m'a violée ?

Il a un visage doux. Il n'a ni la tête ni la voix d'un violeur. Il fait du jogging, bon sang. Mais qui a dit que les joggeurs n'étaient pas des violeurs et que les violeurs n'étaient pas beaux et n'avaient pas une voix douce ?

– Mon chien a couru dans les buissons l'autre soir, dis-je en mentant. Ma boucle est sans doute tombée quand j'essayais de l'en faire sortir.

– Vous parlez d'une aiguille dans une meule de foin.

– Ouais.

Qu'est-ce qu'il fait encore là ?

– Vous avez quoi comme chien ?

– Quoi ?

– Attendez. Laissez-moi deviner. Je parie que c'est une race exotique. Un chien d'eau portugais ?

– Un doberman, dis-je, comme si le mot seul allait suffire à lui faire peur.

– Vraiment ? Je ne vous imaginais pas du tout comme une amoureuse de dobermans.

Je me demande encore une fois pourquoi nous avons cette conversation, et pourquoi, étonnamment, je la prolonge de mon plein gré. Je suis debout, à l'endroit exact où j'ai été agressée, en train de parler à un homme que je ne connais pas, un inconnu qui correspond au profil de mon violeur. Pourquoi ?

– Vous ne savez rien de moi.

– J'aimerais bien que ça ne soit pas le cas.

– Comment ?

– Vous avez le temps de prendre un café ?

Comment ?

– Il y a un Starbucks pas très loin d'ici...

Il me drague ? Ou s'agit-il d'un de ces salauds dégénérés qui s'éclate de façon perverse à d'abord suivre les femmes qu'il a violées puis à devenir leur ami, le genre qui s'insinue dans la vie de ses victimes, qui devient leur confident, leur petit ami, parfois même leur mari, savourant son emprise sur ces femmes qui ne se doutent de rien, en faisant d'elles ses victimes, un peu plus à chaque fois ?

– Est-ce que vous me draguez ?

– Eh bien... oui. On dirait que c'est exactement ce que je fais. Ce n'est pas vraiment mon genre, d'habitude, draguer des inconnues au milieu des buissons, mais je ne sais pas… la façon dont vous êtes soudainement apparue comme ça… on dirait que c'est le destin. Vous savez, comme dans les films. Ce que les scénaristes appellent la « rencontre improbable ». À propos, je m'appelle Colin. Colin Lesser. Et vous ?

— Bailey. Bailey Carpenter.

Qu'est-ce qui ne va pas chez moi ? Quel démon peut bien m'avoir possédée pour que je lui donne mon nom ?

— Je n'ai pas envie de café, dis-je aussitôt.

— Eh bien, vous n'avez pas à prendre un café. Vous pouvez prendre un jus de fruits ou un muffin…

— Je ne veux rien du tout.

— OK. J'ai pigé. Pas de souci. Désolé de vous avoir dérangée.

Il fait demi-tour, et je remarque la femme qui remonte la rue en poussant un landau. Cela me donne aussitôt du courage.

— Attendez.

Tous les hommes ne sont pas des violeurs. Certains sont des hommes bons.
Il se retourne vers moi.

— Vous vivez dans le quartier ? je demande.

Il regarde sa montre.

— À quarante minutes en courant dans cette direction.

Il pointe le doigt vers le sud, puis me regarde à nouveau, comme s'il attendait que je fasse le pas suivant.

— Vous avez couru quarante minutes par cette chaleur ?

— Si vous avez grandi à Miami, vous avez un peu l'habitude.

Il prend une grande gorgée d'eau.

— Vous êtes très observatrice.

— C'est ce qu'on dit.

— « On » qui ?

— Vous courez tous les jours ? je lui demande en ignorant sa question.

— À peu près, oui. Est-ce que je peux *vous* demander quelque chose ?

J'acquiesce. J'entends les pleurs d'un bébé au fur et à mesure que la femme au landau approche.

— Est-ce que vous allez sortir des buissons un jour ?

J'essaie de ne pas sourire.

— Quel métier pouvez-vous bien faire ? je demande, en ignorant encore une fois sa question et en restant résolument à ma place, pour vous permettre de faire un jogging un mercredi après-midi en pleine chaleur ?

— Kinésithérapeute, répond-il, trop naturellement pour qu'il s'agisse d'un mensonge. Je prends tous mes mercredis après-midi. Et vous ? Jardinière ? Paysagiste ?

La lueur de ses yeux bleus est revenue.

— Temporairement sans emploi.

— Et dans quelle branche ?

— Je travaille pour un tas d'avocats.

— Un milieu difficile par des temps encore plus difficiles. Vous vous êtes fait virer ?

— On peut dire ça comme ça.

— Qu'est-ce que vous diriez, vous ?

— Je préfère me dire que je suis en congé sabbatique.

Il sourit. Un joli sourire.

— C'est une bonne façon de voir les choses, dit-il. Le verre à moitié plein, c'est une bonne approche de la vie. Ça me plaît.

Je regarde les fossettes de ses joues se creuser.

— Contente que vous soyez d'accord.

— Et donc, vous venez souvent ici, Bailey Carpenter ? demande-t-il.

J'essaie de ne pas grimacer quand je remarque à quel point cela me semble naturel d'entendre mon nom dans sa bouche.

Tous les hommes ne sont pas des violeurs. Certains sont des hommes bons.

— Non. Ce n'est pas du tout mon quartier.

Est-ce qu'il sait déjà où je vis ?

— Vous venez juste ici pour promener votre chien, souligne-t-il.

— Ça m'arrive, oui.

— Votre doberman.

— C'est ça.

— Comment s'appelle votre chien ?

J'hésite, j'essaie de trouver un nom suffisamment menaçant pour un doberman. Mais je ne peux penser qu'à la vieille femme et à son yorkshire que j'ai vus tout à l'heure.

— Choupi, dis-je.

— Choupi ? Vous êtes sûre ?

— C'était censé être ironique.

— Vous n'avez pas de chien, n'est-ce pas ?

Je secoue la tête.

– Non, je n'en ai pas.

– Et vous n'avez pas perdu de boucle d'oreille.

– Non plus.

– Vous aimez juste vous baladez dans les buissons ?

J'hésite encore une fois. La femme au landau s'approche et les pleurs de son bébé sont de plus en plus forts.

– Avez-vous avez entendu parler d'un viol qui a eu lieu dans cette rue, il y a environ un mois ? je demande soudainement à Colin Lesser en essayant de noter le moindre changement d'expression sur son visage.

Après tout, pourquoi ne lui poserais-je pas directement la question ? Même s'il s'agit bien de l'homme qui m'a violée, il n'est pas assez dingue pour tenter quoi que ce soit maintenant, pas avec un témoin à moins de trois mètres.

– Non, je n'ai pas entendu parler d'un viol.

Il pointe du doigt l'endroit où je me trouve.

– Ça c'est passé ici ?

– Oui.

– Vous êtes flic ?

– Non.

– Alors qu'est-ce que vous faites ici ?

La femme au landau s'approche, sourit à Colin, puis me regarde avec circonspection en continuant son chemin.

Je suis désormais seule avec Colin Lesser. Avec un peu de chance, il n'est rien d'autre que ce qu'il a l'air d'être : un type naturellement amical, qui fait son jogging. Je regarde ses lèvres tandis qu'il prend une autre gorgée de sa bouteille d'eau, j'imagine ces mêmes lèvres me mordre le sein.

– Vous êtes sûre que ça va ? demande-t-il.

– Oui. Pourquoi ?

– Vous avez fait une grimace. Comme si vous aviez tout à coup mal quelque part.

– Non.

Ma douleur est constante, elle n'a rien de soudain, me dis-je.

– Je suis kinésithérapeute, vous vous souvenez. Je suis très doué pour soigner les douleurs et les crampes.

Il fouille dans la poche de son short et en sort une carte de visite qu'il me tend, puis se met à rire, un peu gêné.

– J'en prends toujours quelques-unes avec moi.

Je dois me pencher pour saisir la carte et réussis, d'une façon ou d'une autre, à la lui prendre des mains sans que nos doigts se touchent. DR COLIN LESSER, KINÉSITHÉRAPEUTE, lis-je, ainsi que son adresse et le numéro de téléphone de son cabinet, lequel est situé, je ne peux pas m'empêcher de le remarquer, sur Biscayne Boulevard, à seulement quelques encablures de Holden, Cunningham & Kravitz.

Est-ce qu'il m'a repérée quand j'y travaillais ? Est-ce qu'il m'a suivie en secret ? Est-ce que c'est l'homme qui m'a violée ?

Tous les hommes ne sont pas des violeurs. Certains sont des hommes bons.

— Vous êtes un peu pâle. Vous êtes sûre que ne vous voulez pas aller quelque part où vous pourrez vous asseoir ? demande-t-il. Pas forcément au Starbucks.

— Je ne peux pas.

— On pourrait parler de ce qui s'est passé ici, si vous voulez.

— Pardon ?

— Seulement si vous en avez envie ? ajoute-t-il.

— Vous avez dit que vous ne saviez rien.

— Eh bien, ce n'est pas tout à fait vrai. Je sais deux ou trois choses.

Je retiens mon souffle.

— Mais rien qui concerne un viol.

Sa voix se radoucit. Des traits d'inquiétude remplacent ses fossettes de chaque côté de sa bouche.

— C'était vous, n'est-ce pas ?

— Quoi ?

— La femme qui a été violée...

— Pourquoi dites-vous une chose pareille ?

— Votre façon de vous tenir, votre attitude...

— Vous vous trompez.

— OK. Désolé.

— Et je ne veux pas de café. Je ne veux aller nulle part avec vous.

— Désolé. Je ne voulais pas vous mettre en colère.

— Vous ne m'avez pas mise en colère.

— Très bien.

— Très bien, je répète.

Si je dis quoi que ce soit d'autre, je risque d'exploser en sanglots.

– Eh bien, c'était un plaisir, bien qu'un peu étrange, de vous rencontrer, dit-il.

Il est sur le point de se retourner mais il s'arrête.

– Et si vous changez un jour d'avis concernant ce café, eh bien… vous avez ma carte.

– Bonne fin de jogging.

J'attends qu'il soit suffisamment hors de vue pour sortir des buissons, j'essuie avec agacement les différentes feuilles accrochées à mon pantalon en coton blanc. Une grosse fleur orange dépasse de ma poche. Il fut un temps, pas si lointain, où j'aurais probablement malicieusement glissé cette fleur derrière mon oreille. Mais, aujourd'hui, je la jette par terre, avec la carte de visite de Colin Lesser.

Je ramasse immédiatement la carte, la fourre tout au fond de la poche de mon pantalon. Est-il possible qu'il soit simplement l'homme qu'il prétend être ?

Je me souviens d'un autre bel homme, d'une autre invitation, d'une autre carte de visite. Ce matin-là au tribunal, le jour de mon agression. Owen Weaver se demande-t-il pourquoi je ne l'ai jamais appelé ? A-t-il ne serait-ce que pensé à moi ? Est-il au courant de ce qu'il m'est arrivé ? En est-il responsable ?

Tous les hommes ne sont pas des violeurs. Certains sont des hommes bons.

Je lève la tête vers les deux appartements qui constituent sans doute les deux meilleurs points de vue sur ce qui s'est passé ce soir-là. L'un d'eux est l'appartement où j'ai cru voir quelqu'un tirer les rideaux un peu plus tôt. Est-ce que je suis vraiment capable de faire ça ? Est-ce que je suis folle ?

Je reprends le contrôle, me dis-je en m'approchant de l'immeuble beige.

Je ne suis pas folle.

22

L'intérieur de l'immeuble a clairement connu des jours meilleurs. Contrairement à la façade, qui a récemment été repeinte, l'intérieur est moisi, ça se voit autant que ça se sent. Le système de climatisation, si on peut l'appeler comme ça, est plus bruyant qu'efficace, son ventilateur brassant un air plus vicié que rafraîchissant. Le hall d'entrée sort tout droit des années cinquante : un papier peint vieillot imprimé de tiges de bambou vertes sur fond blanc, un fauteuil en osier démodé, une moquette en laine vert et blanc saturée d'arabesques. Malgré les couleurs vives, ou peut-être à cause d'elles, l'entrée a quelque chose de triste, comme si elle savait que ses plus belles années étaient derrière elle, comme une vieille fille quadragénaire trop bien habillée qui ferait le chaperon au bal du lycée.

Je m'approche de l'interphone à côté des portes en verre fermées qui mènent aux ascenseurs. Je parcours les noms des résidents en me demandant si je ne devrais pas appuyer sur tous les boutons dans l'espoir que quelqu'un soit suffisamment stupide pour me laisser entrer sans poser de questions. Étrangement, malgré tout ce que les gens savent – enfin, devraient savoir –, ou du moins pensent savoir en matière de crime et des façons de l'éviter, cette vieille astuce marche encore au moins une fois sur deux. Je tripote la poignée de la porte en me demandant combien de temps il faudrait à ma nièce pour forcer la serrure, quand j'aperçois un couple de vieux messieurs sortir d'un des deux ascenseurs et marcher vers moi. Je leur fais le grand numéro de celle qui parle à quelqu'un à l'interphone tandis qu'ils approchent.

– Permettez-moi, dit le premier en me tenant la porte ouverte – sa petite révérence révèle une calvitie mal dissimulée par de fines mèches de cheveux blancs.

Je me glisse à l'intérieur.

— Merci.

— Passez une bonne journée.

— Qui était-ce ? marmonne son compagnon au moment où la porte se referme derrière moi.

Je fonce vers les ascenseurs avant que quelqu'un ne vienne me demander ce que je fais ici. L'ascenseur se met à monter en grinçant. Quelques secondes plus tard, il s'arrête au premier étage. Je baisse la tête quand les portes s'ouvrent, puis regarde ces deux paires de chevilles enflées monter, accompagnées d'une canne et d'un déambulateur. Je recule au fond de l'ascenseur, les portes se referment sur la cabine désormais pleine qui reprend son ascension saccadée.

— Nous montons ? Pourquoi nous montons ? dit une femme, d'un ton accusateur. Sidney, tu as appuyé sur le bouton du *haut* ?

— Tu es juste à côté de moi, Miriam. Quand est-ce que j'aurais appuyé sur quoi que ce soit ?

— Alors pourquoi montons-nous ?

— C'est moi qui ai appuyé, dis-je, en me sentant étrangement coupable.

Je relève les yeux et vois deux vieux visages qui me fixent avec perplexité.

— Ma femme et moi voulions nous rendre au rez-de-chaussée, dit Sidney.

— Je suis désolée, dis-je en bafouillant. Je descends dans quelques secondes…

— Tu ne fais jamais attention, reproche Miriam à son mari. Maintenant il va falloir aller jusqu'en haut. Nous allons être en retard.

— On sort juste se promener, réplique Sidney. Comment pourrait-on être en retard ?

Contre toute attente, leur chamaillerie me détend, elle me distrait de la tâche qui m'attend. Mais cela ne dure pas. Le temps que nous arrivions au cinquième étage, toutes mes angoisses sont revenues.

— Passez une bonne journée, dis-je, en sortant de l'ascenseur.

Miriam soupire.

— Nom de Dieu, Sidney, appuie sur ce satané bouton ou on va être coincés ici pendant des heures.

Je longe jusqu'au bout le corridor qui donne sur la rue. Le couloir étroit a des odeurs de cuisine, des relents âcres d'huile et d'épices qui s'accrochent aux murs blanc cassé et qui émanent de la moquette verte usée. Le couloir a la même piètre climatisation que le hall et le temps que j'atteigne les deux dernières portes, des points de sueur tachent le devant de mon tee-shirt.

Je suis debout face à l'appartement 512, j'appuie sur la sonnette en me repassant mentalement mon discours. Un homme d'une cinquantaine d'années avec une mèche de cheveux poivre et sel filasse et une grosse barbe du même ton ouvre la porte. Il porte une chemisette bleu marine et blanc et un grand pantalon gris. Il plisse ses yeux bleu-gris, et le monosourcil broussailleux qui les surplombe se fronce, formant une ligne sinueuse, comme un ver de terre.

– Qu'est-ce que vous vendez, jeune fille ?

– Qui est-ce, Eddy ? crie une femme à l'intérieur de l'appartement.

– C'est ce que j'essaie de savoir ! crie-t-il à son tour. Vous n'êtes pas une de ces Témoins de Jéhovah, si ?

– Non. Je m'appelle Bailey Carpenter.

J'ai décidé à la dernière seconde d'utiliser mon vrai nom – je n'ai aucune raison de ne pas le faire.

Une femme apparaît derrière l'épaule d'Eddy. Elle a la peau pâle et des cheveux blonds mi-longs, comme Alice au pays des merveilles. Elle s'est fait gonfler les lèvres, elles font au moins le double de leur volume naturel, et la peau de son visage, déjà petit, est plus tirée que celle d'un tambour. Elle ressemble plus à un amphibien qu'à un être humain, on dirait le poisson d'un dessin animé de Disney.

– Qui est-ce ? demande-t-elle de nouveau à son mari, le visage impassible. Nous avons toujours voté républicain, ajoute-t-elle avant que je ne puisse dire quoi que ce soit.

– C'est bon à savoir, dis-je. Mais à vrai dire, j'enquête sur l'agression qui a eu lieu devant votre immeuble le mois dernier.

– Vous voulez parler du viol ?

La femme attrape le bras de son mari.

– Oui.

– Vous êtes de la police ?

– Je suis détective.

– Parce que nous avons déjà dit à la police tout ce que nous savions, dit Eddy.

– Je me demandais si nous pouvions revenir sur quelques détails.

– Quels détails ? demande la femme, suspicieuse, même si, une fois de plus, son visage ne bouge pas, ne trahit aucune émotion. Comme nous l'avons dit à la police, nous n'avons rien vu.

– Rien du tout ?

– Rien. Je suppose que la police n'a pas encore attrapé le type.

– Pas encore, non. Votre balcon donne sur les buissons où l'agression a eu lieu, dis-je, un peu aventureuse.

Eddy jette un œil par-dessus son épaule, vers l'intérieur de l'appartement.

– Oui, mais nous n'étions pas sur le balcon quand ça s'est passé.

– Nous regardions la télé, se justifie la femme. Il y avait *Esprits criminels*.

– Et vous n'avez rien entendu ?

– Une alarme de voiture, dit Eddy en haussant les épaules. Apparemment, c'était après.

– Et vos voisins ?

– D'après ce qu'on sait, dit la femme d'Eddy, personne n'a rien vu ni rien entendu.

– Avez-vous remarqué quelque chose de suspect dans le comportement de vos voisins ?

Eddy glousse.

– Eh bien, ils sont tous plutôt bizarres.

– Eddy, le reprend sa femme.

– Je me demandais si vous pensiez qu'il y avait une chance que…

– Quoi ? Qu'un des habitants de l'immeuble ait violé cette femme ?

Elle secoue la tête.

– Avez-vous vu les gens qui vivent ici, mademoiselle Carpenter ? Ils sont tous centenaires ! Nous sommes les plus jeunes de l'immeuble, d'au moins trois décennies.

Je fais un pas en arrière. Je n'apprendrai rien ici.

– Désolée de vous avoir dérangés, et merci de m'avoir accordé un peu de temps.

– Vous devriez parler à Mme Harkness, la porte à côté, marmonne Eddy en fermant la porte.

– Eddy, nom de Dieu, jure sa femme. Arrête de causer des problèmes à cette pauvre femme. Elle en a déjà bien assez.

– Qui est Mme Harkness ?

– La dame à côté. Elle a la même vue que nous.

Il passe la tête à travers l'embrasure de la porte.

– Et puis, elle a ce petit-fils bizarre qui vit avec elle, visiblement, chuchote-t-il.

– Eddy !

– Il y a quelque chose de louche chez ce gamin et tu le sais ! crie-t-il.

La femme d'Eddy apparaît dans l'étroit entrebâillement de la porte. Je vois la colère dans ses yeux.

– Nous ne pouvons pas vous aider, dit-elle, en passant devant son mari pour me claquer la porte au nez.

Je reste là pendant de longues secondes, en essayant de digérer ce que je viens d'entendre. Il semblerait que cette Mme Harkness ait non seulement vue de son balcon sur l'endroit où j'ai été violée, mais aussi un petit-fils que ses voisins considèrent comme « louche ». La police connaît-elle son existence ?

Quelques secondes plus tard, déterminée à ignorer les martèlements de mon cœur et les sonnettes d'alarme dans ma tête, je sonne à la porte de l'appartement 511. J'entends plusieurs personnes se disputer à l'intérieur et je bataille pour chercher à comprendre ce qu'ils disent, quand la porte s'ouvre.

Une femme robuste, d'environ soixante-quinze ans, apparaît devant moi. Elle fait à peu près ma taille, plutôt mince, avec de grands yeux bruns inquisiteurs. Elle a les cheveux courts, blonds et frisés, avec des cercles de racines grises autour des tempes. Elle porte un survêtement rose vif en velours avec les mots JUICY GIRL écrits en lettres énormes sur sa tout aussi énorme poitrine.

– Madame Harkness ?

– Oui ? Que puis-je faire pour vous ?

– Je suis désolée de vous déranger...

– Je regardais juste mon feuilleton.

Elle agite la main en direction de la télévision qui se trouve dans le salon derrière elle.

– Ça peut attendre. Il ne se passe jamais rien, de toute façon. Que puis-je faire pour vous ? demande-t-elle de nouveau.

Derrière elle, je sens l'air froid souffler à plein régime.

– Je me demandais si je pouvais vous poser quelques questions.

– À quel sujet ?

– Au sujet du viol qui a eu lieu en face de chez vous il y a à peu près un mois.

Son sourire disparaît, ses épaules se raidissent visiblement.

– J'ai déjà parlé à la police.

– Oui, je sais. Il y a juste quelques points que j'aurais souhaité revoir avec vous.

Mme Harkness regarde ses pieds. Elle porte une paire de baskets blanches et j'essaie d'ignorer la discrète virgule Nike tissée dans la toile. J'ai soudainement du mal à respirer, comme si quelqu'un se tenait derrière moi et m'écrasait la poitrine. J'ai l'impression que mes côtes vont se briser.

– Je n'ai rien à ajouter à ce que je vous ai déjà dit.

Elle pense que je suis de la police et je ne prends pas la peine de la corriger.

– Parfois, plus on repense à quelque chose… dis-je, pour reprendre une des phrases préférées de l'inspecteur Marx.

– Je suis à peu près sûre de ne rien savoir, insiste Mme Harkness.

Je suis tout aussi sûre qu'elle ment. Un geste assez simple la trahit : elle replace une mèche invisible derrière son oreille droite en faisant la moue chaque fois qu'elle ment.

– Je dormais quand c'est arrivé. Rien vu. Rien entendu.

– Ça vous dérangerait que je jette un œil à votre balcon ? dis-je, un pied déjà dans son appartement, afin qu'elle ne puisse pas m'en empêcher.

– Je ne vois pas à quoi ça servirait.

– Ça ne prendra qu'une minute.

– Bon, très bien.

Elle regarde délibérément de l'autre côté quand nous passons devant la porte fermée au bout du couloir. Pourquoi ? Y a-t-il quelqu'un d'autre ici ?

Son appartement est glacial. La plupart des personnes âgées préfèrent avoir chaud. Je me demande si c'est son « petit-fils bizarre » qui aime que la température soit si basse. Je me demande également où il se trouve en ce moment, si c'est lui qui est derrière la porte fermée au bout du couloir, s'il sait quelque chose au sujet de mon agression, si c'est lui mon agresseur. Je me dis qu'il serait sans doute plus sage de déguerpir, mais, bien évidemment, je ne le fais pas. Je suis parvenue jusqu'ici. Ce serait fou de partir maintenant. Et *je ne suis pas folle.*

Un canapé d'angle en cuir beige et un fauteuil assorti font face à l'écran télé HD accroché au mur opposé à la porte-fenêtre du balcon. Sur la gauche se trouve une petite salle à manger avec une minuscule cuisine américaine. En traversant le salon, je remarque une canette de Coca et une bouteille de bière à moitié vide au centre d'une table basse en verre. Une fine couverture bleue est pliée sur un coussin du canapé. Il y a une pile de magazines posés au sol à côté, celui du dessus s'intitule *Passion Moto.*

– Vous aimez les motos ? je demande.

Mme Harkness se pince les lèvres et recoiffe plusieurs cheveux inexistants derrière son oreille.

– Oui, tout à fait. Mon défunt mari en avait une.

Je dois reconnaître qu'elle a du talent. Sans ses tics, Mme Harkness serait une menteuse de première classe.

– Oh, mon Dieu, dis-je subitement, comme si je venais de remarquer la bouteille de bière. Vous avez de la compagnie !

Je fais semblant de regarder autour de moi.

– Je suis vraiment désolée...

Mme Harkness recoiffe d'autres cheveux invisibles derrière son oreille droite.

– Non, il n'y a personne, me reprend-elle aussitôt. C'est juste que je n'arrivais pas à choisir ce que je voulais boire.

Un autre pincement de lèvres, un autre mouvement pour replacer ses cheveux derrière l'oreille.

– Je sais bien que *tout va bien mieux avec un Coca-Cola*, dit-elle en riant, mais parfois rien ne vaut une bonne bière fraîche.

Encore un truc de menteurs. Ils ont toujours besoin de broder.

– Votre appartement est vraiment très agréable, dis-je. Une ou deux chambres ?

– Une seule. Je n'ai pas besoin de beaucoup de place. Depuis la mort de mon mari.

– Ça remonte à quand ? je demande d'un ton aussi anodin que possible en soulevant le loquet de la baie vitrée du balcon pour la faire glisser.

– Trois ans. On pourrait faire vite ? Je suis en train de rater mon feuilleton...

– J'en ai pour une minute.

Je sors sur le balcon, la vague d'air chaud m'enveloppe la tête comme une taie d'oreiller. Je suffoque et penche la tête en arrière, mon corps heurte la balustrade qui surplombe la rue.

Je m'efforce de rester calme. C'est un simple épisode de stress post-traumatique. *Je ne suis pas folle.*

En regardant en bas, j'ai une vue imprenable sur les buissons où j'ai été violée. On peut tout voir en plein jour : les fleurs, les arbustes, l'espace entre ces arbustes où j'étais accroupie quand j'ai été attaquée, l'endroit exact où j'ai été abusée. Il y a un lampadaire au coin de la rue, donc, même dans l'obscurité de la nuit, il est tout à fait possible que quelqu'un qui se serait trouvé sur ce balcon ait vu au moins une partie de la scène. Est-ce que c'est ce qui s'est passé ? Quelqu'un se tenait-il sur ce balcon et a-t-il vu l'agression, ou quelqu'un m'a-t-il vu accroupie dans ces buissons plus tôt ce jour-là et a décidé de m'agresser ? Et ce quelqu'un pourrait-il aimer la bière, les magazines sur les motos, et la climatisation à bloc ? Ce quelqu'un pourrait-il être décrit comme bizarre et un peu « louche » ? Et ce quelqu'un pourrait-il se cacher dans la chambre, chez sa grand-mère, à cette minute même, pourrait-il être en train d'arriver tout doucement derrière moi...

Je me retourne, les poings en avant pour repousser mon agresseur, un cri étranglé s'échappe de mes lèvres, gagne en puissance et le peu de contrôle que je croyais avoir s'envole par le balcon.

Le cri de Mme Harkness vient s'ajouter au mien. Elle recule dans le salon, ses yeux partent dans tous les sens, comme si elle avait peur de regarder quelque chose en particulier.

– Qu'est-ce qui ne va pas ? Que se passe-t-il ?

Je prends une minute pour retrouver mon souffle et mes esprits. Les larmes coulent à flots le long de mes joues. Il n'y a personne. Juste Mme Harkness.

– Qu'est-ce qui ne va pas ? demande-t-elle, clairement énervée par mon comportement.

Je bats en retraite dans l'appartement glacial en essuyant mes larmes du revers de la main.

– Ça vous ennuierait de m'offrir un verre d'eau ?

Mme Harkness se précipite dans la petite cuisine ouverte et revient avec un verre en plastique d'eau froide qu'elle me tend. Je le bois d'un trait, mes mains tremblent si fort que j'en renverse au moins la moitié sur mon tee-shirt.

– Qui êtes-vous ? Que se passe-t-il ? demande-t-elle encore, les yeux rivés sur le moindre de mes gestes. Vous n'êtes pas de la police, n'est-ce pas ?

Je secoue la tête.

– C'est vous, c'est ça ? dit-elle après une longue pause. Cette femme qui a été violée.

Je frémis d'avoir été si facilement démasquée. D'abord Colin Lesser, maintenant Mme Harkness. Je ferais aussi bien de porter une pancarte.

– La police sait-elle que vous êtes là ?

– J'espérais peut-être pouvoir découvrir quelque chose qu'ils n'auraient pas vu, dis-je, quand je sens que je peux à nouveau parler sans que ma voix se brise.

– Et c'est le cas ?

– Peut-être, lui dis-je, trop épuisée pour mentir. J'ai cru comprendre que vous aviez un petit-fils.

– Qui vous a dit ça ?

– Est-ce qu'il est là ?

– Je parie que c'est le voisin, M. Saunders. Il essaie toujours de m'attirer des ennuis. Ce salaud lorgne sur cet appartement depuis qu'il a emménagé, il le veut pour lui. Il essaie de me faire déménager depuis que mon mari est mort.

– Est-ce que votre petit-fils est là, madame Harkness ?

Mme Harkness se pince les lèvres et ramène ses cheveux derrière son oreille droite.

– Je n'ai jamais dit que j'avais un petit-fils.

– Bon, je suppose que la police le découvrira assez facilement.

Les traits de son visage s'affaissent en signe de défaite. Elle a soudain l'air de faire chacune de ses soixante-dix et quelques années.

– Ce salaud se plaint toujours de Jason, il fait trop de bruit, il met la musique trop fort. Mais c'est faux. Et personne d'autre ne s'est jamais plaint. Uniquement M. Saunders. Et seulement parce qu'il a beaucoup trop de temps libre. Il a été renvoyé il y a six mois environ et ne trouve personne qui veut l'embaucher depuis. Comme c'est étonnant !

– Est-ce que Jason est là, maintenant, dans cet appartement ?

– J'aimerais que vous partiez, répond-elle.

– Êtes-vous sûre que c'est ce que vous voulez vraiment ? Parce que ça ne fera que renforcer les soupçons sur votre petit-fils. La police peut obtenir un mandat de perquisition.

– Ils ne trouveront rien. Mon petit-fils est un jeune homme bien sous tous rapports.

– Je veux juste lui parler.

– Il n'a rien à voir avec ce qui vous est arrivé, de toute manière.

– Alors il n'a rien à craindre.

– Je vous ai vue ce jour-là, vous savez, dit-elle d'un ton accusateur.

– Vous m'avez vue ?

– Je vous ai vue dans les buissons. Espionner l'appartement de l'autre côté de la rue avec vos jumelles. J'ai failli appeler la police pour signaler que nous avions un voyeur.

– Pourquoi ne pas l'avoir fait ?

– J'ai pensé qu'il valait mieux ne pas m'en mêler.

– À cause de Jason ?

– Bien sûr que non.

Un nouveau pincement de lèvres, une autre mèche replacée.

– Jason était ici cette nuit-là, n'est-ce pas ?

– Ça ne veut rien dire. Jason vit chez moi en alternance depuis cet été. Il ne s'entend pas bien avec son père. Je lui ai dit qu'il était toujours le bienvenu ici, que j'étais contente d'avoir de la compagnie…

– Vous avez dit à la police que Jason vivait ici avec vous ?

– Je n'avais aucune raison de le faire. Aucun de nous n'a vu l'agression. Nous dormions tous les deux quand c'est arrivé.

– Vous avez dit qu'il n'y avait qu'une chambre…

– Oui. Et alors ?

– Je suppose que Jason dort ici, sur le canapé.

Je regarde la couverture qui s'y trouve.

— Où voulez-vous en venir exactement ?

— Au fait que vous ne sachiez pas vraiment où était Jason au moment où j'ai été agressée, n'est-ce pas ? Au fait qu'il ait très bien pu se faufiler dehors une fois que vous vous étiez couchée et que c'est pour cette raison que vous n'avez pas parlé de lui à la police...

— C'est absolument n'importe quoi. Que faisiez-vous cachée là-dehors dans les buissons, à espionner les gens ? Si vous voulez mon avis, vous avez cherché les ennuis.

Ses mots me frappent comme une gifle, de nouvelles larmes me montent aux yeux. Je tourne la tête.

Et c'est là que je le vois.

Un jeune homme de taille et de poids moyens, à peine la vingtaine, des cheveux mi-longs et des yeux noirs impénétrables. Il se trouve à moins de trois mètres de moi et, bien qu'il ait les bras le long du corps, je peux les sentir se tendre vers ma gorge.

— Que se passe-t-il, mémé ? demande-t-il.

Dis-moi que tu m'aimes.

— Oh, mon Dieu.

Je sens mes jambes se dérober sous moi. Le verre d'eau glisse entre mes doigts et tombe par terre.

Jason est aussitôt à côté de moi, il me saisit par le coude et me guide jusqu'au fauteuil pour me faire asseoir.

— Ne me touchez pas ! je crie en le repoussant.

— Hé, dit-il, soudainement en colère. Qu'est-ce que... ?

— Jason, mon cœur, dit sa grand-mère, d'une voix calme et basse. Retourne dans la chambre, chéri. Cette dame allait justement partir.

— Pourquoi est-ce qu'elle m'a tapé ? On ne tape pas, prévient-il.

— S'il te plaît, chéri. Retourne dans la chambre.

Il me lâche le coude en continuant à me regarder de ses yeux noirs pleins de colère.

— Je veux qu'elle s'en aille, dit-il.

— Elle part, mon cœur. D'ici quelques minutes.

— Qu'est-ce qu'elle fait là, de toute façon ?

— Elle est venue poser quelques questions.

– Quel genre de questions ? À mon sujet ? Qu'est-ce que vous voulez savoir sur moi ?

Je secoue la tête, les yeux pleins de larmes.

– Laisse-nous encore une minute et elle s'en ira.

Jason me lance un regard à la fois angoissé et furieux. Puis il se retourne et se glisse dans la chambre en me laissant, tremblante, dans le fauteuil dans lequel il m'a aidée à m'asseoir.

– Je suis sûre que vous comprenez pourquoi je n'ai pas parlé de Jason à la police. On voit bien qu'il est différent...

– On voit bien qu'il est en colère.

– Jason a eu une vie très difficile. Sa mère, mon ex-belle-fille, était toxicomane et alcoolique. Jason est né avec un syndrome d'alcoolisation fœtale. Mon fils n'est pas le plus responsable des pères et, malheureusement, le beau-père de Jason n'est pas mieux. Jason s'est battu toute sa vie. Mais, je vous le promets, c'est un bon garçon. Il ne vous a pas violée.

– Vous réalisez qu'il correspond au profil de l'homme qui l'a fait ?

– Ce n'est pas Jason qui vous a fait ça.

– Comment pouvez-vous en être si sûre ?

– Parce que je connais mon petit-fils. Maintenant, dit-elle en marchant vers la porte pour l'ouvrir, j'ai peur de devoir insister pour que vous partiez. Ou cette fois je vais vraiment appeler la police.

Je reste dans le fauteuil.

– Par pitié, faites-le, dis-je.

23

— Est-ce que vous êtes folle ? Bon sang, mais à quoi pensiez-vous ?

L'inspecteur Castillo me passe un savon depuis presque une heure, depuis qu'on a quitté l'appartement de Mme Harkness pour rentrer chez moi. Je comprends son exaspération. Je me pose la même question depuis tout à l'heure, même si je n'ai aucune intention de lui avouer.

— Vous *réalisez* que vous auriez pu foutre en l'air toute cette enquête ?

— Quelle enquête ? je demande. Vous ne saviez même pas que Mme Harkness *avait* un petit-fils.

— On l'aurait découvert.

— Vraiment ? Quand ?

— Ce n'est pas le sujet.

— Et c'est quoi le sujet ?

— Le sujet, c'est que vous n'aviez pas à aller voir Mme Harkness de toute façon.

Il passe la main dans ses cheveux épais et bruns, puis se tourne pour regarder par la fenêtre de mon salon.

— J'avais tout à fait le droit.

— Vous savez que je pourrais vous arrêter pour vous être fait passer pour un agent de police, me dit Castillo.

Cela fait plusieurs fois qu'il évoque ça.

— Je n'ai jamais dit à Mme Harkness que je faisais partie de la police.

— Vous le lui avez laissé croire…

— Je n'ai rien fait de tel. Je ne contrôle pas ce qu'elle a pu penser ou non.

— Quoi qu'il en soit…

271

– Écoutez, inspecteur Castillo, dis-je en l'interrompant – cette conversation me fait perdre patience. Je n'ai rien fait de mal, ni d'illégal. J'ai tout à fait le droit d'interroger des témoins potentiels. Je suis une détective homologuée...

– Vous êtes la *victime*...

La victime, je répète en silence. Cette réduction totale et sans appel de mon statut me donne la chair de poule, j'ai malheureusement été reléguée à cette sous-espèce d'être humain qu'on ne connaît que sous le nom de *victime*.

– Merci pour ce petit rappel, inspecteur. J'avais failli oublier. Mais quoi qu'il en soit, je continue, en lui balançant ses propres mots à la figure, je pense que vous savez que je peux être une aide significative.

– Comment ? En interférant avec notre enquête, en intimidant des témoins potentiels, en portant préjudice au dossier...

– Quel dossier ? Vous n'avez aucun dossier. Sans moi, vous n'auriez même pas de suspect.

– Vous êtes en train de dire que vous êtes prête à identifier Jason Harkness comme étant l'homme qui vous a violée ? demande l'officier Baydow.

Il était plutôt silencieux jusqu'à maintenant, apparemment content de rester au second plan à me regarder me disputer avec l'inspecteur Castillo.

Je lui lance un regard noir. Il sait que je suis incapable d'affirmer à cent pour cent que Jason Harkness est l'homme qui m'a violée, que je n'ai qu'une idée vague de l'homme qui est responsable de tout ça. Il m'est impossible d'identifier quelqu'un avec certitude.

– Et sa voix ? demande Castillo, en radoucissant la sienne.

– Oui ?

– Jason Harkness vous a parlé. Est-ce que sa voix ressemblait à celle de l'homme qui vous a violée ?

Je ferme les yeux, j'entends mon violeur murmurer à mon oreille. *Dis-moi que tu m'aimes.*

Je me laisse tomber sur le canapé le plus proche, j'ai la tête qui tourne et j'essaie de réconcilier les deux voix séparées, de les superposer, de mélanger les deux ensemble, de les forcer à correspondre.

– Je ne sais pas.

– Vous ne savez pas ?

– Je ne peux pas en être sûre. C'est possible...

– Possible, répète l'officier Baydow en secouant la tête de façon pas vraiment subtile. On ne devrait avoir aucun problème à obtenir un mandat avec ce genre de certitude inébranlable.

– Voilà ce que je sais, dis-je aux deux hommes. Jason Harkness correspond au profil de l'homme qui m'a violée. Il était dans le quartier le soir où c'est arrivé. L'appartement de sa grand-mère a une vue plongeante sur l'endroit exact où je me suis fait agresser, donc il était aux premières loges. De plus, c'est un jeune homme perturbé et en colère qui, je suppose, a probablement dû être maltraité, du moins a été sérieusement négligé durant son enfance, ce qui fait de lui un assez bon candidat pour commettre des actes de violence en grandissant. Est-ce que vous avez au moins vérifié s'il avait un casier ?

– C'est la première chose que j'ai faite quand on est arrivés sur place, répond Castillo, en montrant le téléphone portable qu'il a dans la main.

– Et ?

– J'attends juste qu'on me rappelle.

Il y a un silence et je sens que nous en sommes tous profondément reconnaissants. Cela nous laisse le temps de nous souvenir que nous ne sommes pas des ennemis, que nous sommes, en réalité, du même côté et que nous voulons tous la même chose : trouver l'homme qui m'a fait ça et l'envoyer derrière les barreaux.

À vrai dire, je veux plus que ça. Je veux lui arracher les yeux et lui trancher la gorge, puis le castrer et le réduire en bouillie avant de balancer son cadavre mutilé aux requins qui nagent dans mes cauchemars. Voilà ce que je veux. Mais je saurai me contenter de le trouver et de le mettre derrière des barreaux.

– Je suis désolée, dis-je. Je n'avais sincèrement pas l'intention de marcher sur les plates-bandes de qui que ce soit...

– Ce n'est pas une question de plates-bandes, me reprend Castillo. C'est une question d'utiliser votre tête. Vous êtes bien trop proche de tout ça, Bailey. Je comprends que vous ayez envie d'aider, mais vous ne pouvez pas. La seule chose à laquelle vous risquez d'arriver, c'est de vous faire tuer.

– Je pense que vous exagérez un peu.

– Pensez-y, Bailey. Et si Jason Harkness était bien l'homme qui vous a violée ? Et si vous étiez allée à l'appartement de sa grand-mère et qu'elle n'avait pas été là ? Mais que lui, il *ait été là* ? Est-ce que vous avez pensé à ce qui aurait pu se passer ?

Je dois reconnaître que je n'avais pas envisagé cette possibilité. Quand j'y pense maintenant, ça me donne des frissons le long de la colonne vertébrale.

– Vous agissez de façon impulsive, Bailey. Vous tirez dans toutes les directions en même temps, sans regarder. Il y a quelques jours, vous étiez convaincue que c'était Paul Giller qui vous avait violée…

– Je n'ai jamais dit que j'en étais convaincue, je réplique, même si le cœur n'y est plus.

– D'accord, dit l'inspecteur. Je ne pense pas qu'il soit utile de ressasser tout ça.

J'acquiesce pour montrer que je suis d'accord.

– Et donc, maintenant ?

– Vous nous laissez faire notre boulot. Vous reprenez le cours de votre vie, ajoute-t-il, après coup.

Vous croyez que je fais quoi ? ai-je envie de lui demander, mais je me dis qu'il est plus sage de me taire. Ça n'apportera rien de le provoquer.

– Il y a quelqu'un d'autre sur qui vous devriez peut-être enquêter, dis-je à la place en sortant la carte de visite de Colin Lesser de ma poche et en la tendant à l'inspecteur.

Il jette un coup d'œil à la carte puis relève les yeux vers moi.

– Qui est-ce ?

– Quelqu'un que j'ai rencontré cet après-midi.

– Je suppose que ça n'avait rien à voir avec le fait qu'il soit kinésithérapeute.

Je fais de mon mieux pour ne pas trop révéler l'absurdité de notre rencontre.

– Il faisait un footing, vous étiez cachée dans les buissons où vous avez été violée, répète Castillo, en refusant de laisser couler aussi facilement.

Il se masse l'arête du nez, comme s'il essayait de faire partir une migraine naissante.

– Je me disais simplement que ça valait peut-être la peine que vous jetiez un œil…

– Bien sûr. On va vérifier son casier.

Il met la carte de Colin dans sa poche.

– On devrait y aller, dit-il à son partenaire.

Le téléphone sonne et je sursaute.

– Allez donc répondre, dit Castillo. Pas besoin de nous raccompagner.

Ils sont presque à la porte quand j'atteins la cuisine et décroche. C'est Elron, de la réception.

– Je sais que la police est là, commence-t-il, et je me suis dit que j'allais vous prévenir. Votre frère, Heath, est dans l'ascenseur. Il a l'air assez défoncé…

Une vague de panique m'envahit quand je réalise que Heath est déjà devant ma porte et les flics de l'autre côté.

– Bailey ? l'entends-je appeler, en frappant fort plusieurs fois de suite. Bailey ? Je sais que tu m'en veux toujours, et je suis venu m'excuser et te supplier de me pardonner.

Le fait que mon frère soit ivre ou défoncé, ou fort probablement les deux, n'échappe pas aux officiers.

– De quoi ? demande Castillo quand j'approche. Quelque chose que nous devrions savoir ?

Je secoue la tête. Je n'ai rien dit à la police à propos de l'incident chez mes parents. À quoi ça aurait servi ?

J'ouvre la porte. Heath tombe littéralement sur le seuil, son haleine empeste l'alcool, sa tête est entourée d'un nuage de fumée qui s'échappe du joint qu'il a dans la main.

– C'est une blague, affirme l'inspecteur Castillo en reculant de quelques pas quand Heath trébuche sur lui.

– Oh, oh.

Heath se met à glousser frénétiquement en voyant les deux policiers.

– Heath, pour l'amour du ciel…

– Que diriez-vous de nous donner ça ?

Castillo prend le joint des mains de Heath et l'éteint avec les doigts.

– Hé…

– Bailey, je pense qu'un verre d'eau ferait du bien à votre frère, suggère-t-il.

– Ou, encore mieux, un bon gin-tonic glacé ! crie Heath derrière moi tandis que je cours vers la cuisine.

– Je suggère qu'on aille au salon, entends-je dire l'officier Baydow.

– Et qui est exactement cette personne qui fait des suggestions ? demande Heath. Je ne crois pas que nous ayons été officiellement présentés.

– Voici l'officier Baydow, dit Castillo quand je reviens avec un verre d'eau pour Heath.

– Vous me faites marcher, hein ? répond aussitôt Heath, en explosant à nouveau de rire. L'officier Bédo ? Il me fait marcher, Bailey ?

– Tais-toi, Heath, lui dis-je, en suivant les deux hommes au salon et en fourrant le verre dans les mains de mon frère.

On reste debout au milieu des canapés. Personne ne s'assoit. L'inspecteur Castillo lance un regard noir à Heath.

– Vous croyez faire quoi, là, exactement ?

– Ce que je fais ? répète Heath. Je suis là pour soutenir ma petite sœur dans une période difficile.

– Et vous pensez que ce genre de comportement va l'aider ?

– Je parie que ça l'aide plus que vous.

Il prend une grande gorgée d'eau.

– J'adore votre chemise, en passant. Il y a quelque chose dans ces chemises hawaïennes à motifs flashy qui confirme que vous êtes compétent.

– S'il te plaît, Heath. Tais-toi.

– Rassurez-moi et dites-moi que vous n'êtes pas venu jusqu'ici en voiture, demande l'agent Baydow.

– D'accord, répond Heath avec un sourire suffisant. Comme vous voulez. Je ne suis pas venu en voiture.

– Ne jouez pas au plus malin.

– Sinon quoi ? Vous allez me jeter en prison ?

L'inspecteur Castillo laisse tomber le joint de Heath dans la même poche que la carte de Colin Lesser.

– Vous en avez d'autres sur vous ?

– Vous cherchez le gros lot ?

– Heath...

– Hélas, non, je n'ai pas d'autre bédo, agent Bédo. Oh, non. Attendez. C'est lui l'agent Bédo, n'est-ce pas ?

Il se retourne en chantant « Scoubédo, bédo, bé »...

– Heath...

– Vous pouvez me fouiller sans problème, si vous le désirez.

Il se laisse tomber sur le sofa, étend ses longues jambes devant lui et croise les mains derrière sa nuque, comme s'il se relaxait dans un hamac sur la plage.

– Je vous en prie, ne l'arrêtez pas, dis-je, avec une envie irrépressible de mettre un coup de boule à Heath.

L'inspecteur Castillo acquiesce.

– Ne le laissez simplement pas sortir d'ici avant qu'il ait dessaoulé.

– J'y veillerai. Merci.

Le téléphone de l'inspecteur Castillo se met à sonner et il répond avant même la deuxième sonnerie.

– Castillo.

Je l'observe tandis qu'il écoute son interlocuteur.

– Vraiment ? D'accord, merci. C'est très intéressant.

Il me regarde en raccrochant.

– On dirait que Jason Harkness a bien un casier.

– Pour quoi ?

– Sais pas. Son casier est scellé.

– Comment ça, scellé ?

– Scellé. Apparemment, quel que soit le délit qu'il a commis, ça s'est passé quand il était encore mineur et son dossier a été scellé.

– Et on ne peut pas lever l'interdiction ?

– Voyons, Bailey, dit Heath. Même moi je sais ça. Une fois qu'un casier est scellé, il est scellé.

– Votre frère a raison, dit Castillo. À moins, bien évidemment, que quelqu'un du bureau du procureur n'ait vent de cette histoire et ne tire quelques ficelles.

Est-ce que je peux demander à Gene de faire une chose pareille ? Est-ce qu'il pourrait ne serait-ce qu'envisager de le faire pour moi ? Et dans le cas peu probable où mon demi-frère serait d'accord pour jeter un œil au dossier de Jason Harkness quand il était mineur, que me demanderait-il en échange ?

– Je suis désolée. Je ne peux pas lui demander...

– Je ne vous demande pas de le faire. Ne vous inquiétez pas. Je suis sûr que quelqu'un lui en parlera. Après, on ne sera pas en mesure d'utiliser quoi que ce soit dans ce dossier devant un tribunal. Ce serait une preuve inadmissible.

– Mais ça aiderait quand même, je réplique. S'il y avait la moindre condamnation pour agression dans ce dossier, ça nous donnerait un avantage. On pourrait s'en servir pour le pousser à faire des aveux…

– *On* ne va rien faire du tout, dit Castillo, en insistant sur ce pronom. Je croyais avoir été clair là-dessus.

– Bien sûr. C'était juste une façon de parler.

– Qui est Jason Harkness ? demande Heath. C'est un suspect ?

– Je laisse à votre sœur le soin de vous expliquer, dit l'inspecteur Castillo tandis que lui et l'agent Baydow se dirigent vers l'entrée. Reprenez-vous, conseille-t-il à Heath.

Heath se met à l'imiter une fois qu'ils sont partis et que la porte est bien refermée.

– Bon sang, pour qui il se prend ?

– Il est inspecteur de police, espèce d'abruti.

– Eh ben, il n'est pas très doué.

Heath balance ses chaussures et une demi-douzaine de joints s'éparpillent aussitôt sur le sol en marbre. Il se met immédiatement à quatre pattes pour les ramasser.

– Qu'est-ce qui ne va pas chez toi ? je demande. Tu *essaies* de te faire arrêter ou quoi ?

Il balaie mon inquiétude d'un revers de la main.

– Ils ne fouillent jamais dans tes chaussures.

– Tu les as délibérément provoqués…

– À ma décharge, je ne savais pas qu'ils seraient là.

– En quoi ça te décharge ?

– J'ai été pris par surprise. Tu sais que je passe toujours à l'offensive quand on me surprend.

– Ça, pour être offensant, tu as été offensant.

– Waouh ! Ravi de te revoir, petite sœur. Content de voir que tu commences à retrouver ton mojo. Tu m'as manqué.

Son commentaire me coupe momentanément le souffle. Je m'affale sur le canapé en face de lui. Est-ce qu'il a raison ?

– Écoute. Je suis juste venu te dire que j'étais vraiment désolé pour l'autre jour. Tu avais raison. Je n'aurais pas dû désobéir à une injonction de la cour. Je n'aurais pas dû amener tous ces gens dans la maison de notre père. Mon comportement était inacceptable, pour ne pas dire inconscient, voire même stupide.

J'ai mal agi et je suis désolé. Ça te semble assez adulte comme discours ?

– C'est pas mal.

– Bien. Je crois que ça se fête.

Heath brandit un des joints qu'il vient de ramasser.

– On fume le calumet de la paix ?

– Range-moi ça, bon sang.

– Pas avant que tu aies pris une taffe. Allez, Bailey. Ça va pas te tuer de te détendre un peu.

Il sort une boîte d'allumettes abîmée de la poche de son pantalon slim en cuir et allume un joint en inspirant profondément. Il fourre les autres dans sa poche, ainsi que la boîte d'allumettes. Puis il me tend le joint.

Je n'ai pas fumé d'herbe depuis que j'ai rompu avec Travis, et même avant ça, je n'étais qu'une consommatrice occasionnelle qui n'ai jamais spécialement aimé me défoncer. Je lui prends le joint des mains, avec l'intention de faire comme l'inspecteur Castillo tout à l'heure et de l'éteindre avec les doigts. Mais au lieu de ça, je me retrouve à le porter à mes lèvres pour en prendre une bouffée. Je sens la fumée remplir ma gorge et s'installer au fond de mes poumons.

– C'est bien, ma Bailey, dit Heath avec fierté, en tendant le bras au-dessus la table basse pour tirer à son tour.

On passe les quinze minutes suivantes à se passer tour à tour le joint, à le fumer jusqu'à ce qu'il se désintègre littéralement. Je plane de façon très plaisante, et je me demande à quel moment c'est arrivé exactement. Je n'ai rien senti pendant ce dernier quart d'heure, convaincue que ma longue période d'inactivité m'avait immunisée contre les soi-disant charmes de la drogue, et pourtant, me voilà, détendue, voire même un peu sereine.

Le téléphone sonne et, pour la première fois depuis mon agression, je ne sursaute pas. Au lieu de ça, je tourne paresseusement la tête en direction du son.

– Qui est-ce ? demande Heath. Ne réponds pas, me conseille-t-il dans une nouvelle expiration.

Mais je suis déjà debout, la sonnerie m'attire comme un aimant.

– Allô ?

– Bailey ?

– Claire ?

– Tu dormais ? Je t'ai réveillée ?

– Non. Quelle heure est-il ?

– Un peu plus de 18 heures. Tu as une drôle de voix. Tu te sens bien ?

J'essaie de reprendre mes esprits. Claire n'approuverait sûrement pas que je me défonce.

– Je vais bien.

– Est-ce que tu as une crise d'angoisse ?

– Non. Je suis juste un peu fatiguée.

– Alors, comment ça s'est passé cet après-midi ?

Est-ce que la police l'a déjà contactée ?

– Avec Elizabeth Gordon, précise-t-elle, comme si elle sentait mon trouble. Tu y es allée, n'est-ce pas ?

Je soupire de soulagement, même si ce soulagement est teinté de culpabilité. Je n'aime pas mentir à Claire. Je n'aime pas lui cacher des choses.

– Oui. Oui, bien sûr que j'y suis allée.

– Et ? Comment ça s'est passé ?

– Ça s'est bien passé.

– Tu penses que ça t'aide ?

– Oui. Je le pense vraiment.

– « Scoobédo, bédo, bé », entends-je chanter dans l'autre pièce, et je ne peux pas me retenir – je ris.

– Bailey ? Bailey, que se passe-t-il ? Est-ce qu'il y a quelqu'un avec toi ?

– Non, bien sûr que non. Il n'y a personne. Il ne se passe rien.

Je me force à tousser.

– Je crois que je couve quelque chose.

– Merde. Je savais qu'il y avait quelque chose de bizarre.

De bizarre, je répète en silence, en essayant de me souvenir où j'ai entendu ça auparavant.

– Tu veux que je t'apporte du bouillon de poule après le travail ?

– Non, ça ira. Je pensais me coucher tôt.

– C'est sûrement une bonne idée. Tu es sûre que tu ne veux pas que je passe ?

– Ce que je veux, c'est que tu rentres chez toi auprès de Jade et que tu arrêtes de t'inquiéter pour moi.

– D'accord. Mais n'hésite pas à m'appeler si ça ne va pas mieux. Ne t'en fais pas pour l'heure. Je serai sûrement debout.

– Je t'appellerai demain, lui dis-je.

– Soigne-toi bien, dit-elle.

Je raccroche et sens le brouillard agréable dans lequel j'étais plongée déjà se dissiper. Je retourne au salon et m'arrête sur le seuil, regarde Heath s'allumer un autre joint et me le tendre négligemment. Je secoue la tête et longe le couloir jusqu'à ma chambre. Je grimpe dans mon lit défait et remonte les couvertures sur ma tête pour bloquer le soleil couchant.

*
* *

Le téléphone sonne et je me réveille dans l'obscurité. Je jette un œil au réveil tout en tendant la main vers le combiné, il est presque minuit. Je pose le téléphone contre mon oreille et m'apprête à dire allô quand je réalise qu'il n'y a personne au bout du fil. Juste une tonalité continue. Je repose le téléphone sur son socle.

J'ai l'impression d'avoir la tête dans un étau et ma gorge est si sèche que je peux à peine rassembler suffisamment de salive pour avaler. Je me lève et traîne des pieds jusqu'à la salle de bains, puis me sers un verre d'eau. *Je pense qu'un verre d'eau ferait du bien à votre frère*, entends-je dire l'inspecteur Castillo. C'était quand ? Il y a combien de temps ?

Je revois soudain Heath affalé sur le canapé de mon salon, la tête écrasée contre les coussins, son beau visage caché au milieu d'un nuage de fumée de marijuana. Tout me revient. Bon sang. À quoi je pensais, bordel ?

Je retourne dans la chambre et prends les ciseaux dans ma table de nuit, les tiens devant moi en descendant le couloir.

– Heath, dis-je en allumant la lumière du salon et en regardant en direction du canapé où je l'ai vu pour la dernière fois.

Il n'est pas là.

Il n'est pas non plus sur l'autre canapé, ni par terre, ni dans la cuisine, ni aux toilettes, ni sur le canapé-lit de mon bureau.

– Heath, dis-je à nouveau, même si je sais qu'il n'est plus dans mon appartement, qu'il est sûrement parti discrètement une fois que je me suis endormie.

Ce qui veut dire qu'il n'a pas pu fermer la porte de mon appartement à clé.

Je cours aussitôt la verrouiller, puis fais une nouvelle ronde, le cœur battant, les jambes tremblantes et de plus en plus paniquée à chaque fois que je regarde dans le moindre recoin, les restes de mon semblant de sérénité due à la drogue ayant désormais disparu, malgré l'odeur étouffante de marijuana qui semble me suivre à chaque pas.

Je retourne dans ma chambre, en sachant pertinemment que je ne pourrai pas me rendormir. J'attrape donc les jumelles sur la table de nuit et enclenche l'interrupteur qui relève les stores, certaine que les lumières de l'appartement de Paul Giller seront allumées. J'ai conscience de désobéir une fois de plus à un ordre de la police, ils m'ont prévenue qu'il ne fallait pas que j'épie mes voisins, mais merde après tout, non ? Je ne suis plus dans leurs petits papiers de toute façon, et c'est quand même mieux que de rester debout toute la nuit, à parcourir les couloirs de long en large, à me reprocher ma stupidité.

Je les vois.

Ils sont debout face au lit et se disputent. Même sans le son, je peux entendre la voix de Paul Giller gronder de colère, en agitant théâtralement sa main devant lui, l'index droit fendant l'air à plusieurs reprises. Elena secoue la tête et tremble – elle supplie, elle interrompt, elle essaie d'en placer une.

Je me rapproche de la fenêtre, ajuste la mise au point, pour essayer d'attirer plus près ces deux étrangers. Si l'expression du visage de Paul donne la moindre indication sur le ton de sa voix, il est à deux doigts de péter les plombs. Je le regarde, impuissante et envoûtée, avancer de façon menaçante vers Elena et la coincer contre la fenêtre.

Ils restent dans cette position pendant plusieurs minutes : Paul crie, Elena se recroqueville. Paul l'accuse, Elena nie. Puis Elena n'en peut plus. Elle essaie de se dégager, réussit à atteindre le lit avant que Paul l'arrête physiquement, qu'il l'attrape par le coude et la force à se retourner. Elena tente de se défaire de son emprise, ce qui ne fait qu'enrager davantage Paul. Il la gifle violemment, si violemment qu'elle tombe en arrière sur le lit, et quand elle essaie de se relever, il la gifle à nouveau.

Et il ne s'arrête pas.

– Non ! dis-je en hurlant, les joues en feu à cause de la force des claques, mes oreilles sifflent en le voyant grimper sur elle, la chevaucher tandis qu'il la martèle avec ses poings. Non ! je crie en le voyant la pénétrer violemment.

Je titube à travers la pièce en sanglotant et attrape le téléphone.

N'hésite pas à m'appeler, m'a dit Claire. *Aussi tard que tu veux.*

– Bailey ? dit-elle en décrochant. Que se passe-t-il ? Est-ce que tu vas bien ?

Je lui raconte ce que je viens de voir.

– Appelle la police, j'arrive.

24

Vingt minutes plus tard, Claire est devant ma porte. Elle porte un pantalon de jogging et un tee-shirt gris froissé avec des Crocs vert citron. Elle n'est pas maquillée et ses cheveux sont attachés en une queue-de-cheval approximative.

– Qu'est-ce qui se passe ? demande-t-elle en se dirigeant droit vers ma chambre où elle ramasse mes jumelles au sol, là où je les ai laissées tomber tout à l'heure. Est-ce que la police s'est déjà pointée ?

– Non.

– Je ne vois rien, dit-elle, en balayant l'immeuble de Paul avec les jumelles. Toutes les lumières sont éteintes.

– Quoi ? Non, elles étaient allumées il y a une minute.

Claire me passe les jumelles pour que je vérifie par moi-même.

Je secoue la tête. Paul a dû éteindre quand j'ai quitté la chambre pour aller ouvrir la porte.

– Tu as *bien* appelé la police, n'est-ce pas ? dit Claire.

– Je leur ai dit qu'une femme était en train de se faire agresser chez elle. Je leur ai donné l'adresse et le numéro de l'appartement.

– Qu'ont-ils dit ?

– Je ne leur ai pas laissé le temps de répondre quoi que ce soit. Je leur ai juste dit qu'une femme se faisait agresser et j'ai raccroché.

– Tu ne leur as pas donné ton nom ?

Je secoue encore la tête pour essayer de me débarrasser du sentiment de culpabilité qui persiste. Je sais que la police n'est pas toujours très réactive aux appels anonymes. J'aurais dû donner mon nom.

Claire prend un instant pour réfléchir.

– D'accord. D'accord. Attendons de voir ce qui va se passer. Comment vas-tu ? Est-ce que tu te sens mieux ?

– Je ne sais pas.

Elle me prend dans ses bras.

– Je suis vraiment désolée Bailey. J'aurais dû être là.

– Non. Je t'ai dit de ne pas venir.

– Je n'aurais pas dû t'écouter. Je voyais bien que quelque chose n'allait pas.

Elle pose la main sur mon front.

– Tu es un peu rouge. As-tu un thermomètre ?

– Je n'ai pas de fièvre.

– Je ne sais pas. Tu es un peu chaude.

– Ce n'est rien.

Je baisse les yeux au sol, une nouvelle vague de culpabilité me submerge.

– Ça m'arrive parfois quand je plane.

– Quoi ?

– Je planais, dis-je dans un murmure.

– *Quoi ?*

– Heath est passé, j'ajoute, comme si ça expliquait tout.

– Et vous vous êtes défoncés ?

Je hausse les épaules. Qu'est-ce que je peux répondre à ça ?

– Je suis désolée.

– Tu n'as pas à t'excuser, Bailey. Tu es une grande fille. C'est juste que…

– Quoi ?

– Tu es sûre de ce que tu as vu ? demande-t-elle, plus directe que jamais.

– Tu crois que je l'ai inventé ?

– Non. Bien sûr que non. Mais si tu planais…

– Tu penses que j'ai pu halluciner ?

– C'est une possibilité, non ? Il y a plein de gens qui débarquent aux urgences parce que le joint soi-disant inoffensif qu'ils ont fumé leur a fait plus d'effet que ce qu'ils auraient cru. Ce que t'a refilé Heath pouvait être coupé avec des trucs bien plus puissants…

– Mais c'était il y a des heures.

– Si c'était coupé au LSD, ça peut rester dans ton système pendant plusieurs jours. Tu le sais. Y a-t-il une chance que tu aies rêvé ?

Est-ce possible ? La seule chose dont je sois sûre, c'est que, pour la première fois, je vois le doute dans le regard de Claire. Et je déteste ça.

– Je ne sais pas. Je dormais. Le téléphone a sonné...

– Le téléphone a sonné ? répète-t-elle. Qui c'était ?

– Je ne sais pas. Je n'ai eu que la tonalité. Peut-être qu'il n'a même pas sonné. Peut-être que je *rêvais*.

– Et maintenant, où est Heath ?

Claire regarde dans le couloir, comme s'il pouvait être caché dans la pénombre.

– Il était parti quand je me suis réveillée.

– Donc il n'était pas là quand tu as vu...

Elle s'interrompt. La question reste en suspens.

– Non, il n'était pas là. Il n'a rien vu.

Et *moi* ? Je ne peux m'empêcher de me poser la question, tout en sachant que Claire se la pose elle aussi.

– Il ne peut pas confirmer.

Les joues de Claire rougissent, comme si je l'avais frappée.

– Ce n'est pas que je ne te croies pas. C'est juste que...

– Tu as des doutes, dis-je, en finissant sa phrase pour elle.

Elle ouvre la bouche pour parler, mais seul un soupir s'en échappe.

Le téléphone sonne et nous sursautons toutes les deux, surprises.

– OK. Ça ce n'est vraiment pas un rêve, dit Claire en décrochant le téléphone. Allô ?

Ses épaules se tendent puis se relâchent.

– D'accord. Merci. Oui. Vous pouvez les faire monter.

Elle raccroche. Je me rends compte que je retiens mon souffle.

– C'était Stanley, de la réception. La police est là.

– Ils sont *là* ? Qu'est-ce que ça veut dire ?

– Je pense qu'on va vite le savoir.

Les deux hommes en uniforme sentent l'odeur de marijuana dès que j'ouvre la porte, en reniflant l'air comme des chiens sur une piste. Un agent fait un signe de tête à l'autre en avançant dans l'entrée. Je reconnais tout de suite le plus jeune des deux pour l'avoir croisé dans plusieurs enquêtes sur lesquelles j'ai travaillé, mais je suis incapable de me souvenir de son nom.

– Bailey, dit-il pour me saluer.

– Sam, m'entends-je dire, son nom surgissant de nulle part pour atterrir sur mes lèvres juste à temps.

– J'ai entendu parler de ce qui s'était passé, dit-il. Je suis sincèrement désolé.

Il me faut un moment pour réaliser qu'il parle de mon viol.

– Voici mon partenaire, dit Sam. Patrick Llewellyn.

– Officier, dit ma sœur en même temps que moi.

Patrick Llewellyn est plus grand de dix centimètres environ, et a au moins dix ans de plus que son partenaire dont le nom de famille, ça me revient maintenant, est Turnbull. Il est aussi blanc que Sam est noir, ses cheveux aussi fins et roux que ceux de Sam sont frisés et bruns. Ils sont tous les deux séduisants, avec ce charme viril et désinvolte qu'ont souvent les flics, accentué par le port de l'uniforme.

– Vous êtes… ? demande Sam à Claire.

Claire se présente comme ma sœur, sans demi ni tiret, ce dont je lui suis très reconnaissante.

– Que peut-on faire pour vous, officiers ?

– Je pense que vous savez pourquoi nous sommes là, dit Patrick Llewellyn.

Sam se râcle la gorge.

– On devrait peut-être s'asseoir…

– Bien sûr.

Claire les conduit dans le salon, jusqu'aux canapés.

Je les suis, l'odeur caractéristique de la marijuana devient de plus en plus forte. Je grimace quand l'agent Llewynn s'installe à l'endroit exact où Heath soufflait langoureusement sa fumée il y a quelques heures à peine. Sam s'assoit à côté de son partenaire tandis que Claire et moi prenons place sur le canapé en face.

– Puis-je vous offrir quelque chose à boire ? propose Claire, comme s'il était tout à fait normal d'avoir deux policiers dans son salon à cette heure de la nuit, avec cette odeur persistante d'herbe qui flotte autour de nos têtes comme un nuage toxique, assez forte pour me donner un léger vertige, encore maintenant. De l'eau, un jus de fruits ?

– Rien, merci, dit Llewellyn, en même temps que son partenaire acquiesce. Voulez-vous bien nous dire ce qu'il s'est exactement passé ce soir ? Vous avez appelé le commissariat pour signaler qu'une femme se faisait agresser, précise-t-il en me voyant hésiter.

– Oui.

– Vous n'avez pas donné votre nom.

– Non.

– Puis-je vous demander pourquoi ?

– Je n'ai pas pensé que c'était pertinent.

– Vous savez bien que ça l'est, me reprend Sam, et j'entends bien la pointe de reproche dans sa voix. Que s'est-il passé exactement ? demande-t-il à nouveau, bloc-notes à la main, stylo dégainé, en attendant ma réponse.

Je raconte la scène dans l'appartement de Paul Giller, en prenant soin de garder les yeux baissés pour ne pas devoir affronter les regards des deux officiers.

– Ce n'est pas la première fois que vous signalez le comportement de Paul Giller à nos services, il me semble, dit Llewellyn en parcourant son bloc-notes, comme pour vérifier ses informations.

– C'est Paul Giller qui vous a dit ça ?

– Est-ce vrai ?

– Oui.

– Qu'est-ce que ça a à voir avec tout ça ? demande Claire, agacée. De toute évidence, ce qui compte ici, c'est la scène dont Bailey a été témoin ce soir.

– À savoir, précisément ? insiste Sam.

– Une femme a été battue et...

– Vous étiez là ? l'interrompt Sam.

– Non. Je...

– Donc vous n'avez rien vu, en réalité ?

– Non, mais...

– Donc, ça ne vous dérangera pas de laisser votre sœur répondre à la question.

Une fois encore, il s'agit plus d'un ordre que d'une requête.

Claire se laisse retomber sur le canapé et son geste provoque un nouveau courant odorant de marijuana qu'elle bloque en se couvrant le nez du revers de la main.

– J'ai vu Paul Giller frapper et violer sa petite amie, dis-je aux policiers.

– Vous en êtes sûre ?

Je me tourne vers Claire. Le suis-je ?

– Comment savez-vous que la femme que vous avez vue est sa petite amie ? demande Sam.

Je décide de ne pas leur parler de mes récents exploits, en réalisant que ça me ferait passer à coup sûr pour une voyeuse.

– J'ai simplement supposé…

L'attention de Sam est soudain détournée par quelque chose sur le sol. Il se penche et tend le bras sous la table basse. Quand il se redresse, il tient entre ses doigts une des cigarettes suspectes que Heath avait égarées.

Claire fait les gros yeux et je ferme les miens. Je revois les joints tomber de la chaussure de Heath et lui les chercher à tâtons comme un fou. Il en a de toute évidence oublié un.

– Écoutez, je sais que vous avez traversé des moments très difficiles dernièrement, et je comprends votre besoin de vous évader un peu, vraiment, je comprends, dit Sam, mais si vous étiez défoncée au moment où vous avez appelé…

– Je n'étais pas défoncée.

– Vous niez avoir fumé un peu d'herbe ?

– Plus qu'un peu, à en croire l'odeur, l'interrompt Patrick Llewellyn.

– OK, je planais peut-être un peu en début de soirée. Mais ce n'était plus le cas quand j'ai vu Paul Giller. Vous ne me croyez pas, dis-je, incapable de continuer à ignorer l'expression sur leurs visages.

– Ce que nous croyons n'a pas d'importance, dit Sam. Ce qui a de l'importance, c'est ce qui s'est passé.

– À savoir rien du tout, semble-t-il, réplique Llewellyn.

– Nous sommes allés chez Paul Giller et nous les avons inter-rogés, lui et sa petite amie, continue Sam. Il n'y a aucune trace de lutte dans la chambre et ils ont tous les deux vivement nié une quelconque agression.

– Eh bien, évidemment qu'*elle* a nié, dit Claire, accourant à ma rescousse. S'il était juste à côté d'elle…

– Elle n'avait aucun bleu.

Je suis pétrifiée, je me souviens des bleus qui couvraient presque tout mon corps dans les jours qui ont suivi mon agression, des bleus qui n'ont commencé à s'effacer que récemment.

– Écoutez, dit Llewellyn. On ne peut pas faire grand-chose quand les deux parties affirment qu'il n'y a pas eu d'agression. Vous voulez un conseil ? Arrêtez d'espionner vos voisins.

– Je n'espionne pas.

– Vraiment ? Comment vous appelez ça ? Utiliser des jumelles pour regarder chez vos voisins n'est peut-être pas illégal en théorie, mais porter de fausses accusations l'est indubitablement.

– S'il vous plaît, dites-moi que vous n'êtes pas en train d'accuser la victime, dit Claire.

– Votre sœur n'est pas la victime, ici, lui rappelle-t-il. Du moins pas ce soir.

– Essayez de vous mettre à notre place, l'interrompt Sam. Il y a un mois, vous avez été victime, d'une grave agression. Depuis, il me semble que vous avez porté des accusations infondées non seulement contre Paul Giller, mais contre plusieurs autres hommes, parmi lesquels David Trotter et Jason Harkness.

Je manque de m'étouffer. Ils sont donc déjà au courant pour Jason Harkness.

– C'est dans votre dossier, confirme Sam avant que je ne puisse poser la question.

– Qui est Jason Harkness ? demande Claire.

– Vous avez aussi été impliquée dans un accident de voiture, sans gravité, la semaine dernière, continue Sam, en vérifiant encore une fois ses notes. Et ce soir vous avez passé un appel anonyme à la police pour signaler une agression dont l'agresseur supposé et sa prétendue victime jurent qu'elle n'a jamais eu lieu. En plus de ça, nous trouvons des traces de marijuana chez vous.

– Laquelle est, je n'ai pas besoin de vous le rappeler, toujours illégale dans l'État de Floride, ajoute Llewellyn.

J'ai la tête qui tourne. Qu'est-ce qu'ils sont en train de dire ?

– Allez-vous m'arrêter ?

– Non. Nous allons fermer les yeux pour cette fois…

– Et pour Paul Giller ? Vous fermez aussi les yeux ? demande Claire.

– Heureusement pour votre sœur, M. Giller n'a pas voulu porter plainte, lui dit Llewellyn.

– Porter plainte ? Pourquoi ? je demande.

– Harcèlement, pour commencer.

– Harcèlement ? C'est ridicule.

– Vraiment ? Je dirais que Paul Giller a de bonnes raisons d'être un peu plus qu'agacé. Il pense que vous êtes partie en croisade contre lui.

Claire se lève brusquement. Elle en a de toute évidence assez entendu.

– Désolées de vous avoir fait perdre votre temps, messieurs.

– Vous devriez peut-être envisager de vous faire aider, me murmure Sam en partant.

– Merci, leur dit Claire, en refermant la porte avant qu'ils ne puissent nous donner un autre conseil. Mais qui est Jason Harkness ? me demande-t-elle en se tournant vers moi dès qu'ils sont partis.

Je me dirige vers la chambre.

– Je suis vraiment épuisée, Claire. Est-ce qu'on peut faire ça un autre jour ?

Elle est juste derrière moi.

– Non, on ne peut pas faire ça un autre jour. Qui est Jason Harkness, putain ? me demande-t-elle à nouveau. Qu'est-ce que tu ne m'as pas raconté ?

Je m'affale sur mon lit et lui raconte à contrecœur tout ce qui s'est passé après que j'ai quitté le cabinet d'Elizabeth Gordon hier après-midi. Je vois son expression passer de la curiosité à l'inquiétude puis à l'incrédulité totale, comme je l'avais prévu.

– Je ne comprends pas…

– Je voulais simplement agir… reprendre le contrôle de ma vie… au lieu de rester assise, d'être passive et d'avoir tout le temps peur.

– Je ne parle pas de ça, corrige-t-elle. Faire quelque chose, reprendre le contrôle, *ça*, je le comprends. Ce que je n'arrive pas à comprendre, c'est pourquoi tu ne m'as rien dit. Pourquoi, Bailey ? Tu ne me fais pas confiance ?

– Bien sûr que si, je te fais confiance.

– Alors pourquoi ne m'as-tu pas dit ce que tu prévoyais de faire ?

– Parce que je n'avais rien *prévu*. Tout ça est juste… arrivé.

Plusieurs secondes s'écoulent avant qu'elle ne parle.

– Y a-t-il autre chose qui soit *juste arrivé* et que je devrais savoir ?

Je secoue la tête, préférant ne pas évoquer ma rencontre avec Colin Lesser. On ne peut s'attendre qu'à une certaine dose de compréhension de la part d'un être humain rationnel, une certaine dose de compassion.

Claire avance jusqu'à la fenêtre et regarde en direction de l'appartement de Paul Giller.

– Donc tu penses que Jason Harkness pourrait être l'homme qui t'a violée ?

Je hausse les épaules. Je ne sais plus quoi penser.

– Et Paul Giller ? Qu'est-ce que tu en penses ?

– Je ne sais pas.

Je m'étale de tout mon long en travers du lit, le bras droit replié sur mes yeux.

– Tu crois que je suis folle, n'est-ce pas ?

– Non, je ne crois pas que tu sois folle. Enfin, nuance Claire, peut-être un peu.

Sa voix est douce, presque tendre. J'entends le doux vrombissement des stores de ma chambre qui descendent et je retire mon bras de mes yeux pour tourner la tête vers elle. Elle est en train de se déshabiller.

– Qu'est-ce que tu fais ?

– Je m'apprête à me coucher.

Elle sort une brosse à dents d'une des poches de son pantalon de jogging.

– Tu vois ? Je m'étais préparée.

– Quoi ? Non. Tu ne peux pas rester ici.

– Tu crois vraiment que tu es assez forte pour me foutre dehors ?

– Et Jade ?

– Elle dormait comme un bébé quand je suis partie. Je lui ai laissé un mot et je vais lui laisser un message sur son répondeur.

– Non. Je ne peux pas te demander de faire ça.

– Tu ne me le demandes pas. C'est moi qui te l'annonce. Maintenant, la ferme et mets-toi en pyjama. Je ne travaille pas avant midi.

Elle se dirige vers la salle de bains.

– Claire…

– De rien, dit-elle avant que je ne puisse prononcer le mot « merci ». Maintenant, dors un peu.

*
* *

Je suis en plein cauchemar. Un joggeur me traque sur la promenade qui longe l'océan en brandissant un couteau. De l'autre côté de la rue, devant une petite église, je vois Heath qui partage un joint avec Paul Giller. Mon assaillant me rattrape, me saisit par les cheveux et tire ma tête en arrière ; son couteau s'enfonce sans peine dans ma gorge. Je m'effondre sur le trottoir, je me vide de mon sang comme de ma vie, tandis qu'autour de moi des éclats de rire résonnent dans le ciel et que les cloches de l'église explosent à l'unisson.

Je sais qu'il s'agit du téléphone avant même d'être complètement réveillée, de sa sonnerie qui s'est infiltrée dans mon rêve. Je m'assois et regarde Claire qui dort à côté de moi : ni les cauchemars, ni la sonnerie intempestive du téléphone ne semblent la perturber. Est-il possible qu'elle ne l'entende pas ? Est-ce qu'il sonne vraiment ? Suis-je encore en train de rêver ?

– Claire, dis-je, en caressant son épaule. Claire…

Elle remue, se retourne sur le dos.

– Hmmm ?

– Le téléphone…

Elle tourne la tête vers moi et ouvre les yeux.

– Quoi ?

Elle se redresse pour s'asseoir.

– Qu'est-ce qu'il se passe ?

– Tu entends le téléphone ?

Elle tend la tête en direction de la table de nuit.

– Quelqu'un a appelé ?

Je me rends compte que le téléphone a cessé de sonner.

– T'étais en train de faire un cauchemar ?

– Je crois, dis-je, en décidant que c'est plus facile comme ça.

Elle me prend dans ses bras.

– Rendors-toi, chérie, dit-elle en m'allongeant.

Elle s'allonge à côté de moi sur l'oreiller et pose un bras protecteur sur ma hanche.

— Tu es épuisée, dit-elle, déjà à moitié rendormie. Tu as besoin de dormir.

Je sens la chaleur de son souffle sur ma nuque quand elle s'enfonce dans un sommeil qui, je le sais, m'échappera pour le reste de la nuit. Alors je reste allongée, là, contre elle, en ayant peur de fermer les yeux et en attendant que le téléphone sonne une nouvelle fois.

*
* *

Il sonne le lendemain matin, juste après 8 heures.

Il ne sonne pas vraiment, me dis-je.

— Tu n'as pas l'intention de répondre ? me demande Claire, qui se frotte les yeux en s'asseyant dans le lit.

— Tu l'entends ?

— Bien sûr que je l'entends.

J'attrape le téléphone.

— Allô ?

— C'est Jade, me dit la voix sans préambule. Ma mère est encore là ?

— Juste à côté de moi.

Je tends le téléphone à ma sœur puis vais à la salle de bains. Je décide de faire l'impasse sur mon inspection des lieux matinale. Je ne veux pas affoler Claire plus que nécessaire.

Quand je retourne dans la chambre, environ vingt minutes plus tard, propre et emmitouflée dans mon grand peignoir en éponge, Claire est déjà habillée et m'attend avec une tasse de café chaud.

— Tout va bien avec Jade ? je lui demande.

— Elle va bien. Elle voulait juste savoir à quelle heure je rentrais à la maison ce soir. Ce qui veut dire qu'elle a une idée tordue derrière la tête. Les ados… que veux-tu que je te dise ?

Je me sens coupable d'avoir éloigné Claire de sa fille.

— Ne me regarde pas comme ça, dit Claire. Ça n'a rien à voir avec toi. Comment tu trouves ton café ? Suffisamment fort ?

Claire est devenue très douée quand il s'agit de lire dans mes pensées.

— Il est parfait, lui dis-je, avant même d'en avoir pris une gorgée.

– Bon, quels sont tes projets aujourd'hui ? demande-t-elle quand le téléphone sonne de nouveau. Tu veux que je réponde ?

Elle jette un œil à l'écran.

– Numéro inconnu, observe-t-elle en décrochant le téléphone avant qu'il ne puisse sonner encore une fois. Allô ?

Un court silence.

– Non, c'est sa sœur. Qui est à l'appareil ?

Claire me tend le téléphone.

– Un certain Dr Lesser, murmure-t-elle en haussant les sourcils.

Je me sens devenir pâle. Il me faut mobiliser toute ma volonté pour esquisser un sourire, toute ma force pour tendre à Claire la tasse de café que j'ai dans la main et prendre le téléphone qu'elle a dans la sienne. Pourquoi appelle-t-il ? Que veut-il ? Comment a-t-il eu mon numéro ?

– Allô ?

– Salut. Vous vous souvenez de moi ?

– Bien sûr.

– Désolé d'appeler si tôt, mais je voulais vous avoir avant que vous ne sortiez.

Pourquoi appelle-t-il ? Comment a-t-il eu mon numéro ?

– Écoutez. Je vais être direct, continue-t-il. Je vous trouve… intéressante, et le mot est faible, et je vous appelle parce que j'espérais vous convaincre de dîner avec moi. Je vous ai cherchée sur Google, si jamais vous vous demandiez comment…

Encore un qui peut lire dans mes pensées, me dis-je, en réalisant que Claire me regarde avec des yeux intrigués.

– Je ne peux pas.

– Vous ne pouvez pas ou vous n'êtes simplement pas aussi intéressée par moi que moi par vous ?

– Merci beaucoup d'avoir appelé, lui dis-je. Je prendrai un autre rendez-vous dès que je connaîtrai mon emploi du temps.

Je raccroche avant qu'il ne puisse dire autre chose.

– Mon dentiste, dis-je. Apparemment, j'ai raté mon dernier rendez-vous.

– Et il appelle en personne ?

– La matinée doit être calme, suggéré-je quand le téléphone se remet à sonner dans ma main.

– Pas comme ici, dit Claire.

Je porte le téléphone à mon oreille, tout un tas d'idées confondantes bouillonnent dans ma tête : *Pourquoi avoir menti à Claire ? Quel était le vrai motif de l'appel de Colin ? Est-il possible qu'il soit vraiment ce qu'il prétend être, un homme qui me trouve intéressante et qui veut m'inviter à dîner ?*

– Allô ?

Je crie presque dans le combiné en essayant de chasser toutes ces pensées.

J'écoute la voix familière me parler à l'autre bout du fil, le cœur au bord des lèvres, le souffle gelé dans les poumons.

Dis-moi que tu m'aimes.

– Oh, mon Dieu.

Je raccroche et laisse tomber le téléphone par terre.

– Que se passe-t-il ? demande Claire. Qui c'était, Bailey ?

– C'était l'inspecteur Castillo, dis-je, quand j'arrive enfin à retrouver ma voix.

– Qu'est-ce qu'il a dit ? *Dis-moi.*

– Apparemment, une autre femme a été violée la nuit dernière, dans le quartier où j'ai été agressée. Ils ont un homme en garde à vue et ils veulent que j'aille au commissariat pour voir si je peux l'identifier.

– Quand ?

– Dès que possible.

Claire pose ma tasse de café sur la table de nuit.

– Allons-y.

25

Environ quarante minutes plus tard, Claire gare ma voiture sur le parking du poste de police de la 2ᵉ Avenue, dans ce quartier du centre de Miami surnommé Little Havana. Le ciel est chargé de nuages noirs sur le point d'exploser et le vent, qui souffle déjà à quarante kilomètres heure, continue d'augmenter. Selon les bulletins météo de toutes les radios d'informations qu'on a écoutées, un cyclone est en train de se former quelque part à l'est de Cuba. Mais il y a encore un peu d'espoir pour qu'il passe à côté de la Floride et meure de sa belle mort au beau milieu de l'océan Atlantique.

– Prête ? me demande Claire en éteignant le moteur et en détachant sa ceinture.

Prête à rencontrer l'homme qui t'a violée ?

– Tu peux le faire.

Elle tend la main pour caresser la mienne.

Je regarde la structure moderne blanche, une espèce de bouillie architecturale, avec cette arche anguleuse, qui fait penser à celle des restaurants McDonalds, qui dépasse des flancs pour entourer les étages supérieurs. Le bâtiment fait trois, peut-être quatre étages. C'est difficile à dire de là où nous sommes. Les mots « Miami Police Department » sont inscrits en énormes lettres bleues sur la façade. De grands arbres touffus – de ceux dont je devrais connaître le nom mais semble incapable de m'en souvenir – bordent le trottoir et l'allée qui mène à l'entrée principale.

Tu peux le faire, me dis-je à nouveau en silence. *Tu peux le faire.*

Je ne bouge pas.

– On peut rester là quelques minutes, me propose Claire.

Mais je sais bien qu'elle n'a pas la journée, qu'elle doit être au travail à midi.

– C'est vraiment un quartier fascinant, commente-t-elle, en observant cette rue populaire qui n'a rien de remarquable. Est-ce que tu savais qu'à l'origine c'était le quartier des épiceries juives ? Puis les bodegas cubaines et les magasins de cafés ont pris le dessus. Et maintenant, la rue appartient aux latinos.

– Intéressant, dis-je, même si je n'ai entendu que des bribes de son histoire. Comment tu sais tout ça ?

Aucune de nous n'est dupe : la réponse de Claire ne m'intéresse pas vraiment, j'essaie simplement de prolonger cette conversation, une conversation que Claire a, de toute évidence, initiée uniquement pour me distraire de la panique qui grandit en moi.

– Jade étudie l'histoire à l'école. Enfin, plus exactement, c'est moi qui étudie pendant qu'elle, elle fait l'andouille. Bref, peut-être qu'elle apprendra quelque chose par procuration.

– Tu es une bonne mère.

– Le jury est encore en délibération sur ce sujet, objecte-t-elle.

– Et une sœur géniale.

Elle rit, un son étonnamment creux.

– Ce n'est pas ce que pense Heath.

Heath ne pense pas, je corrige dans ma tête, même si je ne dirais jamais ça tout haut. Le faire serait trahir le seul véritable frère que j'aie jamais eu. Du moins jusqu'à aujourd'hui.

– C'est parce qu'il ne te connaît pas.

– Il n'en a pas spécialement envie.

– Il changera d'avis.

– Peut-être.

Claire regarde sa montre.

– Tu te sens prête ?

– Comment puis-je identifier un homme que je n'ai jamais vu ?

– Tu vas bien regarder. Tu vas prendre ton temps. Tu feras de ton mieux. On ne peut pas t'en demander plus.

J'acquiesce et ouvre la portière, je sens le vent qui souffle dans le sens inverse, comme pour me prévenir de rester où je suis. Claire fait le tour de la voiture, me prend la main et me guide dans le parking. Le vent se déchaîne dans mes cheveux. Ils partent dans tous les sens, comme si je venais de toucher un fil électrique, chaque mèche est comme un petit lasso qui me fouetterait les joues et les yeux.

– C'est drôle la vie, n'est-ce pas ? dis-je, en m'arrêtant soudainement à côté d'une vieille Buick noire, épatée par ce que je suis sur le point de dire.

– Comment ça ?

– Si tout ça n'était pas arrivé, si je ne m'étais pas fait violer... toi et moi on n'aurait peut-être jamais créé ce lien entre nous.

– C'est vrai.

– Donc je devrais sans doute remercier ce type.

– Que dis-tu d'un bon coup de pied dans les couilles, plutôt ?

Je souris franchement.

– C'est une bien meilleure idée.

*
* *

L'inspecteur Castillo nous attend dans le hall.

Le rez-de-chaussée du poste de police est lumineux et aéré, malgré le ciel noir et lugubre à l'extérieur, les barreaux aux fenêtres et le caractère sérieux de ce qu'il se passe dans ce labyrinthe de bureaux. Je suis venue ici très souvent pendant mes différentes enquêtes, et j'ai toujours trouvé que c'était un endroit plutôt agréable, malgré les portraits-robots et les photos des personnes les plus recherchées d'Amérique qui ornent les murs. C'est la première fois que ce bâtiment m'intimide autant.

– Bailey... Claire, dit Castillo en guise de bonjour. Merci d'être venues aussi vite. On dirait qu'un bon cyclone se prépare.

– Avec un peu de chance, le pire nous sera épargné, commente Claire.

– Vous avez l'air nerveuse, me dit l'inspecteur tandis que je dégage mes cheveux de mon visage. Comment vous sentez-vous ?

– Terrifiée.

Je me demande s'il est déjà au courant pour hier soir.

– Ne le soyez pas. Souvenez-vous que vous pouvez les voir mais qu'eux ne peuvent pas.

Le savoir n'aide absolument pas.

Il nous conduit le long d'un couloir dont les murs sont recouverts d'affiches de recrutements, de notifications et d'annonces d'événements à venir, ainsi que des photographies officielles et encadrées de policiers haut placés en train de prendre la pose.

– J'ai cru comprendre que certains de nos hommes étaient passés chez vous hier soir, dit-il d'un ton détendu, comme si ça n'avait aucune importance. Nous en parlerons plus tard, ajoute-t-il de façon peu rassurante, en ouvrant la porte d'un bureau.

– Merde, dis-je dans ma barbe.

– Tu peux le faire, répète Claire, en interprétant mal mon gros mot.

L'agent Baydow se joint à nous, il entre en dernier dans la pièce et referme la porte derrière lui. Il me salue, me demande comment je vais et me dit qu'il n'y a aucune raison d'avoir peur parce que même si je peux voir les suspects, eux ne peuvent pas me voir moi. Ça n'aide toujours pas.

Nous sommes dans une petite pièce sans fenêtre. Des appliques au mur, un sol en carrelage quelconque. À l'exception de deux chaises en plastique orange contre le mur beige à ma gauche, il n'y a aucun meuble. Aucune photo n'est exposée, pas d'aquarelle pour décorer, rien qui puisse distraire de la fonction de cette pièce, à savoir interroger les suspects qui seront bientôt alignés de l'autre côté de la vitre sans tain qui occupe une grande partie du mur en face de moi. Je rentre mon pull à rayures bleu marine dans mon pantalon en coton blanc – le même que je portais hier, je m'en rends compte en remarquant les traces de saleté au niveau des hanches – et me racle la gorge.

– Vous voulez quelque chose à boire ? me demande Castillo.

– Je veux bien de l'eau.

L'agent Baydow sort.

– Rien pour moi, dit Claire, même si on ne lui a pas posé la question. Alors, vous pensez tenir l'homme qui a violé ma sœur ?

– Nous avons arrêté un suspect dans une autre affaire de viol qui a eu lieu hier soir dans la même zone que celle où Bailey a été agressée.

La même où je suis retournée hier après-midi, me dis-je, en réprimant un frisson involontaire. Je me demande si ma visite a quelque chose à voir avec cette nouvelle agression. Serais-je responsable d'une façon ou d'une autre ?

– Même M.O. ? entends-je Claire demander, ces initiales ont l'air tellement improbables dans sa bouche que je manque d'exploser de rire.

– Il y a des différences.

– Quel genre de différences ?

– Pourquoi ne pas attendre que votre sœur ait pu jeter un œil aux suspects ? dit Castillo, quand la porte s'ouvre à nouveau et que l'officier Baydow entre avec mon verre d'eau. Il pose une coupe en carton remplie à ras bord dans mes mains visiblement tremblantes. J'en prends vite une gorgée avant que l'eau ne tombe par terre.

– Il n'y a aucune raison d'avoir peur, me rassure à nouveau l'agent Baydow. Vous pouvez les voir mais ils ne peuvent pas vous voir.

La porte s'ouvre. Une jeune femme entre. Elle est grande et dégingandée, elle a de longs bras et des hanches larges. Des cheveux noir de jais coupés au carré entourent son visage un peu chevalin. Apparemment, elle fait partie des avocats commis d'office.

– Bonjour, dit-elle dans un murmure à la Marilyn Monroe, aussi déplacé que déconcertant.

– Je suis sûr que vous savez comment cela se passe, souligne Castillo avant de poursuivre : Nous allons faire entrer cinq hommes. Il vont tous s'avancer pour que vous puissiez bien les regarder, puis ils vont se tourner pour que vous les voyiez de profil. On va également leur demander de parler, de dire les mots que le violeur a dits...

Dis-moi que tu m'aimes.

Mes genoux se dérobent. Mes mains se mettent à trembler de façon incontrôlable. La coupe en carton remplie d'eau glisse entre mes doigts et s'écrase contre le carrelage. Je crie.

– Laissez ça, ordonne Castillo, mais l'agent Baydow est déjà accroupi à ramasser la tasse désormais vide, le bras tendu pour attraper une serviette en papier et essuyer l'eau sur le sol. Je sais à quel point tout ça est difficile pour vous, Bailey, mais c'est également très important. Vous n'avez pas vraiment pu bien le voir, mais vous avez entendu sa voix. Vous pouvez le faire, dit-il, comme Claire un peu plus tôt.

Elle me prend la main.

– J'ai peur de devoir demander à la sœur de Bailey de quitter la pièce, annonce l'avocate.

– Je vous en prie, dis-je en suppliant l'inspecteur Castillo. Elle ne peut vraiment pas rester ?

– On ne peut pas risquer d'avoir quelqu'un qui pourrait influencer le témoin, susurre la voix à la Marilyn qui commence franchement à m'agacer.

L'officier Baydow ouvre la porte.

– Vous pouvez vous installer ici, propose-t-il à Claire en la conduisant vers une rangée de chaises en plastique orange alignées dans le couloir.

Claire me serre dans ses bras.

– Respire profondément, me rappelle-t-elle. Regarde bien. Prends ton temps. Fais de ton mieux. Je serai juste derrière la porte.

Elle me serre la main une dernière fois, puis quitte la pièce.

– Prête ? demande Castillo dès qu'elle est partie.

Son doigt est déjà sur l'interphone et, dès que j'acquiesce, il donne l'ordre de faire entrer les hommes.

Respire profondément.

J'inspire, et expire doucement en regardant les cinq hommes entrer dans la pièce bien éclairée de l'autre côté du miroir. Chaque homme tient contre sa poitrine une petite pancarte numérotée de un à cinq. Quand on leur fait signe, ils se tournent tous face à moi, cinq paires d'yeux neutres qui me fixent. À en croire la toise derrière eux, ces hommes oscillent entre un mètre soixante-quinze et un mètre quatre-vingts. Ils sont tous de carrure et de poids moyens, même si les numéros 1 et 5 sont clairement plus musclés que les trois autres. Ils sont tous bruns. Les numéros 2 et 4 ont l'air d'avoir la vingtaine, les numéros 1 et 5 sont un petit peu plus âgés et le numéro 3 est plus vieux d'une décennie au moins. Les numéros 3 et 4 sont probablement latinos, les trois autres blancs. Ils portent tous un tee-shirt foncé et un blue-jean.

Ils me paraissent tous vaguement familiers.

Surtout le numéro 5. Je suis sûre de l'avoir déjà vu.

Regarde bien.

– Numéro 1, avancez s'il vous plaît.

Le numéro 1 avance.

Je le scrute des pieds à la tête.

– À gauche. Maintenant à droite.

L'homme est légèrement plus beau de profil que de face, sans être vraiment bel homme. La lumière venant du plafond exagère les formes de ses biceps, ce qui accentue encore plus les muscles de ses bras.

S'agit-il de l'homme qui m'a violée ?

– Dites « Dis-moi que tu m'aimes », ordonne Castillo, et je tremble en entendant ces mots dans sa bouche.

– Dis-moi que tu m'aimes, aboie le numéro 1 d'un ton impassible.

Je secoue la tête. Je ne crois pas que ce soit l'homme qui m'ait violée.

– Reculez.

Le numéro 1 retourne à sa place.

– Numéro 2, avancez s'il vous plaît.

Le numéro 2 avance d'un pas paresseux, les épaules tombantes, le visage marqué par l'acné, il a l'air de mourir d'ennui. On lui ordonne de tourner à gauche, puis à droite, et de dire « Dis-moi que tu m'aimes ».

Bien que sa voix n'ait aucun rapport avec celle de l'homme qui m'a violée, je dois me retenir de vomir. Son ton a quelque chose de menaçant, il y a quelque chose de si naturellement en colère dans la façon dont il tient ses épaules. Je secoue la tête, je jette un œil vers le numéro 5, la panique s'installe. Est-ce que c'est lui, l'homme que la police a arrêté cette nuit, l'homme qui a violé une autre femme non loin de là où je me suis fait agresser ? Est-ce que le numéro 5 est l'homme qui m'a violée ?

– Reculez. Numéro 3, avancez s'il vous plaît.

Le numéro 3 a l'air d'avoir une quarantaine d'années. En plus d'être le plus vieux, c'est le plus nerveux. Il n'arrête pas de sautiller, de se balancer d'un pied sur l'autre. Il tremble en tournant à gauche puis à droite. Il crache un « Dis-moi que tu m'aimes » comme on le lui a ordonné, on entend de minuscules traces d'accent quand il prononce ces mots.

Ce n'est pas l'homme qui m'a violée.

– Numéro 4.

Le numéro 4 est le plus jeune et le plus grand des cinq. C'est aussi le plus mince. Il tourne à gauche puis à droite et massacre les mots qu'on lui commande de dire, à tel point qu'on lui demande de répéter non pas une, mais deux fois. La répétition ne sert qu'à une chose : confirmer que ce n'est pas lui mon agresseur.

Le numéro 5 avance tandis que le numéro 4 recule.

C'est le plus beau des cinq, et le plus fort aussi, apparemment. Il est extrêmement bronzé, on dirait presque qu'il a pris un coup de soleil. Il n'attend pas les instructions, pivote à gauche puis à droite, avant même qu'on ne lui dise de le faire.

– Il y en a un qui a l'air pressé, constate l'agent Baydow.

– Dites « Dis-moi que tu m'aimes », ordonne Castillo.

– Dis-moi que tu m'aimes, répond-il.

Il parle fort, clairement, avec assurance.

Je sens mes genoux céder. La pièce se met à pencher d'un côté. Le sol semble se dérober sous mes pieds.

L'inspecteur Castillo me rattrape avant que je tombe.

– Prenez une grande inspiration, insiste-t-il tandis que j'essaie d'avaler une bouffée d'air.

– Est-ce que c'est lui ? me demande l'officier Baydow. Vous avez reconnu sa voix ?

Je secoue la tête. Des larmes que je n'avais pas conscience de verser s'écrasent sur mon menton.

– Ce n'est pas lui.

– Vous en êtes sûre ?

– Il me semble si familier… Je me disais que peut-être… mais sa voix…

– Je crois que nous avons fini, murmure l'avocate commise d'office avec sa voix de toute petite fille. Merci, messieurs. Mademoiselle Carpenter, dit-elle en guise d'au revoir.

Elle quitte la pièce et ma sœur se presse aussitôt à l'intérieur.

– Que s'est-il passé ? demande Claire, déjà à côté de moi.

De l'autre côté du miroir, on fait sortir les cinq hommes.

– Est-ce que tu vas bien ? Tu as pu l'identifier ?

Elle me conduit vers une des chaises en plastique orange contre le mur, s'assoit à côté de moi.

– Votre sœur n'a pu identifier avec certitude aucun de ces hommes, répond Castillo à ma place, en essayant de cacher son évidente déception.

– Tu es sûre ? me demande Claire.

Je secoue la tête.

– J'avais vraiment l'impression de connaître le numéro 5, je m'étonne à haute voix.

– C'est sûrement parce qu'il travaille sur le chantier de l'immeuble derrière le vôtre. Vous l'avez probablement vu dans le quartier.

– Ou à travers vos jumelles, ajoute l'officier Baydow.

Un reproche sans ambiguïté, mais pas vraiment nécessaire.

– Il est en liberté conditionnelle après une agression, ajoute Castillo. C'est pour ça qu'on a pu le convoquer.

– Sexuelle ?

– Non. Une bagarre dans un bar. Il y a cinq ans. Mais ça valait quand même le coup d'essayer.

– C'est lui votre suspect pour l'autre viol ? je demande.

– Non. Ça, c'était le numéro 2.

Je revois le jeune homme aux épaules tombantes et au visage plein de cicatrices d'acné. *Dis-moi que tu m'aimes*, l'entends-je grogner. Mais ce n'est pas le grognement de l'homme qui m'a violée.

– Et le numéro 1 ? Ça pourrait être lui...

– Il s'agirait de l'officier Walter Johnston. L'un des meilleurs policiers de Miami.

Ma tête tombe en avant.

– Merde. Je suis désolée.

– Ne le soyez pas. Ce n'est pas le plus avenant des types. Mais il a un alibi en béton pour le soir où vous avez été agressée. Il était en service, entouré d'une douzaine de collègues.

– Je suis désolée, dis-je à nouveau, parce que je ne vois pas quoi dire d'autre.

– Hé, on a essayé, vous avez essayé. Si notre homme n'était pas là, il faut juste qu'on continue à chercher.

– Tu as fait de ton mieux, me rassure Claire.

– Il faut qu'on parle, dit Castillo. À propos d'hier soir.

– Oh, mon Dieu. Je ne crois vraiment pas avoir l'énergie pour un sermon.

– Vous savez que ce que vous avez fait était stupide, n'est-ce pas ? demande l'officier Baydow, sans prendre la peine de développer.

J'ai fait tellement de trucs stupides ces derniers temps que j'aurais bien du mal à en choisir un en particulier.

– Je suppose que ça peut attendre, dit Castillo. Mais rendez-moi service, voulez-vous, ne passez plus de coup de fil anonyme à la police. Ça n'aide pas votre crédibilité.

Il sort une carte de visite de sa poche arrière et me la tend.

– Appelez-moi directement, plutôt. Il y a le numéro de mon domicile au dos.

– Merci.

Je fourre sa carte dans ma poche. Une autre carte de visite à ajouter à ma collection croissante.

– Est-ce que ça va ? Je peux vous apporter quelque chose ? Encore un peu d'eau… ?

– J'ai juste besoin de quelques minutes.

– Prenez votre temps.

Il quitte la pièce, suivi de l'officier Baydow.

– Sais-tu à quel point je suis fière de toi ? me demande Claire dès qu'ils sont partis.

– Tu es fière de moi ? À quel sujet ?

– Ça demande énormément de courage de faire ce que tu viens de faire.

– Je n'ai rien fait.

– Ce n'est pas parce que ça n'a pas donné les résultats que tu espérais qu'il faut minimiser ce qu'il vient de se passer. Tu as affronté tes peurs les plus profondes, Bailey. Tu as regardé cinq violeurs potentiels droit dans les yeux. Tu ne t'es pas enfuie. Tu ne t'es pas cachée. Tu ne t'es pas effondrée. Ce n'est quand même pas rien. C'est même beaucoup, si tu veux mon avis.

Je me laisse tomber dans ses bras et pose ma tête sur sa poitrine.

– Je t'aime, lui dis-je, en me rendant compte que c'est vrai.

– Je t'aime aussi, dit-elle en ravalant ses larmes.

Elle se reprend vite.

– Allez. Rentrons à la maison.

*
* *

Quand je rentre chez moi, deux messages m'attendent sur mon répondeur. Le premier est de Sally, qui s'excuse de ne pas m'avoir appelée depuis plusieurs jours, c'est juste qu'elle a plein de travail et que son fils a un rhume carabiné, et pourquoi n'ai-je toujours pas acheté un nouveau téléphone portable pour qu'on puisse au moins s'envoyer des textos ? Elle ajoute que c'est la folie au bureau depuis que Sean Holden est rentré de croisière...

Merde, dis-je dans ma barbe. Sean est rentré et il ne m'a pas appelée. Qu'est-ce que ça veut dire ? Mais, surtout, pourquoi ça me fait quelque chose ? Sean est peut-être un brillant avocat mais c'est aussi un menteur et un homme infidèle. *Ce que tu peux être idiote*, me dis-je. *Contrariée parce qu'un homme marié, et ton patron rien que ça, te trompe... avec sa femme !*

— Idiote, dis-je, en attendant que le second message s'enclenche et en espérant quand même qu'il soit de Sean.

— Bailey, c'est Gene, meugle soudainement la voix de mon demi-frère. Il faut que je te parle le plus vite possible.

Merde, me dis-je encore une fois, en effaçant les deux messages. Le téléphone sonne quelques secondes plus tard.

— Bonjour mademoiselle Carpenter, dit la voix dès que je décroche. C'est Elron, de la réception. Votre frère est là. Le grand, ajoute-t-il en murmurant.

La panique m'envahit. Bon sang. Je n'ai vraiment pas la force.

— OK. Je suppose que vous pouvez le faire monter.

— Tu ne m'as pas rappelé, dit Gene, en débarquant dans mon appartement comme s'il allait tacler la moindre personne sur son passage.

C'est dans des moments comme celui-ci que je regrette d'avoir gardé ma ligne fixe. La plupart des gens que je connais ont annulé la leur il y a longtemps. Peut-être qu'une fois que j'aurai remplacé le téléphone portable qu'on m'a volé...

— Je viens à peine de rentrer. J'étais au commissariat, une séance d'identification...

— Ils ont attrapé le type ?

— Non. Je n'ai pas pu...

— C'est dommage.

Il gratte l'arête de son nez fin. Le nez de mon père, je réalise, au milieu du visage de sa mère. Gene se dirige vers mon salon sans y avoir été invité et s'assoit, en ajustant sa cravate bleu foncé. Je remarque les gouttes de pluie sur les épaules de son costume en coton bleu et blanc.

— C'est quoi cette histoire ? Tu sais combien c'est grave d'ouvrir un dossier scellé ?

– Quoi ? Non. Je…

– Tu sais que je ne peux pas faire ça.

– Je n'ai jamais suggéré… Je ne t'aurais jamais demandé…

– Tu sais *bien* que ce genre d'information est inutilisable devant un tribunal.

– Je le sais. Je suis vraiment désolée.

– Assieds-toi, Bailey, m'ordonne-t-il, comme si nous étions dans son bureau et non dans mon appartement. Et écoute-moi bien attentivement parce que je n'ai pas l'intention de répéter ce que je vais te dire. Jamais. Est-ce que c'est clair ?

J'acquiesce en retenant mon souffle.

– Jason Harkness a cambriolé une épicerie quand il avait quinze ans, il a frappé le vendeur à la tête avec une bouteille et s'est enfui avec quarante-trois dollars et dix-neuf cents, me dit-il, d'une voix plate et neutre. Il a passé seize mois en prison pour mineurs puis a fait une demande pour que son casier judiciaire soit scellé. Il n'a fait aucun écart depuis. Rien dans son dossier ne suggère une tendance au viol même s'il est, de toute évidence, capable de violence. Bref, je ne sais pas vraiment si tout ça t'aidera. C'est tout. C'est tout ce qu'il y avait écrit.

Il glisse ses mains entre ses cuisses.

– Merci.

J'essaie de saisir toutes les implications de ce que je viens d'entendre. J'attends aussi la suite. Je ne connais peut-être pas très bien Gene, mais je le connais suffisamment pour savoir qu'il ne donne rien sans espérer quelque chose en retour.

Je n'ai pas à attendre très longtemps.

– Écoute, dit-il en se raclant la gorge. C'est de toute évidence une période difficile pour toi. Et nous – tes frères, ta sœur et moi –, nous ne voulons pas être une source de stress supplémentaire pour toi.

Claire leur a-t-elle parlé ? Est-ce qu'elle a convaincu ses frères d'abandonner les poursuites ?

– On pensait – on espérait – que tu aies envie de régler ça à l'amiable, dit-il avant que je ne puisse lui poser la question.

– À l'amiable ?

– La dernière chose que nous voulons, et sûrement la dernière chose dont tu aies besoin, c'est d'une bataille judiciaire amère et très médiatisée, surtout en ce moment, alors que tu essaies de te remettre de cette horrible agression. Ce serait tragique que ce procès interfère avec les progrès que tu as faits jusqu'ici...

– Tu ne fais que penser à mon bien.

Le sarcasme colle à ma voix comme le miel à la cuillère. Gene fait semblant de ne pas le remarquer.

– Oui, exactement. Je suis convaincu que si on se contentait tous de se réunir et de discuter entre adultes raisonnables...

– Tu penses que me poursuivre pour la quasi-totalité de l'héritage de mon père, c'est raisonnable ?

– C'était mon père à moi aussi, Bailey. Il n'avait pas que deux enfants, il en avait sept. Et on ne demande que la part qui nous revient.

Le visage de Gene vire au rouge. Son pied droit tape le tapis en cuir avec impatience. Il n'aime pas qu'on le contredise, ce qui ne doit pas être simple, si on considère son métier.

– Écoute, Bailey. Il est évident que notre père n'était pas dans son état normal quand il a modifié son testament, dit-il en essayant une approche différente. Il était déprimé par la mort de ta mère et en colère contre ce qu'il prenait pour de l'indifférence de la part de ses autres enfants, face à ce que vous traversiez.

– Est-ce que tu es en train d'insinuer qu'il n'aurait pas dû être déprimé ? Qu'il n'avait pas le droit d'être en colère ?

– Il n'avait pas le droit de nous déshériter.

– C'était *son* argent.

– C'était l'argent de sa famille, insiste-t-il. Tu oublies que ma mère a travaillé très dur pour l'aider au début de leur mariage...

– Et tu oublies que mon père a largement subvenu à ses besoins après leur divorce. Si je ne me trompe, il a donné à chacune de ses ex-femmes plusieurs millions de dollars au moment de la séparation ainsi qu'une pension alimentaire non négligeable.

– Qui sont une goutte d'eau comparés à la fortune que Heath et toi allez recevoir. Et puisqu'on parle de Heath, continue-t-il dans le même souffle, en essayant encore une autre approche, je doute que notre père aurait apprécié que ton frère gaspille son argent dans la drogue et en entretenant d'autres parasites débauchés.

– D'autres parasites débauchés, je répète, en réussissant à avoir l'air outrée, bien qu'il me soit arrivé de penser la même chose moi aussi. En voilà une expression.

– Les faits sont les faits, affirme Gene, comme s'il exposait ses conclusions devant les jurés. Heath aime faire la fête, ses amis sont peu recommandables, et je pèse mes mots, et il n'a jamais réussi à garder un boulot de sa vie...

– Il est acteur et scénariste.

– Vraiment ? Dans quels films a-t-il joué ? Quels scénarios a-t-il écrits ?

– Tu sais que ce n'est pas facile à notre époque. Ça prend du temps. Il essaie...

– Bailey...

– Eugene, dis-je de façon prononcée, en employant le prénom que je sais qu'il déteste.

Il veut bien prendre l'argent de notre père mais refuse de porter son nom. Avant sa visite, j'envisageais sincèrement de trouver un accord à l'amiable avec lui et le reste de mes demi-frères et sœur.

– Je pense juste que ce serait une erreur de mettre tout cet argent dans les mains de quelqu'un qui se contentera fort probablement de le sniffer, dit Gene en réglant définitivement son cas.

– Et je pense qu'il est temps que tu t'en ailles.

– Sois raisonnable, Bailey...

Je me lève et me dirige vers la porte d'entrée. Gene soupire et me suit. J'ouvre la porte et il passe le seuil à contrecœur.

– Je voulais te remercier pour les photos que tu as données à Claire, dit-il, pris de toute évidence de remords. C'était très gentil de ta part.

– Considère-nous quittes, dis-je.

Puis je lui claque la porte au nez.

26

Une heure plus tard, je suis debout face aux ascenseurs du lobby de l'étincelante tour en marbre blanc qui abrite le cabinet de Holden, Cunningham & Kravitz. Je n'ai qu'une vague idée de la façon dont je suis arrivée là – une course en taxi mouvementée à travers les rues de Miami sous une pluie torrentielle – et une idée encore plus vague de la raison qui m'a poussée jusqu'ici. Pour voir Sally ? Pour avoir une discussion avec Sean ? Pour échapper à Gene, dont les visites incessantes continuent de hanter mon appartement, lequel commence à plus ressembler à une prison qu'au havre de paix qu'il a toujours été ?

Pourtant, me voici. Une angoisse soudaine me paralyse les jambes, les cloue au sol aussi sûrement que les colonnes décoratives en marbre autour de moi. Je regarde la demi-douzaine d'ascenseurs aller et venir en continu, à intervalles irréguliers, les portes de cuivre Art déco s'ouvrent et se ferment, des gens bien habillés et pressés entrent et sortent, la scène se répète si souvent qu'elle en perd tout son sens, de la même manière qu'un mot perd son sens quand on le répète trop. Un engourdissement désagréable naît sous ma plante de pieds, s'enroule autour de mes orteils, puis monte le long de mes mollets jusqu'à mes cuisses et rampe jusqu'à mon entrejambe.

Je traverse un épisode de choc post-traumatique. Je ne suis pas folle.

– Bailey ?

Un râle sonore et guttural s'échappe de mes lèvres. Les gens qui se trouvent immédiatement à côté de moi reculent d'un pas, par précaution.

– Désolée, dit une jeune femme, bien que la façon dont elle me regarde suggère que c'est moi qui devrais lui présenter des excuses. Je me disais bien que c'était toi. Vicki, de la compta ?

dit-elle, comme si elle n'était pas sûre. Mon Dieu, tu es complètement trempée.

– Ah bon ?

Un rapide coup d'œil me confirme que Vicki de la compta a raison. De l'eau dégouline de mes épaules pour venir former des petites flaques tout autour de moi.

Elle rit.

– Oui, on dirait bien !

Elle me regarde comme si elle s'attendait à ce que je prenne feu.

– Est-ce que ça va ?

– Oui.

Vicki de la compta est une jolie brune avec de longs cheveux raides qui lui tombent presque jusqu'à la taille. Elle porte une robe grise et des talons noirs si hauts que je me demande comment elle peut tenir dessus, et surtout réussir à marcher avec. Fut une époque où je portais des chaussures comme celles-là, me dis-je en regardant mes sandales à semelles plates. Et je n'avais absolument aucun mal à marcher.

– Tu montes ?

Elle appuie sur le bouton d'appel bien qu'il soit déjà allumé. J'acquiesce et elle sourit.

– Comment ça va ?

Que sait-elle concrètement, quelles rumeurs, vraies ou fausses, les gens du bureau ont-ils alimentées ?

– Un peu mieux tous les jours.

– Tu penses revenir bientôt ?

– Peut-être.

– J'espère. Tu nous manques.

Je trouve ça curieux, vu que cette conversation est certainement la plus longue que nous ayons jamais eue.

– Vous me manquez aussi, lui dis-je, en partie parce que c'est ce qu'elle attend, et en partie parce que, étonnamment, c'est vrai.

Un ascenseur arrive et la porte s'ouvre.

– Tu viens ? demande Vicki de la compta en montant dans l'ascenseur et en attendant que j'en fasse autant.

La porte cogne contre son épaule et le bip se déclenche, mais mes pieds refusent de bouger. Je retarde tout le monde.

– Bailey, tu viens ?

Un homme me bouscule en voulant me contourner, son geste brusque me pousse à l'intérieur.

Vicki de la compta appuie sur le bouton du vingt-quatrième étage et me regarde, les doigts hésitants face au panneau.

– Le bureau de M. Holden est au vingt-sixième, n'est pas ?

Pourquoi s'imagine-t-elle que je viens voir Sean ? Est-elle au courant de notre liaison ? Encore un ragot juteux me concernant ?

– Vingt-cinq, dis-je. Je pensais passer d'abord dire bonjour à Sally.

– Ah, d'accord. Elle est super débordée. Elle travaille sur le divorce d'Aurora et Poppy Gomez. Nan mais t'arrives à y croire à cette histoire ? Il paraît qu'il a couché avec plus de mille femmes rien que ces deux dernières années. C'est genre *une par soir*.

J'essaie de me convaincre que Vicki de la compta est juste en train d'exagérer pour marquer le coup et que ce n'est pas une démonstration de ses capacités mathématiques.

– Excusez-moi, dit une femme depuis le fond de la cabine quand les portes de l'ascenseur s'ouvrent au seizième.

Je sens plusieurs corps se déplacer derrière moi tandis que la femme essaie de se frayer un chemin jusqu'à la porte. Elle sort et un homme entre. Il a environ trente-cinq ans, il est de taille et de corpulence moyennes. Il sent le savon de luxe et le bain de bouche, fraîcheur mentholée.

Dis-moi que tu m'aimes.

Je m'appuie contre la paroi la plus proche en essayant de garder mon calme. Ce n'est pas l'homme qui m'a violée.

La séance d'identification de ce matin m'a bouleversée et mon imagination se déchaîne. *Je ne suis pas folle.*

Quelques secondes plus tard, nous arrivons au vingt-quatrième étage et Vicki se dirige vers l'impressionnante réception en marbre vert de Holden, Cunningham & Kravitz. Elle se retourne pour me dire au revoir et se retrouve nez à nez avec moi.

– Oh, dit-elle, surprise de me voir si près. Je pensais que tu allais au vingt-cinquième.

– Je devrais sans doute appeler Sally d'abord, dis-je en faisant semblant de chercher mon téléphone volé dans mon sac. Tu as dit qu'elle était complètement débordée…

Vicki de la compta me sourit, embarrassée.

– Bon, c'était sympa de te revoir. Bonne chance pour la suite.

– Merci.

Je la regarde saluer la réceptionniste, puis passer les portes en verre qui mènent aux bureaux de la façade est de l'immeuble. De l'autre côté de ces portes, on entend le bourdonnement constant des gens qui s'affairent à leurs tâches.

Fut un temps où je faisais moi aussi partie de ce bourdonnement. J'avais des tâches auxquelles m'affairer.

– Excusez-moi. Puis-je vous aider ? demande la réceptionniste.

C'est la première fois que je la vois. Elle doit être nouvelle. Et elle est magnifique, il n'y a pas d'autre mot pour la décrire. J'approche du comptoir massif derrière lequel elle est assise.

– Je suis Bailey Carpenter. Je travaille ici. J'ai pris un petit congé, dis-je en improvisant.

Je suis éblouie par son sourire de star de cinéma.

– Êtes-vous là pour voir quelqu'un en particulier ?

J'hésite, et réalise à cet instant que je n'aurais jamais dû venir, qu'il faut que je m'en aille immédiatement. Je me tourne vers les ascenseurs juste au moment où l'un d'entre eux s'ouvre. Sean Holden en sort.

À moins que ce ne soit pas le cas.

À moins qu'il ne soit que le fruit de mon imagination, lui et son regard qui semble dire « Oh, merde ».

– Bailey, dit-il en avançant vers moi, les bras tendus. Je ne m'attendais pas à te voir. Qu'est-ce que tu fais là ?

J'ai la gorge sèche. Je suis prise de vertige, étourdie, faible.

– Je travaille ici, tu te souviens ?

Et soudain, je suis dans ses bras. Mais juste l'espace d'une seconde. Juste assez longtemps pour qu'il puisse murmurer :

– Je voulais vraiment appeler… et puis, en reculant, il ajoute : Je vois qu'on s'est laissé surprendre par la pluie.

Il essuie les gouttes que notre étreinte a déposées sur sa veste en lin beige.

– J'ai oublié mon parapluie, réussis-je à bégayer.

– Comment vas-tu ?

– Quand es-tu rentré ?

Nos questions se chevauchent.

– Dimanche. Euh… donne-moi une minute, d'accord ?

Il se dirige vers le bureau de la réceptionniste.

– Monsieur Holden ? dit-elle gaiement, et je ne peux pas m'empêcher de remarquer la façon dont elle le regarde, avec ses yeux bleu marine qui pétillent presque. Est-ce qu'il la regarde de la même façon ? Je me pose la question.

On dit qu'il est du genre coureur, m'a dit Gene un jour. Depuis quand je suis à ce point aveugle ? Depuis quand je suis à ce point stupide ?

Assez stupide pour ne pas avoir pris de parapluie, en dépit des alertes de grande tempête. Assez stupide pour avoir une liaison avec un homme marié tout en sachant que ça finira mal. Assez stupide pour toujours avoir les genoux qui flageolent rien qu'en l'apercevant.

– Pouvez-vous dire à Barry York que j'aurai quelques minutes de retard ?

– Bien sûr, monsieur Holden.

– Quelqu'un utilise la salle de réunion B ?

La réceptionniste vérifie le grand carnet de rendez-vous devant elle.

– Absolument personne.

Sean revient vers moi.

– Viens.

Il me prend le bras et me guide vers les portes en verre opposées à celles que Vicki de la compta a franchies plus tôt.

La salle de réunion B est une petite pièce rectangulaire avec une baie vitrée qui surplombe l'ouest de la ville. Mais tout ce qu'on peut voir pour le moment, c'est le ciel noir et la pluie continue.

– Ça va être une sale journée, finalement, observe Sean, et je me demande une seconde s'il fait référence à la météo ou à ma visite impromptue.

Il referme la lourde porte en chêne derrière lui, m'enlace brièvement et recule avant que je ne puisse l'étreindre à mon tour. Il me fait signe de m'asseoir sur une des douze chaises en tissu rouge qui entourent la longue table en chêne, et je m'écroule presque sur la chaise qu'il tire pour moi. Il la tourne vers lui, s'assoit en face de moi, de façon que nos genoux se touchent. Il attrape ma main et cherche mon regard.

– Comment vas-tu, Bailey ? Tu as l'air si fatiguée.

Je hausse les épaules, j'ai peur de fondre en larmes si je prononce le moindre mot. C'est maintenant qu'il décide d'être franc avec moi ? Il a vraiment le chic pour choisir son jour.

— Je suis vraiment désolé, dit-il, et je sais qu'il fait référence à quelque chose de plus profond que sa remarque sur mon air fatigué.

Je baisse la tête quand mes larmes commencent à couler. Je ne suis pas prête à avoir cette discussion. Pas encore.

— Comment s'est passé ton voyage ?

— Bien. C'était bien. Les filles ont eu l'air d'aimer.

— Et toi ?

— Eh bien, les croisières, c'est pas vraiment mon truc, comme tu le sais.

Comment le saurais-je ?

— Tu aurais dû me le dire, dis-je, incapable de garder tout ça pour moi plus longtemps. Pour le bébé.

Il soupire.

— Je sais. Je voulais le faire. Je suis venu cet après-midi-là pour te le dire, mais je... je n'ai pas pu. Pas après tout ce qué tu as traversé.

Heureusement pour toi, mon viol est tombé à pic, me dis-je en résistant à l'envie de le faire à haute voix.

— Qu'est-ce que tu veux que je te dise, Bailey ? Que je suis un lâche, que je suis un connard ?... Tu m'arrêtes quand tu veux, ajoute-t-il avec un gloussement exagéré, en me serrant la main. Ça n'est arrivé qu'une seule fois, Bailey. Un soir où nous avions bu quelques verres de trop au dîner et...

— Oh, je t'en prie, dis-je pour l'interrompre.

Nous sommes tous les deux surpris par le volume de ma voix, Sean jette un œil par-dessus son épaule en direction de la porte.

— N'insulte pas mon intelligence.

— C'est compliqué.

— Tu couches avec ta femme, Sean. Ça m'a l'air assez simple.

— Ça n'a rien à voir avec nous.

— Ça a *tout* à voir avec nous.

— Ça ne veut pas dire que tu ne comptes pas pour moi, Bailey.

— Juste que toi, tu comptes encore plus pour toi.

— C'est injuste.

– Un avocat qui demande de la justice ? En voilà une chose inhabituelle.

– Tu comptes énormément pour moi, Bailey. Tu le sais.

– Tu as une drôle de façon de le montrer.

Silence.

– Tu es en colère, dit-il finalement. Et c'est compréhensible.

– Je suis ravie que tu comprennes.

– Ça n'aurait pas pu arriver à un pire moment pour toi...

– Oui. D'abord je me fais violer, puis mon amant met sa femme enceinte. Le timing est plutôt merdique.

Une fois de plus, Sean jette un œil inquiet à la porte.

– On devrait peut-être baisser d'un ton...

– Le bébé est prévu pour quand, Sean ?

– Février.

– Donc tu es au courant depuis un bon moment.

– Quelques mois, admet-il.

– Fille ou garçon ?

– Un garçon, dit-il en souriant. Qu'est-ce que tu dis de ça ?

Il attend mon approbation, comme si nous étions deux vieux amis fêtant la bonne nouvelle.

– Félicitations.

Je me lève.

– Je pense que je devrais y aller. Je t'enverrai ma démission par mail dans l'après-midi.

– Bailey, non. Ce n'est vraiment pas nécessaire. Je ne te demande pas de démissionner.

– Et je ne te demande pas ta permission.

Un nouveau soupir.

– OK. Comme tu voudras, dit-il d'un ton formel.

Il a la décence de ne pas avoir l'air trop soulagé.

– Est-ce que ça va aller ?

Je prends un air faussement assuré et bombe presque le torse.

– Tu peux compter là-dessus.

*
* *

D'une manière ou d'une autre, je réussis à ne pas m'effondrer en sortant de la salle de réunion. Je mets un pied devant l'autre, retiens mes larmes, et garde la tête haute en attendant l'ascenseur. Je ferme les yeux pour ne pas voir les autres passagers en montant, et ne les rouvre qu'une fois au rez-de-chaussée. C'est grâce à ma volonté seule que je ne m'écroule pas en traversant le lobby qui me conduit jusqu'à la rue, balayée par la tempête. La pluie s'est temporairement arrêtée, mais le ciel reste sombre et le vent souffle toujours aussi fort.

Je le vois dès que je sors de l'immeuble.

Il est debout sur le trottoir, à batailler avec son parapluie que le vent a retourné. Bien qu'il ait troqué sa tenue de jogging pour un pantalon noir et une veste décontractée, je reconnais Colin Lesser. Je sais qu'il travaille dans le quartier et c'est l'heure du déjeuner, il n'est donc pas tout à fait improbable qu'on se croise. Quand bien même, je trouve un peu étrange qu'il soit ici précisément à l'heure où j'y suis moi aussi. M'a-t-il suivie ?

– Qu'est-ce que vous faites ici ? je lui demande.

Il lève les yeux, étonné.

– Quoi ?

– Je suis vraiment désolée, dis-je, en réalisant que l'homme que je viens d'accoster n'est pas du tout Colin Lesser. Je vous ai pris pour quelqu'un d'autre.

L'homme marmonne quelque chose d'incompréhensible avant de partir.

Qu'est-ce qui ne va pas chez moi ? J'ai certainement Colin Lesser en tête à cause de son appel de ce matin. Je ferme les yeux, je revois l'adresse imprimée en bas de sa carte de visite ; son bureau se trouve à trois pâtés de maisons d'ici, à moins de deux minutes si j'y vais en courant. À quoi je pense ?

De toute évidence, je ne pense pas tout court, me dis-je en me mettant à courir.

*
* *

Le bureau de Colin Lesser est au deuxième étage d'un immeuble rose bonbon qui en compte dix-sept, à trois rues de Holden Cunningham & Kravitz. Je prends l'escalier, soulagée de ne pas avoir à monter dans un autre ascenseur, et repère son bureau au milieu d'un long couloir. Je suis venue pour m'excuser de mon attitude étrange, et probablement grossière, au téléphone ce matin, et pour lui expliquer que, bien qu'il soit un homme séduisant et certainement fascinant, ce ne serait pas une bonne idée qu'on dîne ensemble, pas pour le moment. Voilà ce que je me dis. Peut-être même que j'y crois.

Le bureau a l'air vide, ce qui n'est pas surprenant vu que c'est l'heure du déjeuner. Il n'y a personne assis derrière le petit bureau de réception, pas un patient qui traîne dans l'agréable salle d'attente où un long canapé d'angle en cuir vert fait face à une grande télévision branchée sur CNN. Une machine à expresso est encastrée dans le mur vert pâle, à côté de plusieurs grandes peintures à l'huile abstraites et, sur une large table basse en marbre, se trouvent plusieurs magazines people récents.

– Puis-je vous aider ?

La voix est familière et je me retourne en m'attendant à voir Colin. Au lieu de ça, je me retrouve face à un homme au crâne dégarni, au regard doux et au sourire gentil, qui doit avoir trente ans de plus que Colin.

– Je cherche le Dr Lesser.

– Vous l'avez trouvé.

– Vous êtes le Dr Lesser ?

Qu'est-ce que ça veut dire ? Que Collin n'est pas celui qu'il prétendait être ? Que tout ce qu'il m'a dit était faux ? Que notre rencontre était loin d'être un hasard et encore moins « improbable », qu'il m'a, en réalité, espionnée, qu'il est l'homme qui m'a violée...

– Avez-vous rendez-vous ?

– Comment ? Non. Je... Je me suis trompée.

Je me dirige vers la porte.

– Attendez. Vous êtes peut-être là pour voir mon...

– Bailey ?

Je me retourne et je vois le Colin Lesser que je connais sortir d'une des pièces et avancer vers moi. Il porte une blouse de laboratoire blanche sur une chemise à carreaux et un pantalon kaki. Même à cette distance, on voit bien ses fossettes.

– Que faites-vous ici ?

– Je... Je...

– Je vois que vous avez rencontré mon père.

– Si vous voulez bien m'excuser, dit l'homme âgé, en disparaissant dans un des couloirs.

– Que faites-vous ici ? demande à nouveau Colin.

– J'ai faim, lui dis-je, en réalisant avec surprise que c'est vrai. J'espérais que vous seriez libre pour le déjeuner.

*
* *

– Alors vous avez démissionné ? demande-t-il.

Il pose les coudes sur la table en Formica et se penche vers moi.

– J'ai senti que je n'avais pas vraiment le choix. Je veux dire, tout ça était stupide, n'est-ce pas ? Avoir une liaison avec un homme marié qui se trouve aussi être mon patron...

Je jette un œil à l'assiette de Colin Lesser, à son énorme sandwich au corned-beef, à moitié mangé, posé en face de lui. Il me regarde, ses yeux bleu foncé fixent mes lèvres qui n'ont pas cessé de bouger depuis que nous nous sommes assis.

Après lui avoir posé quelques questions pour la forme – Depuis combien de temps exercez-vous ? Qu'est-ce que ça fait de travailler avec son père ? Avez-vous déjà été marié ? – et reçu quelques réponses par chance très ordinaires – Quatre ans ; C'est génial ; Ma petite amie et moi avons rompu il y a environ un an –, j'ai complètement monopolisé la conversation. J'ai continué à parler tout en engloutissant le plat du jour, de la dinde, et il semblerait que je sois incapable de m'arrêter. Je suis en train d'ouvrir mon cœur à un homme que je connais à peine, un homme que je soupçonnais il n'y a même pas une heure d'être l'homme qui m'a violée.

– Je ne sais pas pourquoi je vous dis tout ça.

– On dirait bien une affaire de harcèlement sexuel, suggère-t-il.

– On ne peut pas dire que j'aie été harcelée. Il ne m'a forcée à rien.

– Mais quelqu'un l'a fait, dit Colin après une pause.

– Oui, m'entends-je admettre.

Pourquoi suis-je en train de me confier à cet homme ? Parce qu'il a le même regard doux que son père ? *Parce qu'il est là ?* La vérité, c'est qu'il *n'était pas* là. La vérité, c'est que je suis allée le chercher. Pourquoi ? Parce que j'en veux à Sean ? Parce que je veux me prouver qu'un homme – un homme vraisemblablement sain, équilibré, que je pourrais trouver attirant en temps normal – me trouve attirante lui aussi ? Parce que je veux désespérément croire que malgré ce qui s'est passé, *certains hommes sont bons* ? Ou ai-je une suspicion plus profonde, plus sombre ?

– C'était vous ? m'entends-je demander.

– Qu'est-ce que vous voulez dire ?

– Êtes-vous l'homme qui m'a violée ?

– Quoi ?!

La serveuse s'approche de notre table. Elle a environ soixante ans et parle avec un fort accent hongrois. Ses seins tombants explosent dans son uniforme moutarde dont les boutons noirs menacent de sauter.

– Qu'est-ce qui ne va pas ? demande-t-elle à Colin dont le visage est devenu blanc comme un linge. Vous n'aimez pas votre sandwich ?

– Qu'est-ce que vous avez dit ? me demande-t-il en ignorant la question. Qu'est ce qui peut bien vous faire croire ça ?

– Dessert ? Café ? essaie la serveuse.

– Café, dit Colin d'un ton sec.

– Deux, j'ajoute, tandis que la serveuse débarrasse nos assiettes.

– Vous êtes sérieuse ? Vous pensez vraiment que je pourrais être l'homme qui vous a violée ?

Colin scrute la salle bondée comme s'il s'attendait à voir un flic lui sauter dessus depuis un box voisin pour le plaquer contre la table et le menotter, mains derrière le dos.

– C'est vous ?

– Non. Bien sûr que non.

– OK.

– *OK ?* C'est tout ? *OK ?*

La serveuse nous apporte nos cafés et pose un pot de lait et des sachets de sucre sur la table.

– Je ne comprends pas. Que faisons-nous ici si vous pensez que j'ai pu… ? demande Colin dès qu'elle est partie.

– Je ne le pense pas. Pas du tout.

– Alors pourquoi… ?

– Pourrait-on simplement oublier que j'en ai parlé ?

323

– Oublier que vous en avez parlé ? Non, je ne crois pas en être capable. Que se passe-t-il, là, Bailey ? Est-ce que vous cherchez à me faire dire quelque chose qui pourrait m'incriminer ?

– Non. Sincèrement, je n'essayais pas.

– Quoi, alors ?

– Je ne sais pas. De toute évidence, j'ai des problèmes…

– De toute évidence.

Aucun de nous ne parle pendant une bonne minute ou deux. Au lieu de ça, nous sirotons nos cafés en regardant la pluie.

– J'en déduis que la police ne l'a pas arrêté ? hasarde Colin juste au moment où le silence devient insupportable.

– Non, pas encore.

– Je suppose aussi qu'à aucun moment vous n'avez pu voir son visage ?

– Non, jamais.

Cherche-t-il des informations ?

– Ce n'était pas moi. Je vous le jure, Bailey. Ce n'était pas moi.

– Je vous crois.

– OK.

– OK.

Il porte la tasse de café à ses lèvres et ne la repose qu'après avoir fini la dernière goutte.

– Il faut vraiment que j'y aille, finit-il par dire. J'ai un patient dans quinze minutes.

Il se lève et fouille dans ses poches, dépose un billet de vingt dollars sur la table.

– Il faut vraiment que je me sauve…

– Je sais. Je comprends. Vraiment, je comprends.

– Ça va aller ?

– Oui, ça va aller.

– J'espère qu'ils vont l'attraper.

– Moi aussi.

Il ne dit rien pendant une seconde, comme s'il débattait avec lui-même pour savoir s'il allait ajouter autre chose. Quand il parle enfin, le message est simple et clair comme de l'eau de roche :

– Au revoir, Bailey.

27

Une heure plus tard, je suis assise à l'arrière d'un taxi, arrêté devant l'entrée de l'immeuble de Paul Giller.

– C'est la bonne adresse ? me demande le chauffeur, en me jetant un œil suspicieux dans le rétroviseur.

Je sais bien ce qu'il demande en réalité : si c'est la bonne adresse, pourquoi je ne descends pas de son taxi ? J'ai payé ce que je lui devais et la pluie a temporairement cessé de tomber. Ce serait le moment idéal pour courir jusqu'à l'immeuble.

Je n'avais pas prévu de venir ici. Au départ, je voulais juste rentrer chez moi. Pourtant, quand le chauffeur de taxi aux cheveux gris d'environ soixante-dix ans s'est arrêté devant moi, je ne lui ai pas donné mon adresse, mais celle de Paul Giller.

Je n'agis que par impulsion et je le sais.

Sauf que…

J'ai l'impression d'avoir plus le contrôle de ma vie que ces dernières semaines.

Je ne suis pas folle.

Ouais, c'est ça.

Dites ça à Colin Lesser.

Et à David Trotter.

Et à Jason Harkness.

Dites ça à l'inspecteur Castillo et à l'officier Baydow.

Dites ça au juge, me dis-je, en manquant d'exploser de rire.

Un éclair apparaît, suivi, quelques secondes plus tard, d'un grondement de tonnerre menaçant. Une pluie violente va reprendre sous peu. Il serait plus sage de laisser tomber le plan farfelu – quel qu'il soit – que mon cerveau est en train de mijoter et de rentrer chez moi. Mais, bien sûr, puisque je ne suis pas folle, je fais tout le contraire. Je descends du taxi et cours vers l'entrée de l'immense bâtiment en verre. Je pousse la porte du lobby et marche droit vers l'interphone sur lequel sont affichés les noms des résidents.

Le nom du responsable de l'immeuble apparaît tout en bas, j'appuie sur le bouton et attends.

– Oui ? retentit une voix d'homme quelques secondes plus tard. Puis-je vous aider ?

Je ne me rends pas compte que je fais un pas en arrière.

– Je voudrais me renseigner pour un appartement.

– J'arrive tout de suite.

J'observe le hall chichement meublé, en me demandant si ce côté minimaliste est une question de goût ou de moyens. Certains indices donnent à penser que l'économie va reprendre, c'est en tout cas l'avis de plusieurs experts que j'ai vus parader à la télé. Après tout, peut-être que le marché de l'immobilier va redémarrer et que les gens vont se remettre à acheter. Les résidences ne devront plus se résigner à louer leurs appartements au mois pour s'en sortir. Les halls d'immeubles seront de nouveau envahis de meubles.

Je vois un homme portant un jean soigneusement repassé et un polo bleu vif apparaître derrière une porte en verre. Il est petit, beau, la cinquantaine. Une épaisse chevelure poivre et sel, une posture parfaitement droite, un corps svelte. Il ouvre la porte et me fait signe de rentrer en tendant la main pour me saluer. Sa poignée de main est ferme, presque paralysante, mes jointures s'écrasent les unes contre les autres jusqu'à ce qu'il relâche sa prise.

– Adam Roth, dit-il. Et vous êtes… ?

– Elizabeth Gordon.

J'ai tout à coup peur qu'Adam Roth ne connaisse peut-être Elizabeth Gordon, qu'il ne puisse être un de ses patients.

– Enchanté, mademoiselle Gordon. Quelle journée effroyable pour chercher un appartement.

Il me conduit jusqu'à son bureau un peu plus loin.

À côté de l'immense lobby vide, son minuscule bureau ressemble à un débarras. Au milieu de la pièce, un grand bureau est recouvert de piles de papiers, de dossiers et de plans d'appartements. Derrière se trouve un fauteuil en cuir marron qui a l'air très confortable et, devant, deux autres du même genre.

326

Quelques chaises pliantes sont entassées dans un coin. Une grande étagère, remplie de classeurs de couleur, longe le mur à droite du bureau, tandis que sur sa gauche se tient un chevalet avec une représentation artistique d'un grand immeuble en verre, sûrement celui dans lequel nous nous trouvons, bien que ce soit difficile à dire vu que ces immeubles se ressemblent tous.

– Il semblerait qu'une tempête retentissante nous attende, souligne Adam Roth, en s'asseyant derrière son bureau et en désignant les deux fauteuils pour m'inciter à faire de même. En quoi puis-je vous aider, mademoiselle Gordon ?

– Je suis à la recherche d'un appartement.

– À acheter ou à louer ?

– À louer.

Il a l'air déçu.

– Vous êtes sûre ? C'est une période idéale pour acheter. Les prix ont baissé, les taux d'intérêt sont au plus bas…

– Je ne sais pas encore combien de temps je vais rester à Miami.

– Je vois. Nous partirions donc plus sur du court terme.

– Oui.

– Un bail d'un an ou au mois ?

– Probablement au mois.

Adam Roth sourit, bien qu'il ait l'air encore plus abattu.

– Et vous seriez intéressée par quel genre de surface, mademoiselle Gordon ?

– Un deux-pièces, de préférence dans les étages du haut, orienté vers l'ouest.

– Vraiment ? La plupart de nos clients préfèrent une orientation est. Bon, dit-il en feuilletant les papiers sur son bureau jusqu'à trouver le dossier qu'il cherche. Voyons ce que nous avons de disponible.

Je me penche en avant sur mon siège.

– Il se trouve que nous avons plusieurs deux-pièces orientés vers l'ouest disponibles. Que dites-vous du dix-septième étage ?

– Combien d'étages à l'immeuble en tout ?

– Vingt-neuf.

– Dans ce cas, je préférerais un peu plus haut. Peut-être vers le vingt-septième étage ?

D'après l'interphone, Paul Giller vit dans l'appartement 2706.

– Je devrais vous dire que les prix augmentent avec les étages alors que la vue est quasiment la même, dit-il en agitant sa main en direction de mon immeuble. Laissez-moi voir. J'ai un deux-pièces libre au dix-neuvième, deux au vingtième, un au vingt-troisième et un au vingt-huitième.

– Quel est le numéro de l'appartement qui se trouve au vingt-huitième étage ?

– Son numéro ? Hum… numéro 2802. Il y a une raison particulière à votre question ?

– Simple curiosité. J'ai vécu une fois au vingt-huitième étage d'un immeuble et cela aurait été amusant qu'il s'agisse du même numéro.

Je hausse les épaules et lui lance mon sourire le plus séduisant, un sourire qui dit que je suis « adorablement excentrique » et non pas « folle ».

– J'aimerais bien le visiter, si cela ne vous dérange pas.

– Bien sûr. Je suis là pour ça.

Il sort un trousseau de clés du tiroir de son bureau.

– Le loyer est de mille six cents dollars par mois. Mais si vous versiez un acompte de vingt mille dollars, la location vous reviendrait à beaucoup moins mensuellement et vous pourriez mettre en place une épargne immobilière par la même occasion.

– Encore faudrait-il que j'aie vingt mille dollars à verser, dis-je en improvisant.

Je me lève et le suis dans le couloir.

– Nous demandons une caution ainsi que les premier et dernier loyers d'avance, m'annonce-t-il tandis que nous attendons l'ascenseur. Que faites-vous dans la vie, mademoiselle Gordon, si ce n'est pas indiscret ?

– Je suis thérapeute.

– Vraiment ? Kinésithérapeute ? Ergothérapeute… ?

– Psycho, dis-je, en pensant que si on ajoutait « pathe », ce serait le terme parfait pour me décrire.

– Psychothérapeute ? Ah oui ? Vous avez l'air si jeune.

Nous prenons l'ascenseur jusqu'au vingt-huitième étage.

– Par ici.

Il désigne sa droite et nous empruntons un couloir au papier peint gris. Je regarde en direction de l'appartement 2806 tandis qu'Adam Roth enfonce la clé dans la serrure du 2802 et tourne.

– Mademoiselle Gordon ? Ou devrais-je dire docteur Gordon ? me demande-t-il en ne me voyant pas réagir à l'appel de mon nom.

– Mademoiselle Gordon, ça ira.

La porte s'ouvre en grand et nous pénétrons dans une minuscule entrée en marbre gris et blanc.

Il me fait visiter le petit appartement.

– Des baies vitrées tout du long. Un sol en marbre dans la pièce à vivre. Des comptoirs en granit dans la cuisine. L'électroménager est récent, il comprend un lave-vaisselle, un micro-ondes et un sèche-linge encastré, énumère-t-il. Et voici la chambre.

Nous entrons dans une petite pièce carrée, le mur ouest n'est qu'une immense baie vitrée.

– Une superbe moquette ainsi qu'un dressing et une salle de bains adjacente en marbre. La surface est très agréable comparée aux standards d'aujourd'hui. Alors, qu'en pensez-vous ?

– C'est très joli. Tous les deux-pièces orientés vers l'ouest sont-ils pareils ?

– Oui. Il peut y avoir des différences mineures, si les gens ont acheté sur plan, mais tous les appartements de l'immeuble sont substantiellement disposés comme celui-ci.

J'avance vers la baie vitrée, fixe mon immeuble en face, en essayant de déterminer lequel de ces appartements est le mien. Mais la pluie m'empêche de distinguer quoi que ce soit. Je pose la tête contre la vitre, persiste à vouloir identifier mon appartement.

– Mademoiselle Gordon ? demande Adam Roth. Est-ce que vous allez bien ?

– J'essaie juste de m'imprégner de l'ambiance.

J'essaie surtout de compter les étages de mon immeuble en partant du bas, mais cela se révèle trop compliqué. Je dois me contenter d'une impression générale. Mais il est évident, même avec la pluie, même depuis un étage au-dessus et de deux appartements plus à gauche, que Paul Giller a une aussi bonne vue sur mon appartement que moi sur le sien.

– Vous avez des questions ? me demande Adam Roth quand nous retournons dans le salon.

– Quel est le pourcentage habité de l'immeuble en ce moment ?

– Un tout petit peu moins de la moitié. Nous avions beaucoup de spéculateurs, mais hélas, quand les marchés se sont effondrés...

– Et le ratio entre propriétaires et locataires ? dis-je pour l'interrompre, en me demandant à laquelle de ces catégories appartient Paul Giller.

– Probablement cinquante-cinquante.

– Y a-t-il un important roulement de locataires ?

– Non, pas vraiment, non. Je peux vous assurer, mademoiselle Gordon, que c'est un immeuble très sûr, si c'est ce qui vous inquiète.

– Non, je ne suis pas inquiète. En réalité, je crois que je connais quelqu'un qui vit ici.

Adam Roth me regarde, attendant la suite.

– Je l'ai rencontré à une soirée la semaine dernière. Je crois qu'il a dit qu'il était acteur. Mon Dieu, comment s'appelait-il déjà ? Paul Quelque chose. Gilmore ? Gifford ?

– Giller ? propose le responsable de l'immeuble.

– Oui ! C'est ça. Paul Giller. Bel homme. Je crois qu'il a dit qu'il vivait dans cet immeuble.

– C'est le cas, oui.

– Depuis longtemps ?

Adam Roth ne dit rien.

Je fais semblant de m'intéresser de plus près au comptoir en granit de la cuisine.

– Je ne me souviens pas s'il m'a dit qu'il était locataire ou propriétaire.

– J'ai peur de ne pas pouvoir vous donner ce genre d'informations. Il faudra que vous lui demandiez vous-même.

– Oh, je doute de le recroiser un jour. J'étais simplement curieuse. Les hommes vous racontent plein d'histoires de nos jours. Vous savez ce que c'est.

– Est-ce que c'est pour ça que vous êtes ici, mademoiselle Gordon ? Pour enquêter sur un petit ami potentiel ?

– Quoi ? Non ! Bien sûr que non. J'ai d'ailleurs eu l'impression que Paul Giller vivait déjà avec une fille.

– Encore une fois, c'est à lui que vous devrez poser la question. Maintenant, si nous en avons fini ici...

Il marche jusqu'à la porte.

– Je crois que oui.

– Je suppose que vous n'êtes pas intéressée pour voir d'autres appartements ?

– Non, merci. Je crois avoir une idée assez claire de ce qui est disponible.

– Dois-je dire à M. Giller que vous m'avez parlé de lui ? demande Adam Roth quand nous montons dans l'ascenseur.

– Ce n'est pas la peine.

– Je m'en doutais. J'ai été ravi de vous rencontrer, mademoiselle Gordon.

Les portes de l'ascenseur s'ouvrent sur le lobby.

– Oh, regardez. Voilà M. Giller.

Je recule d'un pas, en sachant que je ne peux me cacher nulle part et en priant pour devenir invisible.

– Oh, désolé, dit Adam Roth, sans même faire l'effort de cacher son sourire narquois. Je me suis trompé. Ce n'était pas M. Giller, finalement.

J'enfonce mes mains dans les poches de mon pantalon, pour qu'il ne les voie pas trembler mais aussi pour m'empêcher de les poser sur son cou et l'étrangler. Je fixe le sol, je n'ose pas regarder l'homme qui avance vers nous et qui n'est pas Paul Giller.

– Bonne journée, monsieur Whiteside, dit Adam Roth en le croisant.

– Pas vraiment, répond M. Whiteside, en entrant dans l'ascenseur. Vous avez jeté un œil à l'extérieur ?

– Bonne journée pour rester chez soi, admet Adam Roth. Essayez de ne pas trop vous mouiller, mademoiselle Gordon, dit-il derrière moi quand je sors dans la tempête.

*
* *

Quand j'arrive dans le hall de mon immeuble, Heath m'attend.

– On dirait un rat qu'on a essayé de noyer, dit-il.

– Où tu t'es enfui, hier soir ? je lui demande en guise de réponse, tout en secouant mes cheveux pour enlever la pluie et en le regardant bondir pour éviter les gouttes.

Il hausse les épaules. Ce sera la seule réponse que j'obtiendrai.

– Bonjour, mademoiselle Carpenter, me dit Wes quand nous passons près de la réception. J'espère que vous n'êtes pas trop trempée.

– On dirait un rat noyé, répond Heath.

– Merci.

J'appuie sur le bouton de l'ascenseur.

– Je suis vraiment fatiguée, Heath.

Si une part de moi – celle de la sœur inquiète – est soulagée de le savoir sain et sauf, resplendissant dans son jean slim noir et sa chemise en soie de la même teinte, une autre part de moi – celle de l'être humain épuisé – veut simplement qu'il s'en aille pour pouvoir s'effondrer sur son lit et prétendre que cette journée n'a jamais existé.

– Tu voulais quelque chose ?

Il a l'air vexé et je sens une pointe de culpabilité.

– Pourquoi tu penses toujours que je veux quelque chose ? Je ne suis pas Claire…

– Claire ne veut…

Je m'arrête. Heath est de toute évidence jaloux et se sent plus qu'un petit peu menacé par ma nouvelle relation avec Claire. Cela ne sert à rien d'essayer de me justifier ou de me défendre.

– Je suis désolée, dis-je à nouveau parce que c'est plus simple comme ça.

– Excuses acceptées, dit-il quand les portes de l'ascenseur s'ouvrent.

Nous y montons.

– Écoute, puisque tu le mentionnes, il y a bien *une* chose que tu pourrais faire pour moi.

– Pourquoi ne suis-je pas surprise ?

– J'ai besoin d'une faveur. Je voulais t'en parler hier soir, mais… t'es un peu tombée dans le gaz avant que j'aie eu la chance de le faire.

Une femme d'une cinquantaine d'années se glisse dans l'ascenseur juste au moment où les portes se ferment, elle lance un sourire charmeur à Heath et appuie sur le bouton du quinzième étage.

– Quel genre de service ? je lui demande une fois qu'elle est sortie.

– J'ai besoin d'argent.

– Comment ça, tu as besoin d'argent ?

Silence, jusqu'à ce qu'on atteigne mon étage.

– Heath ?

– C'est juste un prêt. Je ne te demanderais pas si j'avais une autre solution. C'est juste que je ne sais pas vers qui d'autre me tourner. J'ai des ennuis et j'ai besoin d'argent.

– Comment ça, tu as des ennuis ?

– Est-ce que tu crois qu'on pourrait parler de ça dans ton appartement plutôt que dans le couloir ?

– Crois-tu que tu pourrais me dire de quoi tu parles exactement ? je lui demande en retour, en ouvrant la porte de l'appartement.

– J'ai besoin de trente mille dollars.

– Trente mille dollars ?! Tu déconnes ?

– C'est temporaire. Tu n'as qu'à les déduire de ma part de l'héritage.

– Il n'y a pas d'héritage. Pas avant que cette histoire de procès ne soit réglée. Ce qui, je te le rappelle, pourrait prendre des années.

– Eh bien, ça pourrait devenir problématique, parce que, grosso modo, j'ai plus un rond. Et on dirait bien que je dois de l'argent à certaines personnes. Des personnes qui sont loin d'être aussi compréhensives que toi sur ce genre de question.

– De quoi tu parles ?

– C'est assez simple, Bailey. J'ai fait un ou deux mauvais paris par-ci, par-là.

– Depuis quand tu t'es mis à jouer ?

– Je ne sais pas. Il y a cinq ou dix ans ? Je suis assez doué d'habitude. Seulement… pas récemment.

– Est-ce qu'on parle d'usuriers ?

– Un terme assez désuet, mais ma foi assez à propos. Je leur ai remboursé la majeure partie de ce que je leur devais quand j'ai vendu mon appartement. À la moitié de sa valeur réelle, si je peux me permettre.

– Tu as vendu ton appartement ?

– Pourquoi tu penses que j'habitais chez papa ?

– Je n'arrive pas à y croire.

Je me demande s'il peut y avoir un lien entre les dettes de Heath et mon agression. Mon viol pouvait-il être une forme

333

d'avertissement ? Mon frère pourrait-il être responsable, aussi accidentellement que ce soit ?

– Je dois juste vingt mille dollars de plus, dit Heath, et nous serons quittes.

– Je croyais que tu avais dit trente.

– Eh bien, un petit bonus pour vivre ne serait pas inutile. Allez, Bailey. Considère ça comme une avance. Je te rembourserai jusqu'au dernier cent. S'il te plaît. Ne m'oblige pas à te supplier. On fait partie de la même famille. Contrairement à d'autres personnes que je ne citerai pas.

– Est-ce qu'on peut laisser Claire en dehors de ça ?

Je m'effondre sur le canapé, à la fois parce que je suis sous le choc mais aussi parce qu'il a raison : je n'ai pas réfléchi une seconde avant de signer ce chèque de dix mille dollars à Claire.

– Attention, m'avertit Heath. Tu es en train de tout mouiller.

– Je vais appeler la banque. Je leur dirai de te faire un virement.

– Génial.

On sent le soulagement dans sa voix.

– T'es la meilleure. Vraiment. Tu es mon héros.

– Ton héros, je répète en riant presque.

Tu parles d'un héros.

– Tu ne peux pas continuer à déconner, lui dis-je. Je ne peux pas continuer à te sauver. Je n'ai pas la force.

– Tu te moques de moi ? Tu es la personne la plus forte que je connaisse.

Je le fixe, incrédule.

– C'est vrai, dit-il.

Le téléphone sonne.

– C'est Wes, de la réception, m'informe-t-il quand je décroche le téléphone de la cuisine. Votre nièce est là.

Jade est là ? Pourquoi ?

– Faites-la monter.

– Laisse-moi deviner, me dit Heath sur le seuil de la porte. Sainte Claire arrive avec des cookies et du lait.

– C'est Jade, lui dis-je, en me demandant ce qu'il pourrait bien arriver d'autre aujourd'hui.

– Je devrais y aller avant qu'elle arrive.

Heath me serre dans ses bras.

– Je t'aime. N'en doute jamais.

– Je sais.

Il se redresse.

– Tu devrais vraiment enlever ses habits mouillés, me lance-t-il tandis que je le regarde marcher dans le couloir. T'appelle ce soir, dit-il, en me voyant fermer la porte.

Quelques secondes plus tard, Jade frappe à la porte.

– Je viens juste de croiser ton sublime frère, dit-elle en guise de bonjour.

Elle porte un jean sur lequel on a apparemment dessiné, un pull bleu moulant, et au moins trois couches de mascara, ses cheveux blonds tombent en cascade de boucles sur ses épaules. Une valise est posée à droite de ses espadrilles compensées, à gauche, un grand sac de week-end.

– Qu'est-ce que c'est que ça ?

– Ma mère t'a pas dit ? On s'installe.

– Quoi ?

– Juste pour quelques jours, jusqu'à ce que tout se tasse un peu. Elle t'expliquera.

Comme si elles avaient répété la scène avant de venir, le téléphone sonne.

– C'est sûrement elle. Tu sais que tu es trempée ?

Je retourne à la cuisine tandis que Jade traîne sa valise à roulettes et son sac de voyage dans le couloir. L'écran du téléphone m'annonce que c'est Claire au bout du fil.

– Explique, dis-je.

28

Il est 20 heures, nous sommes dimanche, Jade et sa mère vivent chez moi depuis jeudi soir. Jade dort dans le canapé-lit de mon bureau et Claire avec moi dans mon lit double. Claire m'a informée – quand je l'ai sommée de s'expliquer – qu'elle avait pris la décision de s'installer ici après avoir reçu un appel de l'inspecteur Castillo à l'hôpital. Pour résumer, il lui a confié qu'il en avait par-dessus la tête de mon comportement et qu'il comptait sur elle pour me surveiller avant que je ne commette l'irréparable, pour moi ou pour l'enquête. Apparemment, Adam Roth, le gestionnaire de l'immeuble de Paul Giller, a contacté la police à la minute où j'ai quitté son bureau. Paul Giller l'avait déjà averti de mon soi-disant harcèlement. L'inspecteur Castillo a dit à Claire que je mettais en péril non seulement l'enquête mais ma propre sécurité, qu'avec une telle attitude, il serait facile à n'importe quel avocat de la défense digne de ce nom d'inciter un jury à remettre en cause ma santé mentale, et que l'homme qui finirait par être inculpé pour mon viol pourrait très bien sortir libre, surtout si je continue à accuser sans réfléchir tous les types que je croise. À la suite de cette discussion, Claire a appelé Jade à l'école et lui a dit de rentrer à la maison, de balancer quelques affaires dans une valise, de venir chez moi et qu'elle nous rejoindrait dès que sa garde serait finie.

Quand elle est arrivée, j'ai essayé de lui expliquer ce que je faisais dans le bureau d'Adam Roth. Mais je crois que toutes les raisons que j'ai pu lui donner se sont perdues au milieu des révélations concernant ma démission et le piège que j'ai essayé de tendre à Colin Lesser. Claire a tenté de ne pas avoir l'air trop inquiète pendant que je lui racontais ma discussion avec Sean et mon déjeuner avec Colin, mais je sais ce qu'elle a pensé : que l'inspecteur Castillo avait raison, que j'étais hors de contrôle, que ma crédibilité, voire ma santé mentale étaient en jeu.

Il pleut presque en continu depuis qu'elles ont emménagé, donc nous ne sortons presque pas. Nous nous contentons de passer nos journées à jouer à la console et à regarder des émissions de télé-réalité. On mange de la glace, on regarde des films, on se délecte des derniers ragots juteux sur le divorce de Poppy et Aurora Gomez. Et dès que le soleil se couche, on sort les jumelles et on se relaie pour espionner mon voisin.

Paul Giller n'a pas fait grand-chose d'intéressant ou d'important, ce week-end. Il sort, il rentre à la maison. Parfois, Elena l'accompagne, parfois non. Il n'y a pas eu de spectacle érotique, aucune scène de violence, pas même un regard dans notre direction.

– Il est devenu vraiment barbant, a observé Jade, quand Elena et lui sont rentrés avant minuit hier soir et se sont aussitôt couchés.

C'est réconfortant d'avoir Claire et Jade à la maison. J'ai beau avoir rechigné à partager mon lit avec ma sœur au début, je me suis rendu compte que sa présence avait quelque chose d'apaisant. En plus, elle n'a pas l'air le moins du monde dérangée par mon sommeil agité. Elle ne peste pas quand je me lève plusieurs fois par nuit pour aller aux toilettes, ne m'oblige pas à rester tranquille, ne me dit pas de me calmer quand mes cauchemars me réveillent en sursaut. Au lieu de ça, elle me tapote le dos, à moitié endormie, et bafouille que c'était juste un rêve, qu'elle est là et qu'elle ne laissera personne me faire du mal. On dirait bien que ça fonctionne.

À la fois par respect – je sais qu'avec un boulot comme le sien, elle a besoin de bonnes nuits de sommeil – et à la fois par crainte – je ne veux pas qu'elle me croie plus folle qu'elle ne me considère hélas déjà –, j'ai grandement réduit le nombre de mes rondes dans l'appartement et celui de mes douches quotidiennes. Étrangement, je me sens depuis beaucoup moins paranoïaque. Je vais être triste quand elles vont partir demain, quand Claire devra retourner au travail et Jade à l'école.

– Les voilà, annonce Jade.

Claire et moi nous précipitons à la fenêtre.

– Que font-ils ? demande Claire qui essaie de voir à travers la pluie qui n'a pas cessé depuis jeudi.

– Rien, on dirait bien. Oh, attendez. Elena est dans la salle de bains. Elle ferme la porte. Maintenant, Paul sort son téléphone et il regarde par-dessus son épaule, comme pour vérifier qu'elle ne peut pas l'entendre, et là il parle au téléphone, il sourit et il rit. Passionnant.

– Laisse-moi voir.

Claire prend les jumelles des mains de sa fille.

– Comment peux-tu savoir qu'il sourit ? demande Claire. Je peux à peine distinguer quelque chose à travers cette pluie.

– C'est parce que tu es vieille et que ta vue n'est plus aussi bien qu'avant, lui dit Jade en levant les yeux au ciel.

– Ma vue n'est plus aussi *bonne*, corrige sa mère.

– Exactement, dit Jade

Claire me tend les jumelles. Je commence à regarder juste au moment où Paul range le téléphone dans sa poche. Quelques minutes plus tard, la porte de la salle de bains s'ouvre et Elena en sort, enveloppée dans plusieurs serviettes, une autour du buste, l'autre sur la tête. Il est évident qu'elle sort de la douche. Elle s'assoit devant la coiffeuse et branche son sèche-cheveux, tandis que Paul disparaît à son tour dans la salle de bains.

– On dirait qu'ils se préparent à sortir.

– Où vont-ils tout le temps comme ça ? s'interroge Claire à voix haute.

– Allô ? dit Jade. On est à Miami. Célèbre dans le monde entier pour ses nuits de folie. Tout le monde ne se couche pas à 10 heures du soir, tu sais.

– J'ai mal au crâne rien qu'en m'imaginant sortir par ce temps, dit Claire tandis que je rends les jumelles à Jade.

– Dis donc, qu'est-ce qu'il se passe avec ton frère ? demande ma nièce en replaçant les jumelles devant ses yeux. On ne l'a pas vu depuis jeudi.

– Heath est passé ? demande Claire.

– Pas longtemps.

Je n'ai pas parlé à Claire de la visite de Heath, ni du fait qu'il m'ait réclamé de l'argent. Je me demande une fois de plus si ses dettes de jeu ont un rapport avec mon viol. Mais partager cette inquiétude avec Claire ne ferait que compliquer les choses.

– Tout ça est d'un ennui, se lamente Jade. Est-ce qu'on pourrait au moins allumer la télé ?

– Pas avant qu'ils ne soient sortis, lui dit Claire. Je ne veux aucune lumière dans cette pièce. Rien qui pourrait leur indiquer que nous sommes en train de les espionner.

– Je crois qu'il s'en moque.

Jade me tend les jumelles, bien que, en théorie, ce ne soit pas mon tour.

– Quelque chose ? demande Claire quelques minutes plus tard.

– Non. Oui ! Il sort de la salle de bains, dis-je. Il a une serviette autour de la taille. Il avance vers la fenêtre. Oh, mon Dieu.

– Quoi ? demandent Claire et Jade à l'unisson.

– Je crois qu'il a fait un signe de la main.

– Quoi ? demandent-elles à nouveau.

– Laisse-moi voir ça.

Claire me prend les jumelles des mains et les porte à ses yeux.

– Est-ce qu'il agite la main ? je demande, le cœur battant.

– Pas à ce que je vois. Mais bon, il pleut tellement fort, je ne vois pas grand-chose. On dirait qu'il est juste en train de se recoiffer.

C'était ce qu'il faisait ? Je repasse son mouvement dans ma tête, je revois Paul Giller lever la main.

– Laisse-moi voir, dit Jade.

Claire donne les jumelles à sa fille.

– Alors… Que fait-il ?

– Il est juste là. Attends, il enlève sa serviette. Merde. Il s'est retourné. Joli cul !

– Jade…

– Ben quoi, il est joli.

– Et maintenant, qu'est-ce qui se passe ?

– Il se dirige vers le placard. Elle se sèche toujours les cheveux. Elle ne s'applique pas beaucoup, on dirait.

Jade observe Paul et Elena pendant la demi-heure qui suit tandis qu'ils continuent de se préparer pour sortir.

– OK. Je crois qu'on s'apprête à partir. Immonde, sa robe.

Une fois de plus, Claire récupère les jumelles.

– Je la trouve jolie.

– CQFD.

– Que penses-tu de sa robe, Bailey ? demande Claire. Jette un œil.

J'observe la tenue d'Elena : une robe courte sans manches avec un grand décolleté et des froufrous sur les hanches. Je cherche des bleus sur les parties de sa peau que je peux voir, mais même sans la pluie, je sais que je n'en verrais pas, que les coups que j'étais convaincue d'avoir vu Paul lui donner n'ont eu lieu que dans ma tête. Quelle autre explication pourrait-t-il y avoir ?

– Elle est jolie, dis-je tandis que Paul Giller, qui maintenant porte une chemise imprimée rentrée dans un pantalon noir moulant, s'approche d'elle par-derrière, glisse ses mains autour de sa taille, et enfouit son menton dans le creux de son cou, en remontant ses mains jusqu'à ses seins. Elena lui dégage les mains, amusée, et ils quittent la pièce en riant tous les deux.

Quelques secondes plus tard, Paul Giller revient dans la chambre pour récupérer le téléphone qu'il a laissé sur le lit. Il s'approche de la vitre, regarde à travers le déluge.

Puis il porte la main à ses lèvres et m'envoie un baiser.

J'en ai le souffle coupé.

– Quoi ? demande Claire alors que Jade me regarde.

Je secoue la tête.

– Rien.

*
* *

– Ça sera tout pour moi, les gars, annonce Claire à la fin du flash info de 23 heures.

Elle attrape la télécommande sur les genoux de Jade et éteint la télévision malgré les protestations sonores de sa fille.

– Je vais me coucher. Je vous suggère d'en faire autant.

– Mais il est trop tôt, se plaint Jade.

Elle est calée entre nous sur le lit, et nous regarde de façon implorante, sa mère et moi.

– Il est tard, lui dit Claire. Je dois être au travail à 8 heures et tu as école demain.

– Mais ils ne sont même pas encore rentrés.

Jade agite la main en direction de l'appartement de Paul Giller.

– Et qui sait à quelle heure ils rentreront... File, ordonne Claire à sa fille. Tu peux regarder la télé dans ta chambre.

Jade grogne et rampe par-dessus sa mère pour sortir du lit.

– OK. Comme tu voudras. À demain, les filles.

– Bonne nuit, ma puce, nous lui lançons, Claire et moi, à l'unisson.

– On n'est pas obligées de partir demain, tu sais, me dit Claire dès que Jade est sortie. On pourrait rester une semaine de plus, jusqu'à ce que tu te sentes...

– Moins folle ?

– Un peu plus en sécurité, corrige Claire.

– Non. Vous avez vos vies. Je ne peux pas vous demander de jouer les baby-sitters pour toujours.

Claire approuve à contrecœur.

– À une seule condition.

– Laquelle ?

– Je veux que tu arrêtes d'espionner l'appartement de Paul Giller.

À vrai dire, j'avais déjà pris cette décision toute seule.

– OK.

– C'est une condition en deux parties, ajoute Claire.

– Quelle est la seconde partie ?

– Je veux que tu me donnes tes jumelles.

– Quoi ? Non. Elles appartenaient à ma mère.

– Je sais, ce n'est pas définitif. Juste pour quelque temps. Jusqu'à ce que tu ailles mieux. J'en prendrai soin, Bailey.

– Il ne s'agit pas de ça.

– Non, il s'agit du fait qu'aussi longtemps qu'elles seront là tu seras tentée de t'en servir.

Elle me regarde avec les mêmes yeux implorants que Jade tout à l'heure.

– S'il te plaît, Bailey. Ça suffit, maintenant.

J'acquiesce.

– C'est bien, ma grande.

Elle m'embrasse le front puis se cale au creux du lit.

– Essaie de dormir un peu.

Je me glisse contre elle et rabats les couvertures par-dessus ma tête.

Claire se retourne, elle me tourne le dos. Au bout de quelques minutes, j'entends son souffle s'intensifier et j'essaie de me caler sur son rythme calme et régulier, ma respiration fait écho à la sienne. Je m'endors en quelques minutes.

*
* *

La sonnerie du téléphone me réveille trois heures plus tard.

– Claire, dis-je en cherchant le téléphone à tâtons. Claire, réveille-toi. Est-ce que tu entends ?

Je réponds au milieu de la deuxième sonnerie. Mais avant même que je ne puisse parler, je sais qu'il n'y aura personne au bout du fil, que je n'entendrai que la tonalité continue. Ça n'a probablement pas sonné du tout. Je me tourne vers Claire, en serrant toujours l'appareil.

Sauf qu'elle n'est pas là. Il n'y a personne dans le lit à côté de moi.

– Claire ?

Je sors du lit, repose le téléphone sur son socle et suis sur le point de sortir les ciseaux quand je la vois.

Elle est assise sur la chaise devant la fenêtre, la tête penchée en avant, les jumelles sur les genoux.

– Claire ? dis-je à nouveau en avançant doucement vers elle, soudain angoissée qu'elle puisse être morte. Claire ?

Je pose la main sur son épaule, elle ne réagit pas, donc, je me mets à la secouer.

Elle sursaute et se réveille.

– Quoi ? Qu'est-ce qui s'est passé ?

– Tout va bien ? je demande. Qu'est-ce que tu fais ?

Il lui faut quelques secondes pour que ses yeux s'accoutument.

– Quelle heure est-il ?

– 2 heures passées. Depuis combien de temps tu es assise là ?

– À peu près une heure. J'ai eu besoin d'aller aux toilettes et j'allais me recoucher quand j'ai réalisé que les stores étaient toujours ouverts. Je suis allée les fermer et j'ai vu que la lumière était allumée chez Paul Giller. Alors je me suis dit que j'allais jeter un œil. Et je pense que j'ai dû m'endormir…

– J'en déduis que tu n'as rien dû voir de très excitant.

– Non. Non, rien du tout. Mon Dieu que j'ai soif. Ça te dit un chocolat chaud ? J'ai bien envie d'un chocolat chaud.

– Un chocolat chaud, ce serait pas mal.

Elle se redresse.

– Je vais aller le préparer. Tu veux m'aider ?

– Ça t'embêterait que je reste ici pour regarder un peu ?

J'attrape les jumelles sur la chaise où Claire les a laissées.

– Bailey…

– Une dernière fois, promis.

– OK. Je reviens dans deux minutes. Après, tu me donnes ces foutues jumelles.

J'acquiesce, je m'assois sur la chaise qu'elle vient de quitter tandis qu'elle passe sur la pointe des pieds devant la chambre où Jade est censée dormir, même si je peux entendre la télévision. Je porte les jumelles à mes yeux et regarde à travers le rideau de pluie.

Comme si on lui avait donné le signal, Elena entre en courant dans la chambre, Paul Giller marche doucement derrière elle. Elle secoue la tête et s'agite dans tous les sens.

– Claire ! Jade !

Mais personne ne m'entend.

Elena tente de rejoindre la salle de bains, mais Paul lui bloque le chemin, la coince contre la fenêtre. Elena lève les mains en l'air, comme si elle essayait de le repousser. Paul a temporairement disparu de mon champ de vision, avalé par la pluie incessante.

Et puis je le vois.

Il marche vers elle d'un pas décidé, le bras droit tendu. Je me lève, m'approche de la fenêtre, ajuste encore et encore la mise au point des jumelles en essayant de me convaincre que je ne suis pas en train de voir ce que je pense être en train de voir, à savoir un pistolet dans la main de Paul, un pistolet qu'il brandit d'un air menaçant vers la tête d'Elena. Elle pleure et agite les bras devant elle, elle essaie désespérément de convaincre Paul de poser son arme.

– Claire ! j'appelle de nouveau. Jade ! Venez ici !

J'entends des sirènes qui viennent de la télé de la chambre de Jade et le sifflement de la bouilloire dans la cuisine, pour indiquer à Claire que l'eau de notre chocolat est prête.

Et, soudain, les mains d'Elena volent au-dessus de sa tête, son corps se soulève et tourne sur lui-même, son visage s'écrase contre la vitre. Du sang dégouline de la blessure béante à son front et ses yeux morts cherchent à travers la pluie et s'arrêtent sur les miens. Ses doigts brouillent le sang sur la fenêtre quand son corps glisse au sol. Elle disparaît.

Paul Giller marche lentement vers la fenêtre. Il pointe son pistolet vers moi.

C'est là que je me mets à crier. Et crier. Et crier encore.

Claire arrive en courant dans la chambre, suivie dans la seconde par Jade ; elles crient elles aussi :

– Que s'est-il passé ? Bailey, qu'est-ce qui se passe ?

Elles me retrouvent par terre, comme si on m'avait abattue moi aussi. Je pleure, incohérente, je suis incapable de me calmer.

– Qu'y a-t-il, Bailey ? demande encore Claire, les mains sur mes épaules.

– Il lui a tiré dessus ! Ce salaud lui a tiré dessus !

– Quoi ? De quoi tu parles ?

Jade m'arrache les jumelles des mains et les braque vers l'appartement de Paul Giller.

– C'est éteint, dit-elle.

– Quoi ? Non !

Je me remets aussitôt sur mes jambes tremblantes.

– Comment ça, c'est éteint ?

– Je ne vois rien.

– La lumière était allumée. Tu l'as vu, dis-je à Claire, le regard suppliant.

– Oui, je l'ai vu, confirme Claire. La lumière était bien allumée quand j'ai quitté la pièce.

– Eh bien, là, elle ne l'est plus, insiste Jade.

– Que s'est-il passé, Bailey ? essaie Claire à nouveau. Que crois-tu avoir vu ?

Ses mots s'écrasent contre mon cerveau. Que crois-tu avoir vu ?

Je raconte le déroulement précis des événements, en commençant par le moment où Claire a quitté la chambre et Elena est entrée dans la sienne en courant.

– Tu es sûre que tu ne rêvais pas ? me demande Claire, d'une voix douce et gentille. Peut-être t'es-tu rendormie...

– Je ne me suis pas rendormie.

– Et tu es sûre qu'il avait un pistolet ? Je veux dire, il pleut vraiment fort. Tout à l'heure déjà, tu as cru qu'il te faisait signe, et maintenant... comment peux-tu être sûre que c'était un pistolet ?

– Parce que je sais à quoi ressemble un pistolet. Parce que, qu'est-ce que ç'aurait pu être d'autre ? Ça l'a tuée ! Ça lui a fait un trou en plein dans le front. Il y avait du sang partout sur la vitre. Impossible qu'elle ait survécu. Nous devons appeler la police.

Personne ne bouge.

– Tu devrais peut-être attendre un peu, dit Claire.

– Qu'est-ce que tu veux dire ?

– Réfléchis, Bailey. Tu ne peux pas tout le temps crier au loup.

– Tu crois que je crie au loup ?

– Non, bien sûr que *je* ne crois pas que tu cries au loup. Mais c'est ce que pensera la police, dit-elle, les larmes aux yeux. Je ne veux juste pas que tu passes pour une...

– Quoi ?

– Je crois que tu penses honnêtement avoir vu Paul Giller tirer sur sa petite amie.

– Mais tu ne crois pas que c'est vraiment arrivé, je confirme, en entendant la déception dans ma voix.

Si Claire ne me croit pas, qui me croira ?

– La police va dire qu'ils trouvent ça étrange que ce ne soit arrivé qu'*après* que j'ai quitté la pièce.

– Quoi ? Non. Pourquoi ce serait étrange ? Ça peut très bien être une coïncidence...

– C'est une drôle de coïncidence, Bailey. Ça fait des jours qu'on espionne l'appartement de Paul Giller toutes les trois. Il ne s'est jamais rien passé.

– Eh bien, il s'est passé un truc il y a quelques minutes. Je te dis que j'ai vu Paul Giller tirer sur sa petite amie.

– OK. Raconte-moi encore une fois. Convaincs-moi. Et peut-être que tu pourras convaincre l'inspecteur Castillo.

Je prends une profonde inspiration, raconte mon histoire une seconde fois, puis une troisième. Il n'y a que deux possibilités : un, Paul Giller a bien tiré sur sa petite amie, ou deux, j'ai tout imaginé.

– Je sais ce que j'ai vu, dis-je en insistant, même si, en vérité, je ne suis plus aussi convaincue que je l'étais tout à l'heure.

Claire a raison. La police va trouver ça étonnamment louche que ce soit arrivé seulement *après* que Claire a quitté la chambre, et qu'une fois de plus, je sois le seul témoin. Si tout cela s'avérait être encore une fausse alerte, cela ne ferait que renforcer leur conviction que mon viol m'a fait perdre les pédales.

– Il y a une autre possibilité, dis-je.

Claire et Jade me fixent, attendant la suite.

– C'est que Paul Giller ait tout mis en scène délibérément, dis-je, tandis que cette idée prend sérieusement forme dans mon cerveau.

– Que veux-tu dire ? demande Claire.

– Et si c'était un coup monté ?

– Je ne comprends pas. Comment ça, un coup monté ?

– Peut-être qu'il a juste fait semblant de tirer sur sa petite amie.

– Pourquoi ferait-il ça ?

– Pour faire croire à Bailey qu'elle devient folle, conclut Jade, en suivant mon raisonnement.

– Tu regardes vraiment trop la télévision, dit Claire.

– Et si j'avais raison ?

– Sur quoi ? Tu crois sérieusement que Paul Giller a mis en scène le meurtre de sa petite amie rien que pour toi ?

– Pas seulement, dis-je, en réfléchissant à voix haute. S'il avait tout mis en scène ? Depuis le début. Le sexe débridé devant la fenêtre, la violence et le viol qui n'ont apparemment jamais eu lieu, le coup de feu dont je viens d'être témoin ?

– Mais pourquoi voudrait-il te faire croire que tu es folle ?

– Il y a trois raisons possibles. La première, c'est que c'est juste un fils de pute qui trouve ça amusant, dis-je, surprise du calme et de la rationalité dont je fais soudainement preuve.

– Possible, concède Claire, mais ce serait un travail de dingue…

– Et la deuxième ? l'interrompt Jade.

– La deuxième, c'est qu'en ayant réussi à me faire croire que j'étais folle, je n'appelle pas la police pour leur raconter ce que j'ai vu ce soir et il ne sera jamais accusé de meurtre.

– Je ne sais pas, dit Claire. Il prend un risque énorme…

– Et la troisième ? demande Jade.

Je prends une profonde inspiration.

– La troisième, c'est que...

Je prends une autre inspiration.

– ... Paul Giller est l'homme qui m'a violée.

J'expire doucement.

– Et s'il peut ruiner ma crédibilité en convainquant tout le monde que je suis folle, que je le harcèle depuis des semaines sans raison, que je l'accuse de tout, alors la police ne l'inculpera jamais de rien, et il s'en sortira.

Claire et Jade prennent un moment pour réfléchir à cette théorie.

– Ça ne tient quand même pas debout, dit Claire, en faisant des va-et-vient rapides du regard tandis que son cerveau essaie d'intégrer tout ce qu'elle vient d'entendre. Comment aurait-il pu synchroniser tout ça ? Comment savait-il que j'avais quitté la chambre ? Ça n'a pas de sens. Il manque un truc.

Je suis bien obligée de le lui concéder. Comment saurait-il tout ça ? Ça *n'a pas* de sens.

Je rejoue les événements de la soirée dans ma tête : Elena qui entre dans la chambre en courant, se recroqueville devant son petit ami furieux tandis qu'il brandit son pistolet et appuie sur la détente, son sang qui éclabousse la vitre, ses yeux sans vie qui implorent les miens. Paul Giller a-t-il mis tout ça en scène ? Et est-ce que je peux prendre un tel risque ? Est-ce que je peux laisser un assassin s'en tirer parce que je n'aurais pas signalé son crime ?

– Je sais ce que j'ai vu, dis-je à Claire.

– Dans ce cas, je crois que nous n'avons pas le choix, dit-elle.

*
* *

Évidemment, tout se passe exactement comme Claire l'avait prédit.

Elle appelle l'inspecteur Castillo sur sa ligne personnelle et lui raconte ce qui s'est passé. Il n'est pas content d'être réveillé au milieu de la nuit et ne prend pas vraiment notre histoire au sérieux. Il garde Claire en ligne pendant qu'il vérifie avec le commissariat si des coups de feu ont été signalés dans le quartier ou s'il y a eu un éventuel appel d'un autre témoin du meurtre. Il n'y a rien de tout ça. Ce n'est que quand Claire ment et affirme qu'elle a elle-même assisté à la scène de ce soir qu'il accepte d'envoyer une patrouille de police pour vérifier.

– Tu n'aurais pas dû lui mentir, lui dis-je.

– Le nombre de choses que je ne devrais pas faire...

Le reste de la nuit se déroule à peu près comme on pouvait l'imaginer : la police se rend à l'appartement de Paul Giller, l'y trouve seul et en colère d'être réveillé en pleine nuit, il les autorise à fouiller son appartement ; aucune trace d'Elena, pas de sang, nulle part, rien qui indiquerait une quelconque bagarre ; bien qu'il y ait des caméras de sécurité à tous les étages, elles ne sont pas branchées vu le faible nombre de locataires ; aucune image prouvant qu'Elena soit sortie en douce, ni même qu'elle ait été présente à un moment. Paul Giller menace de lancer des poursuites, pas seulement contre moi, mais contre toute la police de Miami et contre l'inspecteur Castillo personnellement, si ce harcèlement scandaleux ne cesse pas ; les policiers passent chez moi pour relayer l'information et me faire part de leur consternation ; ils ne croient pas du tout à nos théories et me posent à peu près toutes les questions que Claire m'a posées plus tôt. Mais l'inspecteur Castillo me concède une chose : si ma troisième théorie est la bonne et que Paul Giller est *bien* l'homme qui m'a violée, alors j'ai au moins raison sur un point : j'ai tout fait pour qu'il ne soit jamais inculpé. Il me répète d'arrêter d'espionner l'appartement de Paul Giller, sans quoi, il n'aura pas d'autre choix que celui de m'arrêter pour harcèlement. Il rappelle à Claire que mentir à la police est un délit. Puis il s'en va.

– Eh bien, quel succès, dit Jade après leur départ.

– Je suis vraiment désolée.

– Ce n'est pas ta faute.

– Alors c'est la faute de qui ?

– C'est la faute de personne. C'est comme ça, c'est tout, dit Claire, épuisée. N'en parlons plus. Allons dormir un peu.

– J'étais si convaincue, marmonné-je.

Je ne suis pas folle.

– Je sais que tu l'étais, dit Claire. Et je te crois. Je te crois vraiment.

– Je te crois aussi, ajoute Jade.

– Malheureusement, ce n'est pas le cas de la police, souligne Claire. Et maintenant nous avons un problème encore plus gros.

– Lequel ?

– Maintenant, ils ne me croient plus moi non plus.

29

À 7 h 30, après avoir dû dormir deux heures, Claire part travailler. Elle me quitte en énumérant une liste d'instructions : ne t'approche pas de la fenêtre de la chambre, ne sors pas de l'appartement, laisse Paul Giller tranquille.

Elle confie mes jumelles à Jade et lui donne pour consigne de les déposer chez elles en allant à l'école.

– Je t'appellerai à ma pause pour voir comment ça va, me dit-elle.

Je sais ce qu'elle veut vraiment dire : elle appellera à sa pause pour vérifier ce que je fais.

– Ne sois pas en retard à l'école, prévient-elle Jade en sortant.

– Bon, tu veux des œufs brouillés ? demande Jade dès que sa mère est partie. C'est ma spécialité.

– Je ne savais pas que tu savais cuisiner.

– Je ne sais pas cuisiner ; la seule chose que je sais faire, c'est les œufs brouillés. C'est pour ça que c'est ma spécialité.

Je ris.

– Tu ne devrais pas plutôt t'habiller ?

Jade va dans la cuisine, sort en un clin d'œil une poêle et un bol de leurs placards respectifs.

– Je ne vais pas en cours aujourd'hui, dit-elle, impassible.

Elle tire d'une main sur son pantalon de pyjama jaune à pois qui a glissé de ses hanches menues et tend l'autre pour attraper des œufs dans le frigo. Elle en casse quatre dans le bol, rattrape en vitesse quelques morceaux de coquille perdus avec ses longs doigts élégants, avant d'ajouter de l'eau, du sel, du poivre et de battre le tout vigoureusement.

– Je reste avec toi.

– Tu ne peux pas. Ta mère sera furieuse.

– Pas si tu ne lui dis pas. Allez, Bailey. Tu crois vraiment que je vais être capable de me concentrer sur l'algèbre après ce qui s'est passé cette nuit ?

Je décide de ne pas débattre, j'ai assisté à suffisamment d'échanges entre ma sœur et sa fille pour savoir que personne ne gagne une dispute avec Jade. En plus, ce sera une bonne chose d'avoir de la compagnie. Je ne me fais plus assez confiance pour rester seule. Je ne fais plus confiance à ce que je vois.

Ou ne vois pas.

Au bout de quelques minutes, les œufs brouillés sont dans une assiette, avec quelques toasts beurrés, le tout soigneusement disposé sur la table de la salle à manger. Claire a fait du café avant de partir, Jade m'en sert une tasse puis s'ouvre une canette de Coca.

– Comment peux-tu boire ce truc au réveil ? je demande.

– De la caféine, c'est de la caféine, répond-elle. Je vais avoir besoin de quelque chose pour rester éveillée.

– Désolée pour cette nuit, lui dis-je, en me demandant combien de fois je me suis déjà excusée.

– Tu plaisantes ? J'ai adoré. J'étais comme dans un épisode d'*Arrestations en direct*.

Je souris et prends une bouchée d'œufs brouillés.

– C'est délicieux, au passage.

– Merci. C'est ma spécialité.

Elle bâille.

– Tu as réussi à te rendormir après le départ de la police ? je demande.

– Par intermittence. Et toi ?

– Un peu. J'ai fait des cauchemars.

– À propos de ton viol ?

– Je pense. Indirectement. Ce sont toujours les mêmes : des hommes masqués qui me poursuivent, des femmes sans visage qui observent, des requins qui rôdent sous mes pieds...

– Des requins ?

– Ma psy dit que ce sont des rêves d'angoisse.

– Et elle avait besoin d'un diplôme pour piger ça ? Tu penses qu'ils essaient de te dire quelque chose ? demande-t-elle dans la foulée. Je veux dire, à part que tu es angoissée ?

– Comme quoi ?

– Je ne sais pas. Le Dr Drew a dit un jour que si on fait des rêves récurrents, c'est parce que ces rêves essaient de nous dire quelque chose et on continuera à les faire jusqu'à ce qu'on trouve ce que c'est.

– Qui est Dr Drew ?

– *Stars en détox* ? me dit Jade en secouant ses cheveux décoiffés. Sérieux, Bailey, comment tu peux être détective et ne rien savoir du monde moderne ? C'est comme si tu venais d'une autre planète. Bon, ce n'était peut-être pas Dr Drew. C'était peut-être Dr Phil, ou peut-être même Dr Oz.

– Tu ne t'es jamais dit que ta mère avait peut-être raison sur le fait que tu regardes trop la télé ?

C'est au tour de Jade de hausser les épaules, ce qu'elle fait magnifiquement, en bougeant tout son corps. On finit nos œufs et nos toasts. Je vais dans la cuisine et je me sers une autre tasse de café.

– Au fait, qui a téléphoné hier soir ? demande-t-elle quand je reviens dans la salle à manger.

– Quoi ?

– C'était Heath ?

– De quoi parles-tu ?

– Comment ça « de quoi parles-tu » ? Je me suis endormie vers minuit – au milieu d'un épisode de *New York, police judiciaire* que j'avais déjà vu, genre cinq cents fois – et le téléphone m'a réveillée vers, je sais pas, 2 heures du matin ?

Je sens l'adrénaline qui commence à monter. Tous les poils de mon corps se hérissent. Mes mains tremblent.

– Tu as entendu le téléphone sonner ?

– Il y a un téléphone sur le bureau juste à côté de ma tête. Comment j'aurais pu *ne pas* l'entendre ?

J'explose en larmes, des larmes de gratitude.

– Bailey, qu'est-ce qui se passe ?

Je lui parle des mystérieux appels que j'ai reçus, de la tonalité continue qui me répond quand je décroche, de mes soupçons que tous ces appels n'aient eu lieu que dans ma tête.

– T'es au courant que tu peux faire 3131 pour vérifier l'historique de tes appels ?

Jade me regarde comme si j'étais une extraterrestre.

– Je le fais… d'habitude. Mais à chaque fois, ça dit « numéro inconnu ». Au début, je pensais que c'était Travis…

– Qui est Travis ?

– Ou Heath.

– Tu crois vraiment que ton frère te ferait des blagues au téléphone ? Pourquoi il ferait un truc pareil ?

– Il ne le ferait pas, lui dis-je, avec plus de certitude que je n'en ai vraiment.

Je ne sais plus de quoi Heath est capable, ni pourquoi.

Soudain, les yeux de Jade s'écarquillent, elle n'a plus du tout l'air endormie. Elle bondit sur ses pieds.

– Quoi ?

Je retiens mon souffle comme si je savais ce qu'elle allait dire.

– Tu crois que ça pourrait être Paul Giller ?

Ce n'est pas la première fois que j'y pense.

– Ça se pourrait, admets-je, en me mettant à faire les cent pas.

Jade m'imite de l'autre côté de la table.

– C'est logique. C'est comme ça qu'il s'assurerait que tu regardes.

Je m'arrête et me tourne vers elle.

– Qu'est-ce que tu veux dire ?

– Hier soir, maman a demandé comment il pouvait savoir que tu serais en train de le regarder. Eh bien, s'il t'a appelée, s'il t'a délibérément réveillée… Réfléchis, Bailey. Est-ce que quelqu'un a appelé juste avant que tu le voies frapper et violer sa petite amie ?

Je repense à cette nuit-là, je rembobine la bande dans ma tête et rejoue les événements à l'envers, d'abord le viol, puis les coups, puis l'appel téléphonique qui m'a réveillée, qui a tout déclenché.

– Oui, oui, quelqu'un a appelé.

– Et les autres fois ?

– Je ne sais pas. Je ne me souviens pas.

Ça s'est passé il y a trop longtemps pour que j'en sois certaine.

– Il savait que tu l'espionnais, donc il a tourné ça à son avantage, continue Jade, en pensant à voix haute. Il t'appelle, te réveille, s'assure que tu verras que ses lumières sont allumées et, vu que tu es curieuse de nature *et* détective, il y a de grandes chances pour que tu te mettes à l'espionner…

– Mais ça ne répond pas à l'autre question de ta mère : comment aurait-il pu savoir que j'étais seule...

Jade se fige.

– OK, OK. Bon, j'ai pas encore de réponse à ça. Mais je vais trouver. *Nous* allons trouver.

Je contourne la table et la prends dans mes bras, je la serre fort contre moi.

– Merci.

– De ?

– D'être là. De me croire. De m'avoir fait des œufs brouillés.

– C'est ma spécialité.

*
* *

Quand je sors de la douche, Jade est debout devant la fenêtre de ma chambre, vêtue d'un jean et d'un sweat-shirt blanc, jumelles à la main ; elle regarde vers l'appartement de Paul Giller.

– Tu n'es pas censée faire ça, lui dis-je, tout en nouant la ceinture de mon peignoir en éponge.

– Non, *tu* n'es pas censée faire ça, corrige-t-elle. Ma mère n'a rien mentionné à mon sujet.

– Tu vois quelque chose ?

– Je crois l'avoir vu se préparer à sortir. C'est difficile à dire avec ce temps, surtout avec toute cette pluie. Je crois qu'on devrait commencer à construire une arche.

Je jette un œil au réveil sur la table de nuit à côté de mon lit. Il est presque 9 heures. Le téléphone sonne.

– Ne réponds pas, m'ordonne Jade, en se précipitant à côté de moi pour vérifier l'identité du correspondant. Merde. C'est ma mère. Tu ferais mieux de décrocher.

– Qu'est-ce que je lui dis ?

– Que je suis partie à l'école il y a dix minutes.

Elle retourne devant la fenêtre.

Je décroche.

– Oui, elle est partie il y a dix minutes, lui dis-je. Elle m'a fait les meilleurs œufs brouillés du monde.

– Tu n'aurais pas dû lui dire ça, dit Jade quand je repose le combiné. Tu ruines ma réputation. Oh, attends. Il s'en va.

Je suis juste derrière elle, je regarde par-dessus son épaule.

– Je ne vois rien.

– Tiens, dit-elle en me tendant les jumelles avant de se diriger vers la porte de la chambre.

– Où vas-tu ?

– Jeter un œil à son appartement.

– Quoi ? Non ! Attends ! Tu ne peux pas faire ça.

– Bien sûr que je peux. Je te parie ce que tu veux qu'il a les mêmes serrures merdiques que celles que tu avais.

– Je ne parle pas de ça.

Elle s'arrête.

– Il n'y a aucune raison de s'inquiéter, Bailey. Je serai entrée et sortie avant que qui que ce soit s'aperçoive de ma présence.

– Mais qu'est-ce que tu vas faire ?

– Juste jeter un rapide coup d'œil. Voir si je peux trouver quelque chose que la police aurait manqué dans sa soi-disant fouille approfondie des lieux.

– Je ne peux pas te laisser faire ça.

– Tu vas me courir après dans ton peignoir ?

Elle est déjà au milieu du couloir.

– Jade !

– Continue de surveiller. Je t'appelle quand j'y suis.

– Jade !

Mais elle est déjà partie.

*
* *

Quinze minutes plus tard, mon téléphone sonne.

– Je suis dans l'immeuble, dit ma nièce, et je l'imagine dans le hall chichement meublé, sa capuche sur la tête, en train de murmurer dans son téléphone. Je suis complètement trempée. J'ai dû attendre dix bonnes minutes que quelqu'un sorte pour pouvoir me glisser à l'intérieur. J'attends un ascenseur, là, en dégoulinant partout.

– C'est de la folie, Jade. C'est trop dangereux. Si tu te fais prendre, ils vont te renvoyer en prison pour mineurs.

– Je ne me ferai pas prendre. Contente-toi de continuer à surveiller l'appartement. J'allumerai une lumière une fois à l'intérieur pour que tu puisses voir ce qui se passe.

– Non, reviens, c'est tout...

– L'ascenseur est là. Les portes s'ouvrent...

– Garde bien ton téléphone allumé, je lui ordonne.

– Oh, oh. Quelqu'un monte avec moi, dit-elle, juste avant que la ligne soit coupée.

*
* *

– Coucou, dit Jade environ une minute plus tard.

– Bon sang, qu'est-ce qui s'est passé ? dis-je en hurlant dans le téléphone.

– Désolée. J'ai oublié de charger ma batterie, donc elle est un peu faible et ça capte jamais bien dans les ascenseurs de toute façon. Et puis ce vieux type est monté avec moi, et je ne voulais pas te rappeler avant qu'il soit sorti, ce qui n'est arrivé qu'au vingt-cinquième étage.

– J'ai failli avoir une crise cardiaque à cause de toi.

– Il n'y a vraiment pas de quoi s'inquiéter. Et ne panique pas si on est à nouveau coupées.

– Je panique déjà.

– Eh ben, arrête. Je sais ce que je fais. J'ai appris avec les meilleurs, tu te rappelles ?

– On n'est pas dans une émission de télé-réalité, là.

– Non, c'est cent fois mieux.

– Jade...

– Je longe le couloir, m'informe-t-elle, en ignorant mon inquiétude. Cet immeuble est loin d'être aussi beau que le tien.

– Fais demi-tour et rentre à la maison.

– Je suis juste devant son appartement.

– Ne fais pas ça.

– Attends une seconde.

– Jade... Jade. Je t'en prie...

J'entends une succession de bruits sourds, suivis d'une flopée de gros mots.

– Jade, qu'est-ce qui se passe ?

– Cette foutue serrure me donne plus de fil à retordre que je le pensais.

– Alors laisse tomber et rentre à la maison...

– Juste un dernier essai…

– Jade…

– Ça y est ! Je le savais. Saloperie.

– Qu'est-ce qui se passe encore ?

– Je suis à l'intérieur.

*
* *

Je retiens mon souffle en brandissant les jumelles en direction de l'appartement de Paul Giller. Mes mains tremblent si fort que j'ai du mal à garder une mise au point correcte.

– Où es-tu ? je demande.

– Dans le salon, dit Jade, en allumant le plafonnier. Tu me vois ?

– Non. Je vois une lumière mais il pleut trop fort pour voir autre chose. Il faut que tu te colles à la fenêtre.

Elle s'exécute, s'approche de la fenêtre, enlève sa capuche d'un coup de tête, agite les doigts de sa main gauche vers moi en tenant son téléphone contre son oreille avec la droite.

– C'est très bizarre ici, dit-elle en regardant autour d'elle.

– Qu'est-ce que tu veux dire ?

– Il y a, genre, quasiment aucun meuble. Même pas un canapé. Juste deux transats, comme ceux qu'on emmène à la plage.

– Peut-être qu'il attend toujours la livraison de ses meubles ? dis-je, en spéculant. Je veux dire, s'il vient juste d'emménager…

– Je ne sais pas. C'est comme si personne ne vivait vraiment ici.

Jade disparaît de mon champ de vision.

– Où es-tu ? Où es-tu allée ?

– Je suis dans la cuisine. Il y a, genre, ni vaisselle ni rien dans aucun des placards. Juste quelques verres en plastique. Et le livret d'instructions est toujours dans le four, comme s'il n'avait jamais servi.

– La moitié des fours à Miami n'ont jamais servi, lui dis-je. Beaucoup de gens ne cuisinent plus…

– Ouais, mais il mangent. Il n'y a absolument rien à manger dans le frigo. C'est vraiment bizarre.

– Rien d'autre ?

– Pas pour l'instant.

– Tu es où maintenant ?

– Je me dirige vers la chambre.

– Jade ?

– Juste là.

Le plafonnier de la chambre s'allume soudainement.

– Tu me vois ? demande-t-elle en s'approchant de la fenêtre.

– Oui. Qu'est-ce que *tu* vois ?

– À peu près ce qu'on voit quand on regarde avec les jumelles, sauf que ça a plus d'allure vu de loin. Il y a le lit et deux tables de nuit, un miroir en pied, une commode et une coiffeuse, quelques lampes. Que du bas de gamme. Tu sais, genre Emmaüs. Il n'y a pas de rideaux.

– Des traces de lutte ?

– Non, juste un lit défait. Oh, attends.

Elle fouille les draps.

– L'imbécile a oublié son téléphone.

Elle le brandit pour que je puisse le voir.

– Ce qui signifie qu'il peut revenir d'une minute à l'autre. Dès qu'il va s'apercevoir que…

– Je serai partie depuis longtemps, me rassure Jade, en lançant le téléphone sur le lit et en disparaissant brusquement de mon champ de vision. Je l'imagine à quatre pattes.

– Qu'est-ce que tu fais ?

– Je cherche des traces de sang.

– Tu en vois ?

– Pas la moindre goutte. Pas de corps sous le lit non plus.

– Et près de la fenêtre ? Des traces de sang à cet endroit ?

La tête de Jade ressurgit.

– Rien. À part l'eau que je suis en train de semer partout. Tu sais ce qui nous faudrait ? Une de ces lampes spéciales qu'ils ont à la télé, le genre qui éclaire le sang que les gens essaient de faire disparaître.

– OK, Jade, ça suffit. Il faut que tu t'en ailles.

– Laisse-moi vérifier le placard.

– Non… Ne fais pas ça… Qu'est-ce qui se passe ?

Je coince le téléphone entre mon oreille et mon épaule en m'acharnant à essayer d'ajuster mes jumelles pour la voir.

– Tout ça est de plus en plus bizarre, m'informe Jade quelques secondes plus tard. Je suis dans le placard et il y a, genre, aucun vêtement. Quelques jeans, un pantalon noir, deux chemises d'homme. Une robe. Un genre d'uniforme. Une paire de baskets.

Je me mords la langue pour m'empêcher de crier.

– Quel genre de baskets ?

– Des Nike.

– Noires ?

– Plutôt gris charbon.

Ça pourrait être ça, me dis-je, le cœur au bord des lèvres et la tête qui tourne.

– Tu veux que je les prenne ? demande Jade.

– Non.

Si on déplace ces baskets, aucune des preuves qu'on pourra en tirer ne sera admissible devant un tribunal.

– Tu peux les prendre en photo avec ton téléphone ?

– Je peux essayer.

– De face et de dos, des deux côtés, d'au-dessus et d'en dessous.

– OK. Dès que je raccroche. D'abord je vais jeter un œil dans la salle de bains.

Je distingue à peine sa silhouette floue qui sort du placard.

– Quelque chose ?

– Pas vraiment. Un rasoir, de la mousse à raser, une brosse à dents, du dentifrice. J'ouvre le placard à pharmacie. Waouh, même pas une aspirine. Merde… qu'est-ce que c'est que ça ?

Sa voix se change en murmure.

– Qu'est-ce que c'est ?

– Je crois avoir entendu quelque chose.

Jade apparaît sur le seuil de la salle de bains.

Je fixe la fenêtre du salon.

– Je ne vois rien. Attends. Oh, merde. Quelqu'un entre !

Je regarde avec horreur Paul Giller pénétrer dans l'appartement et lever la tête vers le plafonnier.

– C'est lui, dis-je à Jade. Il a remarqué que la lumière était allumée. Merde.

Jade tourne la tête vers l'interrupteur près de la porte de la chambre, comme pour estimer si elle avait le temps de courir l'éteindre.

– Oublie, dis-je, tandis que Paul Giller enlève ses chaussures et avance en direction la chambre. Mets-toi sous le lit. *Tout de suite !*

– Qu'est-ce qui se passe ? murmure Jade quelques secondes plus tard, et j'entends la peur dans sa voix.

– Je ne sais pas. Je n'arrive pas à le voir. Tu es sous le lit ?

– Oui.

– Chut. Ne dis plus un mot. Je ne le vois toujours pas. Attends. Le voilà. Il se dirige vers la chambre… Il remarque que la lumière est allumée… il est perplexe, ça se voit… il regarde autour de lui, dans le placard, maintenant dans la salle de bains… il avance vers la fenêtre…

Je m'éloigne de ma propre fenêtre aussi vite que je peux.

– Qu'est-ce qui se passe ? Bailey, qu'est-ce qui se passe ?

– Chut ! Il va t'entendre. Reste tranquille.

Je me redresse doucement, soulagée de voir que Paul n'est pas là.

Sauf que… où est-il ? Où est-il, merde ?

Et là, je le vois. Il fouille les draps froissés pour récupérer son téléphone. Il est sur le point de le mettre dans sa poche quand il s'arrête. Il reste immobile, dans la même position, plusieurs secondes, les yeux rivés sur le sol.

Sait-il qu'il y a quelqu'un sous son lit, à quelques centimètres de ses pieds ?

Il pivote doucement sur lui-même, se penche et se met à genoux.

– Merde, dis-je.

Le mot m'a échappé, comme un chuchotement, quand je l'ai vu tapoter la moquette.

– Il a vu que c'était mouillé, dis-je à Jade dans un murmure étranglé.

La terreur augmente quand je vois le corps de Paul sortir de mon champ de vision.

– Mais qu'est-ce que… ? l'entends-je dire.

– Laissez-moi tranquille ! crie Jade.

– Sors de là, petite, lui dit-il. Sagement et en douceur. Ne m'oblige pas à te tirer de là-dessous.

– Non ! Ne me touchez pas !

– Alors sors de là. Voilà. Glisse encore. Debout.

Je les vois clairement, maintenant. Jade, tremblante, devant le lit, Paul qui s'approche d'elle. Il n'a pas encore vu le téléphone caché dans la paume de sa main.

– T'es qui, putain ? demande-t-il.

– Personne. Je ne suis personne.

– Va falloir trouver une meilleure réponse que ça.

– Je cambriole juste les appartements du coin depuis quelques semaines, improvise-t-elle. S'il vous plaît, laissez-moi partir. Je n'ai rien pris. Vous n'avez *rien*…

– Comment tu t'appelles ? aboie-t-il.

– Jade. Jade Mitchum.

– Jade Mitchum, répète-t-il lentement. Comment es-tu entrée ici ?

– J'ai forcé la serrure.

– T'as forcé la serrure ?

– Ces serrures, c'est de la merde.

– C'est bon à savoir.

Il l'attrape par le bras et la pousse vers la fenêtre.

– Tu ne vois personne que tu connais ? demande-t-il en regardant vers moi.

D'une main, j'appuie les jumelles encore plus fort contre mes yeux, de l'autre, je tiens fermement le téléphone contre mon oreille.

– Je ne sais pas de quoi vous parlez.

– Vraiment ? Tu ne connais personne du nom de Bailey Carpenter ? Pourquoi est-ce que je trouve ça difficile à avaler ?

– S'il vous plaît, laissez-moi juste partir. Vous savez que Bailey en a après vous. Vous savez qu'elle est sûrement en train d'appeler les flics en ce moment même…

– Les mêmes flics que ceux qu'elle a appelés hier soir ? l'interrompt-il. Ceux que j'ai menacés de poursuivre en justice si jamais ils osaient se repointer ? Je ne crois pas qu'elle soit aussi stupide. Mais vas-y, Bailey ! crie-t-il en direction la fenêtre. Appelle les flics. Tu vas voir comme ils vont venir vite cette fois-ci.

Je sais qu'il a raison. Tout ce qu'il me restait de crédibilité auprès de la police s'est envolé dans la débâcle de cette nuit. Ça ne sert à rien de les appeler. Je suis la fille qui a crié au loup. Pour eux, je suis, au mieux, une pathétique victime de stress post-traumatique, au pire, une fille complètement cinglée.

– Qu'est-ce que c'est ? entends-je Paul demander, la voix très proche. C'est un téléphone ? T'es en ligne ?

Je le vois arracher le téléphone du poing serré de Jade.

– Allô ? Allô, Bailey ? Tu es toujours là ?

Sa voix se glisse jusqu'à mon tympan comme un minuscule serpent.

– Je crois que oui. Je t'entends respirer.

Dis-moi que tu m'aimes.

Oh, mon Dieu.

Il raccroche.

Quelques secondes plus tard, son appartement est plongé dans le noir.

30

J'enfile un pull par-dessus mon pyjama en pleurant et sors de la chambre en courant. Je glisse mes pieds nus dans une paire de tongs, marche dans le couloir à toute vitesse et franchis la porte. L'ascenseur arrive aussitôt après que j'ai appuyé sur le bouton, et par chance il est vide. J'aurais dû appeler Gene et lui dire que sa nièce avait des ennuis, le forcer à appeler la police. Les flics ne me croient peut-être plus, mais ils ne discuteront certainement pas avec un assistant du procureur général. Non pas que Gene ait plus confiance en mon jugement que la police de Miami…

L'ascenseur s'arrête au premier étage et j'attends, en retenant mon souffle, quand un homme s'approche puis s'arrête brusquement. Il a environ quarante ans, un casque de cheveux blancs humides et une serviette bleue autour de son cou épais. Il porte une tenue de sport, et des gouttes de sueur tombent de son front sur son visage replet.

– Pouvez-vous le retenir juste un instant ? dit-il, c'est plus un ordre qu'une requête.

Il jette un œil par-dessus son épaule droite.

– Donna, où es-tu ? Dépêche-toi, l'ascenseur est là. Il y a des gens qui attendent.

Il lève un index et fait un pas en arrière.

– Je suis très pressée.

Il m'ignore.

– Donna, mais qu'est-ce que tu peux bien être en train de faire là-bas derrière ?

Je recule soudainement et appuie plusieurs fois sur le bouton jusqu'à ce que les portes se referment.

– Désolée, et la dernière chose que je vois avant que l'ascenseur ne commence sa descente, c'est l'expression outrée de cet homme. Allez, allez, dis-je avec impatience, pressée de sortir de l'ascenseur et de me ruer chez Paul Giller.

J'aurais dû appeler Sean, le supplier de téléphoner à la police à ma place. Bien sûr, il aurait probablement trouvé toutes sortes d'excuses pour ne pas le faire. Sean est très doué quand il s'agit de trouver des excuses.

La moindre des choses aurait été d'appeler Claire, me dis-je, quand les portes de l'ascenseur s'ouvrent sur le hall de l'immeuble. Pour lui dire quoi ? Qu'à cause de moi sa fille unique est en grave danger, peut-être même morte ? Je ne peux pas faire ça. Je ne suis pas encore prête à ce qu'elle me haïsse. Du moins pas tant que je n'aurai pas fait tout ce qui est en mon pouvoir pour essayer de sauver sa fille.

Mais comment faire ? Qu'est-ce que je peux faire ?

La réponse est simple : tout ce qu'il faudra. Tout ce que me demandera Paul Giller.

Je passe en courant à côté de la réception et manque de trébucher sur mes tongs.

— Mademoiselle Carpenter, m'interpelle Elron, tout va bien ?

— Appelez la police, lui dis-je en hurlant.

Je panique encore plus en entendant sa voix. Je le vois à peine, aveuglée par mes larmes.

— Dites-leur qu'il y a un cambriolage en cours au 600 Southeast 2nd Avenue. Appartement 2706.

Mais mes mots sont étouffés par le bruit de la pluie et le vacarme du chantier d'à côté. Je ne suis même pas certaine qu'il m'ait entendue.

J'atteins l'immeuble de Paul Giller et m'effondre presque devant la porte extérieure, je suis pliée en deux, j'essaie de reprendre mon souffle. Personne ne semble m'avoir remarquée. Les quelques piétons que je vois sont trop occupés à se mettre à l'abri de la pluie. De même, personne n'a l'air préoccupé en me voyant m'adosser au mur, à attendre que quelqu'un sorte de l'immeuble pour me glisser à l'intérieur comme l'a fait Jade tout à l'heure. J'envisage de sonner au bureau d'Adam Roth, mais me ravise aussitôt. Il n'y a aucune chance qu'il m'autorise à entrer. Et s'il me voit et qu'il appelle la police, les flics m'escorteront de force loin d'ici sans même prendre la peine de vérifier mon histoire, une histoire qu'ils mettront à coup sûr sur le compte des hallucinations d'une folle.

Deux femmes finissent par approcher de la porte depuis l'intérieur de l'immeuble, parapluies à fleurs assortis à la main. Mère et fille, à en croire la grimace identique sur leurs visages.

– Je sais qu'il ne te plaît pas, maman, dit la plus jeune des deux entre ses dents serrées quand elles sortent, mais c'est ma vie.

– Que tu as l'air déterminée à foutre royalement en l'air, lui renvoie sa mère, tandis je me faufile, tête baissée.

Une fois dans l'ascenseur, j'appuie sur le bouton du vingt-septième étage et ferme les yeux, reconnaissante, quand les portes se ferment rapidement et que l'ascenseur se met à monter.

Quelques secondes plus tard, je suis devant l'appartement 2706, prête à tout – tout ce que demandera Paul Giller – pour sortir ma nièce de là saine et sauve. S'il n'est pas trop tard. Je pose la main sur la poignée et pousse un petit cri en la voyant s'ouvrir aussitôt.

Qu'est-ce que ça veut dire ? Que l'appartement est vide ? Que Paul est déjà parti en emmenant ma nièce ? Ou pire. Est-ce que cela veut dire que la seule chose que je vais trouver dans l'appartement de Paul, c'est le corps sans vie de ma nièce ?

– Entre, Bailey, dit une voix depuis l'intérieur. Nous t'attendions.

Je retiens le cri que je sens monter en moi, pousse la porte et entre.

– Ferme la porte.

Je la pousse du pied pour la refermer, mon cœur bat si fort que je suis sûre que tout l'immeuble peut l'entendre. La pièce est vide, à l'exception des deux transats mentionnés tout à l'heure par Jade.

– Maintenant, mets les mains en l'air, poursuit la voix, et je réalise que Paul se tient juste derrière moi.

J'imagine le pistolet dans sa main, le même pistolet qu'il a utilisé pour tuer Elena.

– Tu sais qu'il va falloir que je te fouille, me prévient-il, tandis que je sens une main hésitante parcourir mon corps de haut en bas.

– Ne…

– Tais-toi, s'il te plaît, dit-il avec une politesse exagérée alors que sa main descend doucement vers ma taille, puis plus bas, d'une hanche à l'autre, avant de disparaître entre mes cuisses.

Je lutte contre l'envie de vomir qui m'envahit.

– S'il vous plaît…

– Chut… m'ordonne-t-il, tandis que ses mains continuent de descendre le long de mes jambes et s'arrêtent sur mes orteils nus. J'adore les tongs, dit-il avant de se redresser.

Dis-moi que tu m'aimes.

– Oh, mon Dieu.

– Oh, mon Dieu, quoi, Bailey ?

– Ce n'est pas vous, dis-je en murmurant, presque incapable de croire aux mots qui sortent de ma bouche.

Paul Giller n'est pas l'homme qui m'a violée. Sa voix – dont le ton et l'accentuation sont si différents de celle de mon agresseur – vient juste de me le confirmer.

Mais si Paul Giller n'est pas l'homme qui m'a violée, qui est-il, alors ?

Je me retourne vers lui.

– Doucement, me met-il en garde, en reculant d'un pas.

Une vague de calme m'envahit. Il ne s'agit pas d'un inconnu sans visage qui m'écrase dans l'obscurité de la nuit, mais d'un homme qui, malgré l'arme qu'il brandit, semble avoir plus peur de moi que moi de lui. Mes yeux enregistrent les moindres détails du visage presque agréable de Paul Giller. Contrairement aux photos de sa page Facebook, il est plutôt banal, plus un second rôle qu'une vedette. Il y a quelque chose d'étonnamment creux chez lui.

– Où est Jade ?

– Ta nièce est dans la chambre.

– Je veux la voir.

Il agite le pistolet en direction de l'autre pièce.

– Après toi.

Jade est assise sur le lit, elle pleure doucement.

– Bailey ! crie-t-elle, quand je m'approche d'elle.

– Est-ce que tu vas bien ?

Je m'assois à côté d'elle et la prends dans mes bras.

– Oui.

– Est-ce qu'il t'a fait du mal ?

– Non. Il m'a juste dit de ne pas bouger, sinon, il allait te descendre.

– N'aie pas peur, je murmure à travers ses cheveux. Je vais te sortir de là.

Je me retourne vers Paul Giller.

– Qui êtes-vous ? Pourquoi faites-vous ça ? dis-je, en essayant d'organiser les pièces éparses du puzzle que ma vie est devenue récemment.

Mais les pièces semblent flotter au-dessus de ma tête, hors de portée, impossibles à attraper.

– Je sais que vous n'êtes pas celui qui m'a violée, alors pourquoi… ?

– Vous violer ?

Paul a l'air sincèrement étonné.

– Mais de quoi est-ce que vous parlez, bon sang ?

– Vous devez forcément avoir une bonne raison de faire ça, dis-je.

Mon cerveau attrape une poignée des pièces du puzzle invisible pour les forcer à correspondre. Quel mobile peut-il avoir ? Je sais que les mobiles sont en général soit personnels, soit financiers. Je n'ai jamais rencontré cet homme auparavant, donc, ça ne peut pas être personnel. À moins qu'il ne connaisse Heath. À moins que tout ça n'ait un rapport avec les dettes de jeu de mon frère. Peut-il y avoir un lien entre Paul et Heath ?

– Je ne connais pas de Heath Carpenter, dit Paul quand je formule cette pensée à voix haute.

Je mentionne Travis et ai droit à une réponse similaire, au même regard stupéfait qui me dit que je suis à côté de la plaque.

Mon esprit turbine, j'ai mille idées à la seconde. Si Paul ne fait pas ça pour des raisons personnelles, ça veut dire qu'il le fait pour l'argent. Et que peut-il bien espérer gagner avec ce curieux manège ? Je me souviens que c'est un acteur, sûrement rien d'autre qu'un pion sur l'échiquier. Ce qui me conduit à la question : qui l'a embauché ?

– Quelqu'un vous paye, dis-je.

Le froncement de sourcils presque imperceptible de Paul m'indique que j'ai vu juste.

– Je ne comprends pas, dit Jade.

J'explique la situation, autant pour ma nièce que pour moi-même : les pièces du puzzle commencent à se mettre plus facilement en place.

— Il est acteur. Il mémorise juste son texte, suit les indications qu'on lui donne, se pointe au bon moment, joue son rôle et encaisse son chèque. Vous aviez besoin d'argent pour payer la facture de l'hôpital après votre récente pneumonie, n'est-ce pas ? je demande directement à Paul.

Il ne dit rien.

— Quelqu'un vous a payé ? lui demande Jade. Pour faire quoi exactement ?

Paul Giller sourit.

— Demande à Bailey. Puisqu'elle a tout compris.

— Pour qu'il loue cet appartement. Pour qu'il fasse l'amour à un tas de belles femmes devant sa fenêtre, je réponds, tandis que les pièces du puzzle continuent de s'assembler. Pour qu'il fasse semblant de frapper sa petite amie, d'avoir des rapports sexuels un peu musclés, et qu'il se la joue offusqué et innocent quand la police viendrait frapper à sa porte. Puis qu'il refasse la même chose, après avoir prétendu la tuer avec l'arme factice qu'il tient dans la main.

— Son flingue est un faux ?

Jade bondit sur ses pieds, outrée.

— Un souvenir d'une série dans laquelle j'ai joué, admet Paul, avec un haussement d'épaules désolé, en lançant le jouet sur le lit.

— Merde, marmonne Jade en l'attrapant et en le soupesant dans sa main. Ce n'était que de la comédie ? Et le sang qu'a vu Bailey ?

— Un petit effet spécial. Mais ç'a été une sacrée galère pour nettoyer la vitre, je peux vous le dire. Surtout dans le noir.

— Et votre petite amie Elena, elle est dans le coup aussi, dis-je, le puzzle désormais presque terminé.

Paul sourit avec complaisance.

— Personne ne refuse un peu d'argent facile.

— Combien d'argent ? Qui est derrière tout ça ?

Qui pourrait déployer autant d'efforts et de ressources pour mijoter et exécuter un plan aussi compliqué, pour exploiter la fragilité de mon état, me traumatiser encore plus que ne l'a fait le viol, me faire remettre en question ma propre santé mentale ?

370

Qui gagnerait à me faire croire que je perds la tête ?

Qui a à y gagner ?

– Il a téléphoné à quelqu'un, dit Jade quand nos têtes se tournent vers la porte de l'appartement qu'on entend s'ouvrir. Avant que tu arrives…

– Vous en avez mis du temps, dit Paul en direction de la porte tandis que Jade se blottit contre moi. Nous sommes dans la chambre.

C'est là que tout devient douloureusement clair : comment Paul pouvait synchroniser ses exploits nocturnes, comment il savait exactement quand je serais en train de regarder. Je sais qui le paye. Et je sais pourquoi.

– Putain, qu'est-ce qu'il y a de si grave ici pour que je sois obligée de quitter mon foutu boulot… ?

La dernière pièce du puzzle passe le pas de la porte.

Claire.

Mon cœur sombre.

– *Maman ?* murmure Jade.

En une seconde, tout se met en place : Claire a commencé à mûrir ce plan le jour où elle est entrée chez moi pour la première fois, elle a profité de mon extrême vulnérabilité, a fait semblant de s'intéresser à ma santé tout en jouant subtilement avec mes névroses, en m'enlevant toute confiance en moi sous couvert de générosité et d'altruisme. En une semaine, elle avait tout mis en place : écriture du scénario, embauche du personnel, et choix du décor.

Heath avait raison depuis le début. Ma sœur n'a jamais été intéressée par mon bien-être. Elle n'était intéressée que par mon argent.

Je me souviens que c'est Claire qui est « accidentellement » tombée sur Paul Giller en regardant innocemment à travers mes jumelles ; Claire qui a semé les allusions troublantes sur sa ressemblance avec l'homme qui m'a violée ; Claire qui s'est assurée que j'étais réveillée pour chacune des performances destructrices de Paul avec ces appels téléphoniques traumatisants en pleine nuit ; Claire qui a parfaitement synchronisé ses entrées et sorties, signalant secrètement à Paul quand il pouvait commencer ; Claire qui a fait semblant d'être de mon côté tout en travaillant sournoisement à me discréditer auprès de la police ; Claire qui s'est déguisée en amie, en soutien dévoué, en protectrice affectueuse, alors qu'en vérité elle n'était rien de tout ça.

Je me souviens de son énervement quand je lui ai dit que j'avais commencé à enquêter sur Paul Giller de mon côté, que j'avais cherché des informations sur lui sur Internet, que j'étais allée dans son appartement, que je les avais suivis, lui et sa petite amie, que j'avais parlé à Elena. Elle a négocié avec moi, m'a fait promettre de ne plus jamais faire quelque chose d'aussi imprudent, d'aussi dangereux. Je me souviens combien son inquiétude m'avait émue.

Sauf que ce n'était pas pour moi qu'elle s'inquiétait.

Claire a-t-elle vraiment pensé qu'en me faisant croire que je devenais folle, en devenant indispensable à mon équilibre, j'allais la laisser gérer ma fortune de mon plein gré ? Espérait-elle que, au vu de mon état émotionnel fragile, la justice allait finir par décider que j'étais incapable de gérer mon patrimoine et qu'il serait dans mon intérêt de faire de ma sœur dévouée mon tuteur légal ?

Je ne sais pas, et, pour reprendre une citation célèbre d'un des films préférés de ma mère, c'est le cadet de mes soucis.

Pourtant, la vérité, c'est qu'une partie de moi aimerait que Claire ait réussi son plan. Une partie de moi préférerait être folle plutôt que d'avoir été si totalement et à ce point trahie. Je regarde ma demi-sœur à travers un rideau de larmes.

Claire blêmit quand elle nous voit toutes les deux assises sur le lit. De toute évidence, elle s'attendait à tout sauf à ça quand Paul l'a appelée.

– Oh, mon Dieu.

– Maman ? dit à nouveau Jade. Que se passe-t-il ?

– Qu'est-ce qu'elles font là ? demande Claire à Paul.

Elle est si pâle, on dirait qu'elle est sur le point de s'évanouir.

– Ta gosse est entrée par effraction, explique Paul. En crochetant la putain de serrure. Comme à la télé.

– Mais qu'est-ce que tu fais là, nom de Dieu ? crie Claire, en se tournant vers sa fille.

– Ce que *je* fais là ? Qu'est-ce que *tu* fais là ? réplique Jade. Est-ce que tu peux m'expliquer ce qu'il se passe, bordel de merde ?

J'attends que Claire lui dise « Jade, ton vocabulaire ». Mais elle s'abstient. À vrai dire, personne ne dit rien pendant plusieurs secondes atrocement longues.

– Je n'arrive pas à croire que ce soit en train d'arriver, crache Claire. Oh, mon Dieu. Je suis vraiment désolée.

– Désolée de quoi ? lui demande Jade.

– S'il te plaît, ma puce, essaie de comprendre. Je l'ai fait pour toi, pour que tu aies toutes les choses qui m'ont manqué.

– Qu'est-ce que tu as fait exactement, maman ? Raconte-moi.

– Qu'est-ce que tu veux que je te dise ?

Elle pleure désormais, elle respire difficilement, par intermittence.

– Tu veux que je me confesse, comme dans tes stupides émissions télé ?

– Confesser quoi ?

Jade pleure désormais elle aussi.

– Bailey ? me demande Claire, comme s'il y avait une chance que je dise quoi que ce soit pour minimiser ce qu'elle a fait, pour améliorer la situation.

– Alors tout ça c'était pour l'argent, dis-je.

Même si je sais que c'est vrai, il y a quelque chose en moi qui a besoin de l'entendre prononcer les mots.

– Tu savais que Heath n'aurait jamais accepté de régler ça à l'amiable et que ce foutu procès allait durer des années, de recours en recours, et qu'il y avait une grande chance que tu ne gagnes pas...

– S'il te plaît, essaie de comprendre, Bailey. Tu as toujours tout eu. La beauté, l'argent, la maison de luxe, le père qui t'adorait. Et moi ? Qu'est-ce que j'ai eu, moi ? Un putain de sosie d'Elvis ! Voilà ce que j'ai eu !

– Tu me demandes d'être désolée pour toi ?

Elle secoue vigoureusement la tête.

– J'essaie juste d'expliquer...

– Gene et les autres, sont-ils... ?

– Impliqués ? Absolument pas. Non, tout vient de moi.

Claire se frotte le front.

– Comprends-moi, s'il te plaît. Ça n'avait rien de personnel, Bailey. Il faut que tu me croies. Tu es une fille vraiment adorable. Plus adorable que je ne l'aurais jamais imaginé.

– Quand l'as-tu trouvé, *lui* ?

Jade lance un regard dégoûté à Paul Giller.

373

– C'était son patient, dis-je, avant que Claire n'ait le temps de répondre.

– Une fille adorable *et* une excellente détective, dit Claire avec une surprenante note de fierté dans la voix. Je n'avais juste pas réalisé *à quel point*.

– Mais où as-tu trouvé l'argent pour lancer tout ça ? Il a fallu louer l'appartement, payer le premier et le dernier mois d'avance…

– J'ai appelé Gene, je lui ai dit que je croulais sous les dettes et que si je n'honorais pas mes paiements, je serais interdite bancaire. Je savais que sa fierté ne le permettrait pas.

– Je suis sûre que le chèque que je t'ai donné t'a aidée pour les frais. Même si j'en ai récupéré une partie, dis-je. Mais ça a joué en ta faveur, n'est-ce pas ? Tu savais que je ne te soupçonnerais jamais d'en vouloir à mon argent si tu persistais à le refuser.

Claire fait un effort pour me regarder, mais ses yeux sont tellement pleins de larmes que je doute qu'elle puisse voir quoi que ce soit.

– Et m'envoyer chez une psychothérapeute était un coup de génie. Ça n'aurait fait que confirmer que j'étais irresponsable, le jour où cette information aurait été nécessaire.

– Je ne t'aurais jamais fait ça, Bailey. Jamais.

– Ça a dû être un vrai travail d'équilibriste. Essayer d'entrer dans ma tête, deviner quel serait mon prochain mouvement. Ça n'a pas dû être facile, vu que je partais dans tous les sens.

Claire lance un regard impuissant autour d'elle. À Jade d'abord, qui lui rend un regard horrifié et méprisant, puis de nouveau à moi.

– Tu n'as juste pas prévu *ça*, lui dis-je.

– Ce que je n'ai pas prévu, c'est combien j'allais finir par tenir à toi. C'est tellement ironique quand on y réfléchit. Tu n'es pas seulement ma sœur, Bailey. Tu es la meilleure amie que j'aie jamais eue. Peut-être la seule vraie amie que j'aie jamais eue.

– Waouh ! s'exclame Paul Giller. Je n'aimerais pas être ton ennemi.

– Tu ne peux pas savoir le nombre de fois où j'ai voulu arrêter, le nombre de fois où j'ai failli tout annuler…

– Mais tu ne l'as pas fait.

– Non.

Claire essuie ses larmes.

– Je ne l'ai pas fait. Je ne pouvais pas. J'étais allée trop loin.

– Et où on va maintenant ? demande Paul.

– Oui, maman, dit Jade, les joues rouges de colère. Que va-t-il se passer maintenant ?

– Maintenant ?

Claire lève les mains en l'air, le geste universel de ceux qui sont sur le point de se rendre.

– Je suppose qu'on ramasse nos affaires et qu'on rentre à la maison. Et je passe le reste de ma vie à essayer de me faire pardonner...

– Pardonner ? répète Paul. De quoi est-ce que vous parlez, bordel ?

– Je dis que tout ça c'est terminé, fini, clos. On arrête les frais, un point, c'est tout. Nous n'avons enfreint aucune loi, au fond. Sauf peut-être Jade, aujourd'hui, en entrant par effraction dans votre appartement.

– Et mentir à la police ? demande Paul. Et faire entrave à une enquête de police ?

Claire essuie ses dernières larmes.

– Quelle enquête ? Vous n'avez jamais été suspecté du meurtre de Bailey. La police n'est venue ici que parce que Bailey le leur a demandé. Pourquoi vous arrêteraient-ils ? Atteinte à la pudeur ? Croyez-moi, ils ont autre chose à faire.

– Et la séquestration ? Et les menaces d'atteinte à l'intégrité physique ?

Paul regarde le pistolet posé sur le lit.

– Avec un pistolet à eau ? dit Claire en secouant la tête. Que comptiez-vous faire avec ça ? Les arroser jusqu'à ce que mort s'ensuive ?

Elle soupire. Quand elle reprend la parole, sa voix est plate, sans énergie, dénuée d'émotion.

– En quelle langue faut-il que je vous le dise ? Aucun crime n'a été commis, ni meurtre, ni escroquerie. Juste une farce élaborée qui a dégénéré. Bailey n'engagera pas de poursuites. D'une, personne ne la croira, et de deux, peu importe ce qu'elle pense de moi, elle ne voudra pas que Jade ait des ennuis. Et toute courageuse qu'elle soit, Jade ne veut pas retourner en prison pour mineurs. Ni que sa mère finisse derrière les barreaux. Je me trompe ? demande-t-elle comme à elle-même, puis elle se retourne vers Paul sans attendre de réponse. Donc, tout ce que vous avez à faire, c'est de rentrer chez vous et d'oublier tout ce qui s'est passé. C'est fini.

– Et le reste de l'argent que vous m'avez promis ? demande Paul.

– Au cas où vous ne l'auriez pas remarqué, il n'y aura pas plus d'argent.

– Vous vous foutez de moi ?

– Non, je ne me fous vraiment pas de vous.

– Mon Dieu, maman, dit Jade, quand l'énormité de tout ce qu'elle vient d'entendre finit par la frapper. Qu'est-ce que t'as fait ?

– Je l'ai fait pour nous, pour *toi*, répond de nouveau Claire.

– Mais c'est ça, oui ! lui crie Jade. Tu l'as fait pour *toi* ! N'aie pas le culot d'essayer de te convaincre que tu l'as fait pour quelqu'un d'autre.

– Tu ne comprends pas…

– Oh, je comprends très bien. Je comprends que tu es une menteuse et une arnaqueuse et que je ne veux plus jamais te parler de ma vie.

– Jade…

Claire se tourne vers moi, ses épaules tombent, et les larmes reviennent dans ses yeux.

– Bailey, s'il te plaît…

Je regarde longuement et sévèrement la fille aînée de mon père, en me souvenant de toutes les choses qu'elle a faites pour moi ces dernières semaines : les innombrables repas qu'elle a préparés, toutes les heures qu'on a passées ensemble, toutes ses petites attentions, les confidences qu'on a partagées.

– Tu ne peux pas savoir à quel point je suis désolée, dit-elle. Je sais que ce que j'ai fait est horrible. Je peux juste espérer que vous aurez la force de me pardonner un jour.

J'envisage un instant de la prendre dans mes bras et de lui dire que, oui, je comprends et que, malgré ce qu'elle a fait, tout est pardonné. Comme je l'ai toujours fait avec Heath. Mais Heath est simplement faible, il n'est pas cupide. Et malgré toutes les erreurs qu'il a commises, il ne m'a jamais trahie.

Alors je ne la prends pas dans mes bras, je ne lui dis pas que je comprends.

Au lieu de ça, je la gifle violemment.

Parce que tout n'est vraiment pas pardonné. Ça ne le sera jamais.

*
* *

La police, prévenue par Elron, arrive peu après. Convaincus qu'il s'agit d'un flagrant délit de cambriolage, ils nous embarquent tous au commissariat, mais s'abstiennent heureusement de procéder à la moindre arrestation tant que la situation ne sera pas tirée au clair.

L'inspecteur Castillo et l'agent Baydow arrivent presque aussitôt, ainsi que l'inspecteur Marx, fraîchement rentrée de sa lune de miel. Estimant qu'on aura peut-être besoin d'un avocat, j'appelle Sean. On me dit qu'il est en plein milieu d'une réunion importante et qu'il ne peut pas être dérangé. Son assistante promet de nous envoyer tout de suite un des meilleurs avocats du cabinet.

Jade et moi expliquons chacune à notre tour à la police les événements de la matinée. L'histoire semble invraisemblable, même pour nous.

– Vous êtes folles ? demande l'inspecteur Castillo en levant les mains au ciel, une fois qu'on a terminé.

Une impression partagée par mon frère, Gene, quand il débarque au commissariat un peu plus tard.

– Non mais vous êtes barges ou quoi ? ne cesse-t-il de répéter après avoir écouté la version de chacun.

Je suis beaucoup de choses : impulsive, imprudente, voire téméraire. Mais je ne suis pas folle.

– Êtes-vous sûre que Paul Giller n'est pas l'homme qui vous a violée ? demande l'inspecteur Marx quand nous nous retrouvons seules quelques minutes.

– J'en suis sûre.

– Dommage. Ça aurait été bien d'en finir une fois pour toutes.

– Comment s'est passée votre lune de miel ? je lui demande. Elle me sourit timidement.

– Super. J'ai vraiment de la chance.

Je me souviens qu'il y a toujours des hommes bons dans ce monde. Tous les hommes ne sont pas mauvais.

Toutes les femmes ne sont pas bonnes.

Un peu avant 14 heures, aucune décision n'ayant été prise quant aux chefs d'accusation qui seraient retenus — si jamais on en retenait —, nous sommes finalement autorisés à rentrer chez nous.

— Je ne vais nulle part avec elle, dit Jade en lançant un regard noir à sa mère.

Claire se retourne, elle refuse de croiser le regard de sa fille.

— Jade, nom de Dieu, dit Gene dans un soupir exaspéré.

— J'ai seize ans, je ne rentre pas à la maison avec elle, et tu ne peux pas m'y obliger.

— Tu veux passer la nuit dans une prison pour mineurs ? demande Gene. Parce que tu ne vas certainement pas venir chez moi.

— Ça, tu peux en être sûr, putain.

— Surveille ton langage, jeune fille. Je peux toujours t'inculper pour effraction et violation de…

— Elle peut venir habiter chez moi, dis-je à mi-voix.

Et puis, plus fort, en réalisant que c'est une bonne idée :

— Elle vient habiter chez moi.

Gene hausse les épaules et secoue la tête.

— Comme tu voudras.

Il avance vers Claire et la saisit par le coude.

— Mais qu'est-ce qui ne va pas chez toi ? Qu'est-ce que tu croyais ?

Il la traîne brutalement hors de la pièce.

— Tu sais l'impact que ça pourrait avoir sur le procès ?

Je suis à deux doigts de sourire. Peut-être que je sourirais vraiment si je n'étais pas si épuisée.

— Merci, dit Jade en apparaissant à côté de moi. Je comptais un peu sur ton invitation.

Cette fois, *oui*, je souris.

Jade glisse son bras sous le mien et c'est ensemble que nous sortons de la salle, que nous prenons le couloir et que nous quittons le commissariat.

31

– Il y en a une qui m'a l'air bien partie pour rester, dit Heath quand nous passons la tête dans mon ancien bureau, redevenu la chambre qu'il était à l'origine.

Nous sommes samedi soir, il est 21 h 30 et cela fait trois mois que Jade vit avec moi. À vrai dire, c'est sans doute plus *moi* qui vis avec *elle*. Elle a investi chaque recoin de l'appartement : des livres d'école et des magazines de mode sont éparpillés sur la moindre surface disponible, des jeans slims pendent à chaque poignée de porte, des bottes à talons usées traînent dans couloir. Mon bureau et mon ordinateur ont été rapatriés dans ma chambre, face à ma fenêtre. Par bonheur, ils cachent la vue sur l'appartement que Paul Giller a un jour prétendu habiter.

– Son nouveau lit arrive la semaine prochaine, dis-je à mon frère, enchantée de voir à quel point il a l'air heureux.

Et pourquoi ne le serait-il pas ? Il lui arrive enfin des trucs bien. Il a signé pour une série de spots publicitaires avec une enseigne connue de gymnases de Miami, le premier a été tourné la semaine dernière. Bien qu'il s'agisse de pubs locales, et donc moins lucratives qu'un spot national, cela signifie quand même qu'il gagne un peu d'argent et beaucoup d'exposition, en tout cas dans le sud de la Floride. Heath est convaincu que les pubs – qui exploitent comme il se doit son visage sublime et son corps svelte et musclé – vont lui décrocher de meilleurs contrats encore, et j'espère qu'il a raison. Au moins, il ne dort plus par terre chez Travis, il a loué un meublé rien qu'à lui. Il a aussi juré de ne plus toucher à l'herbe. « Je n'ai pas seulement besoin d'avoir l'air sublime, m'a-t-il dit sans la moindre trace de fausse modestie. J'ai aussi besoin d'avoir l'air en bonne santé. De plus, a-t-il ajouté, si tu as réussi à t'en sortir après tout ce qui t'est arrivé, le minimum que je puisse faire, c'est essayer de m'en sortir moi aussi. »

Jusqu'ici, ça se passe bien.

– Je parie qu'elle sera contente de ne plus avoir à dormir sur ce truc, dit Heath en se laissant tomber sur le canapé-lit, son poids faisant rebondir l'ordinateur que Jade a laissé dessus. Il casse vraiment le dos en deux.

– Ne dis pas ça à Wes, dis-je.

– C'est qui Wes ?

– Un des concierges. Jade lui a dit que le canapé-lit était à vendre et il vient y jeter un œil tout à l'heure.

Heath pose la tête sur un des coussins en velours violet et ferme les yeux.

– Sinon, quoi de neuf ?

Je réfléchis quelques secondes à sa question.

– Pas grand-chose. Ma copine Sally est passée me rendre visite avec son bébé l'autre jour.

Heath rouvre les yeux d'un seul coup.

– Tu as une copine ?

Je ris, même si sa question n'est pas si exagérée.

– Aussi incroyable que cela soit, oui. Je ne crois pas que vous vous connaissiez. Elle travaille chez Holden, Cunningham & Kravitz.

– Tu penses y retourner un jour ?

– Aucune chance. À vrai dire, j'envisage d'ouvrir ma propre agence.

– Quoi ?

– Je sais. C'est une idée stupide.

– C'est une idée géniale ! « Bailey Carpenter, détective privée ». Ça sonne super bien.

– Jade trouve que « Bailey Carpenter & Associée » sonne encore mieux. Elle a déjà commencé à chercher des cours sur Internet.

– Quelle sacrée nana, dit Heath, et je me mets à rire. Mon Dieu, c'est bon de t'entendre rire à nouveau. Ça faisait un bail.

– Je reprends des forces de jour en jour.

– Plus de crises de panique ?

– Quelques-unes, admets-je. Mais moins souvent et moins sévères. Et je dors mieux.

Je ne lui parle pas des requins meurtriers qui continuent à hanter mes cauchemars, ni de leurs ailerons qui fendent la surface des eaux faussement calmes.

Heath se relève.

– Eh bien, petite sœur, on dirait que mon boulot ici est fini.

– Tu t'en vas ?

– Tu ne vas pas y croire, mais j'ai un rencard. Un vrai rencard, pas juste un plan cul.

– Waouh !

– Rien de sérieux. Juste cette fille que j'ai rencontrée sur le tournage.

Je suis mon frère dans le couloir.

– Et toi ? se risque-t-il avec hésitation lorsqu'on atteint la porte. Est-ce que tu envisages d'essayer de rencontrer à nouveau quelqu'un ?

– Parfois. Je ne suis pas encore prête, c'est tout.

Je pense à Owen Weaver et me demande si son invitation tiendra toujours quand je serai prête, si je le suis un jour.

– Tu finiras par l'être, dit Heath en me prenant dans ses bras. Je t'aime, Bailey. Tu te souviens, tu es mon héros.

Les larmes me montent aux yeux.

– Je t'aime aussi.

Je le regarde disparaître au bout du couloir à travers le judas. Puis je verrouille la porte à double tour.

Après tout, mon violeur est toujours dans la nature.

Mon violeur, je répète en silence en me dirigeant vers la chambre. Comme s'il s'agissait de quelqu'un que je possédais et non pas de quelqu'un qui m'avait possédée un jour, qui me possède encore. *Mon* violeur, comme si c'était le mien et celui de personne d'autre.

Je doute que ce soit le cas. L'expérience me dit que, même dans le cas peu probable où j'ai été sa première victime, il est encore moins probable que je sois sa dernière. Il ne s'arrêtera pas jusqu'à ce que quelque chose – ou quelqu'un – l'arrête.

J'ai beaucoup pensé à lui ces derniers mois. J'ai fait des recherches sur le profil des violeurs, sur ce qui les motive et ce qui les pousse à passer à l'acte. Bien évidemment, il y a autant de motivations que de violeurs, mais j'ai appris qu'ils avaient des caractéristiques communes : beaucoup ont eu une mère douce et un père violent, ou un père faible et une mère étouffante. Au choix. Beaucoup ont été victimes d'abus. La plupart ont l'impression d'être inadaptés, d'une façon ou d'une autre, souvent sur le plan sexuel, bien que le viol n'ait pas grand-chose à voir avec le sexe. C'est un crime lié à la puissance, au contrôle et à l'humiliation. C'est une volonté de faire souffrir l'autre, elle transcende les classes sociales, les différences raciales ou de niveau de vie. Mais une chose unit tous ces hommes qui ont recours au viol : ce sont des hommes pleins de haine.

Dis-moi que tu m'aimes.

J'ai essayé de réconcilier ces mots avec l'acte lui-même, de déterminer quel genre d'homme pourrait bien exiger une telle phrase d'une femme qu'il vient tout juste de violer. J'en ai discuté avec Elizabeth Gordon. Une de nos théories, c'est que l'homme qui m'a violée a sans doute fait l'objet de violences répétées de la part de sa mère, pour la moindre bêtise insignifiante, quand il était enfant. Puis on devait ensuite lui demander de s'excuser d'avoir été puni et, comme une dernière humiliation, on le forçait à déclarer son amour éternel. Une autre théorie serait que l'homme qui m'a violée a vu de la même manière son père abuser constamment de sa mère quand il était enfant. Les deux scénarios sont possibles, voire plausibles. Bien sûr, il est tout aussi possible qu'aucune de ces suppositions n'ait le moindre rapport avec une réalité quelconque, que l'homme qui m'a violée vienne d'une famille aimante et chaleureuse et que ses parents n'aient, par chance, toujours pas conscience du monstre que leur amour a créé.

Mais finalement, les raisons importent-elles ? Le « pourquoi » n'a d'importance que s'il mène au « qui ». C'est le « qui » qui compte.

Je me laisse tomber sur mon lit, attrape la télécommande et allume la télé, puis zappe distraitement au gré des chaînes. Je m'arrête sur *1 000 façons de mourir*.

La réalité, c'est que je ne saurai probablement jamais qui m'a violée, que cet homme restera pour toujours sans visage, sans nom, que la plus grande question de toute ma vie sera probablement la seule à laquelle je ne pourrai jamais répondre.

Mais parfois, il faut simplement accepter le fait de ne pas savoir. Parfois, on ne peut pas faire autrement.

Et en tant qu'enquêtrice, quelqu'un dont le métier est de résoudre des mystères, c'est une idée difficile à accepter. Il est d'autant plus ironique de se dire que le mystère que *j'ai* résolu n'avait rien à voir avec le mystère que je pensais résoudre.

Mon viol a caché de nombreuses choses. Pendant des semaines, je me suis laissé guider par un leurre, un leurre orchestré par ma demi-sœur, un leurre à double tranchant. Le viol m'a permis de ne pas me confronter aux problèmes de famille que j'ai depuis longtemps, tandis que ma famille m'a permis de ne pas me confronter à mon viol.

Elizabeth Gordon – la seule chose positive qui ait résulté de la trahison de Claire – va m'aider à faire la paix avec ces deux fardeaux. Mais je dois d'abord déterminer ce que je peux résoudre ou non. Maintenant que je ne suis plus aveuglée par toutes les fausses pistes que Claire a semées sur ma route, je commence enfin à avoir les idées plus claires.

Dis-moi ce que tu vois, entends-je dire ma mère à présent. Sa voix se mêle à celles qui émanent du téléviseur.

L'obscurité de cette horrible nuit d'octobre m'enveloppe aussitôt. Je suis transportée du confort de ma chambre au milieu d'une clairière de buissons épineux. J'aspire l'air qui me semble pourtant si agréable. Une brise douce, pleine du parfum subtil des fleurs qui m'entourent, caresse mes narines. Quels détails ai-je négligés ? je me demande, en glissant hors de mon lit, afin de m'accroupir au sol pour reconstituer mes gestes de cette nuit-là.

Par réflexe, je sors mes jumelles du tiroir du bas de ma table de nuit pour faire revivre cette scène et la rejouer encore une fois. Je vois la grande fenêtre rectangulaire de l'appartement à l'angle du deuxième étage, juste en face de l'endroit où je me cache. Parfois, une femme apparaît dans mon champ de vision. À un moment, elle s'arrête et s'attarde devant la fenêtre, en tendant le cou, comme si elle m'avait vue. Je sens que je fatigue, j'envisage de rentrer chez moi. C'est à ce moment-là que j'entends le bruit, que je sens ce minuscule mouvement d'air.

Dis-moi ce que tu vois, me presse à nouveau ma mère.

Je vois soudainement une silhouette floue de taille et de poids moyens, un flash de peau, des cheveux bruns, des baskets noires avec la virgule Nike. Je revis l'assaut, les coups de poing à l'estomac et sur la tête, sens le contact de la taie d'oreiller rêche qui rabat mes cheveux sur mon visage et les enfonce dans mes yeux, mon nez et ma bouche.

Le téléphone sonne.

Je sursaute en l'entendant, un réflexe familier. Je prends plusieurs grandes inspirations profondes pour calmer mes nerfs qui palpitent et attrape la télécommande pour baisser le volume de la télévision. Il est presque 22 heures et Jade est à une fête. Elle appelle sûrement pour me demander de prolonger son couvre-feu.

Mais le numéro qui s'affiche sur l'écran n'est pas celui de Jade.

Je me relève, le cœur au bord des lèvres, ma main se pose sur le combiné tandis que j'essaie de décider si je vais décrocher ou pas. Sur l'écran de la télé, une femme s'étouffe sur un œuf de Pâques en plastique qu'elle a confondu avec du chocolat. « Numéro 912 », dit la voix off, tandis que j'appuie sur le bouton « mute », décroche le téléphone, me rassois sur mon lit et m'adosse aux oreillers.

– Allô ?

– Comment vas-tu ? me demande tendrement Sean.

– Ça va.

Comment se fait-il que, malgré tout ce qui s'est passé – les révélations, les mensonges, le fait qu'il n'ait pas pris la peine de m'appeler depuis des mois –, une part de moi soit ravie d'entendre sa voix, une part de moi adorerait qu'il vienne me voir et qu'il passe la nuit ici en me tenant dans ses bras, en m'assurant que ses sentiments pour moi sont intacts et qu'il sera toujours là, pour m'aimer et me protéger, pour me préserver du mal ?

Sauf que, bien sûr, il n'a jamais été là pour moi du tout. Il ne m'a jamais aimée, ni préservée du mal. Ses bras ne m'ont jamais protégée. Comment l'auraient-ils pu quand ils ont toujours refusé de me serrer pour de vrai ?

– Ça fait un petit moment, dit-il.

– En effet.

– Je n'arrive toujours pas à croire que Claire, d'entre tous...

– Oui.

– Elle avait l'air si gentille.

Les gens sont rarement ce qu'ils ont l'air d'être.

– Nous sommes tous tombés dans le panneau.

Pourquoi est-ce qu'il m'appelle ?

– Écoute. Je déteste la façon dont les choses se sont terminées entre nous, commence-t-il, comme pour répondre à ma question silencieuse.

Je l'imagine recroquevillé sur son téléphone, pour s'assurer que sa femme enceinte n'entende rien.

– Je pense tout le temps à toi.

– Je pense à toi aussi.

– Tu me manques, Bailey.

– Tu me manques aussi.

Une vague de honte m'envahit. N'ai-je donc rien appris du tout ?

– Je me disais que j'aurais pu passer te voir dans les jours qui viennent…

Ce serait si simple de céder, de fermer les yeux, de capituler.

Sauf qu'une trop grande partie de moi a déjà capitulé. Et je suis fatiguée d'avoir honte.

– Tu n'es pas censé attendre un bébé d'une minute à l'autre ?

– Ça n'a rien à voir avec nous.

– Eh bien, peut-être que ça devrait, dis-je énergiquement, surprise de voir la facilité avec laquelle je prononce les mots.

– Bailey…

– Je ne veux pas que tu passes me voir. À vrai dire, je ne veux plus jamais que tu m'appelles.

– Tu ne le penses pas. Il est tard. Tu es fatiguée…

– Et tu es un menteur et un arnaqueur, lui dis-je pour reprendre les mots que Jade avait balancés à sa mère. Appelle-moi encore une fois et je te jure que j'appellerai ta femme.

Je repose violemment le combiné sur son socle, les veines chargées d'adrénaline, sur le point d'exploser. J'ai envie de hurler. Si je ne fais rien, je vais exploser. Je bondis hors de mon lit et avance vers la salle de bains, je me retrouve face à face avec mon reflet dans le miroir au-dessus du lavabo.

J'ai beau avoir repris quelques-uns des kilos que j'avais perdus après mon viol et avoir diminué la fréquence de mes douches, je suis encore beaucoup trop maigre et mes cheveux ressemblent toujours à une serpillière en lambeaux qui encadrerait un visage trop étroit. Sean adorait mes cheveux.

Raison de plus pour m'en débarrasser.

Je retourne dans la chambre et prends les ciseaux dans le tiroir du haut de ma table de nuit, puis retourne dans la salle de bains et commence à m'attaquer de façon impulsive à ce qui fut un jour ma glorieuse chevelure, en la coupant par énormes poignées que je jette ensuite par terre. Je continue sur ma folle lancée et ne m'arrête que quand ma sublime chevelure ressemble à une barbe de trois jours approximative, comme celle d'un homme qui se serait rasé dans le noir.

Une fois terminé, je pose les ciseaux sur le rebord du lavabo et observe mon œuvre, vidée.

– Putain de merde, dis-je dans un murmure.

Dans les films, quand l'héroïne angoissée coupe ses cheveux, elle réussit d'une façon ou d'une autre à avoir l'air de sortir d'un salon de coiffure chic. Ses cheveux courts semblent toujours avoir été coiffés par un styliste expert et sa nouvelle coupe est encore plus ravissante que la précédente. Ce n'est pas tout à fait la même chose dans la vraie vie, je réalise, en fixant le désastre dont je suis l'auteur.

– Putain de merde, dis-je à nouveau.

Qu'est-ce que je peux bien dire d'autre ?

Submergée par l'épuisement, je m'effondre sur mon lit, remonte le volume de la télé et regarde une femme en robe de mariée tourbillonner et patauger dans une rivière, rire gaiement, avec un photographe qui la suit en courant depuis la rive. Je retiens mon souffle, car je sais ce qui va arriver. Je me souviens d'avoir lu un article sur cette nouvelle tendance qu'ont les mariées à faire des photos de mariages extravagantes, et cette mode dernier cri qui consiste à saccager leur tenue une fois la cérémonie passée. Je regarde la robe de la mariée, qui ne se doute de rien, se gonfler d'eau. Le poids de la robe finit par engloutir la femme qui se débat désormais sous l'eau. Je m'endors avant que la voix off ne puisse me dire à quel numéro sa noyade tragique se trouve au panthéon des *1 000 façons de mourir*.

Je me tourne sur le côté et bascule dans mon rêve. Je cours le long d'une rue baignée de soleil, pourchassée par une demi-douzaine d'hommes sans visage. Ils me poursuivent jusqu'à la rive de l'océan. Je patauge dans l'eau, sens vite le poids de ma grande jupe blanche et des énormes vagues bleues. Il y a un radeau au loin, je nage dans sa direction tandis que les requins se regroupent sous mes pieds. J'accélère le rythme de mes brasses, ce n'est qu'à trente centimètres du radeau que je me rends compte qu'un homme est allongé dessus. Il se redresse, sa silhouette me semble familière, bien que son visage soit caché par un rayon de soleil. Il me tend sa main gantée.

– Non ! je hurle, en me débattant désespérément dans l'eau.

Mes habits m'entourent comme du ruban adhésif, tandis qu'un énorme aileron fend la surface de l'océan et que des centaines de dents déchirent ma chair comme des ciseaux.

C'est à ce moment-là que je me réveille en sursaut.

– Bon sang.

Je jette un œil au réveil et réalise que dix minutes seulement ont passé. Une nuit entière de mauvais rêves m'attend. Je passe la main dans ce qu'il me reste de cheveux et décide d'aller chez le coiffeur lundi. Ils seront peut-être en mesure de faire quelque chose. Peut-être que ce n'est pas aussi terrible que je le pense. Je vais dans la salle de bains pour me confronter, une nouvelle fois, à mon reflet dans le miroir. C'est exactement aussi terrible que je le pense.

Je me passe de l'eau sur le visage, débats de la question de prendre une douche ou pas, décide que non. J'ai assez régressé pour ce soir.

Qu'est-ce qu'a dit Jade déjà – que ce n'est pas un hasard si on fait des cauchemars récurrents ?

Alors, qu'essaient exactement de me dire ces rêves ?

Que je regarde probablement trop cette foutue télé, me dis-je quand le téléphone sonne.

Cette fois, je suis tellement convaincue que c'est Jade que je ne regarde même pas la reconnaissance d'appel.

– Non, tu ne peux pas rester plus tard que minuit, dis-je en guise d'allô.

– Mademoiselle Carpenter, dit une voix familière. C'est Elron, de la réception. Wes vient d'arriver pour son service, il m'a demandé de vous dire que, dès qu'il aura enfilé son uniforme, il montera jeter un œil au canapé-lit.

Un sentiment d'effroi se glisse aussitôt au creux de mon estomac et je ravale la panique qui m'envahit. Ne sois pas bête, me dis-je. Il n'y a rien à craindre. La visite de Wes est prévue. Jade s'est mise d'accord avec lui il y a déjà plusieurs jours.

Sauf que Jade n'est pas rentrée et que je suis seule.

Et qu'un jeune homme est en route vers mon appartement, un jeune homme qui m'a toujours mise légèrement mal à l'aise, un jeune homme de taille et de poids moyens, un jeune homme aux cheveux bruns et à la voix familière, un jeune homme dont l'haleine sent parfois le bain de bouche...

– Oh, mon Dieu.

– Mademoiselle Carpenter, est-ce que tout va bien ?

J'ai oublié que j'étais toujours en ligne.

– Pourriez-vous monter avec lui ? je lui demande soudain.

– Comment ?

– S'il vous plaît. Pourriez-vous monter avec lui ?

– Je suis sur le point de finir mon service, dit Elron, en baissant la voix. J'ai rendez-vous avec une fille...

– S'il vous plaît.

– Bien sûr, finit-il par accepter en vitesse. Que suis-je censé dire à Wes ?

– Dites-lui simplement que le canapé vous intéresse aussi.

– Il ne va pas être très content...

– Elron...

– Bien sûr. Comme vous voulez.

– Merci.

Je raccroche en sachant que je me comporte de façon ridicule, qu'il est à quatre-vingt-dix-neuf pour cent sûr que Wes n'est pas l'homme qui m'a violée.

Sauf que.

Et si jamais c'était lui ?

Il n'y a pas de quoi s'inquiéter, me dis-je pour me rassurer dans le couloir. Je suis paranoïaque, je passe d'un extrême à l'autre, parfois je suis incapable de réfléchir et parfois je réfléchis trop. Plutôt que de tourner la page, je m'y accroche plus que jamais. Mais c'est une régression temporaire. Elizabeth Gordon m'a dit de m'y attendre, que mon chemin avant de retrouver une vie normale ne serait pas sans encombre.

Alors, debout devant la porte de mon appartement, je me prépare à l'arrivée de Wes, en priant qu'Elron ne me laisse pas tomber. Je regarde à travers le judas et vois les deux hommes sortir de l'ascenseur quelques minutes plus tard. Wes porte son uniforme et Elron ses habits de tous les jours. Ma poitrine se serre en les voyant approcher. J'ouvre la porte.

– Doux Jésus ! s'exclame Elron.

– Bon sang, qu'est-il arrivé à vos cheveux ? demande Wes au même instant.

Leurs mots se croisent et se superposent, puis flottent jusqu'à moi dans un souffle de menthe qui menace de me renverser sur le sol en marbre. Je me force à rester debout.

– Je… j'avais envie de changement, je marmonne en les faisant entrer.

– Vous avez fait ça de votre plein gré ? postillonne Wes.

– C'est pas mal, tente Elron, sans conviction. Différent. Il faut juste un peu de temps pour s'habituer.

Wes lui lance un regard qui dit *Tu es aussi taré qu'elle.*

– Est-ce que Jade est là ?

Il jette un œil gêné dans le couloir. Mon apparence l'a de toute évidence perturbé.

– Elle est sortie aux alentours de 20 heures, lui dit Elron. Elle a dit qu'elle allait à une fête.

– Elle ne devrait pas tarder à rentrer, j'ajoute.

Quelques secondes d'un silence gêné.

– Vous croyez qu'on peut quand même voir le canapé ? me demande Wes.

Dis-moi ce que tu vois, murmure ma mère à mon oreille.

Je vois un homme qui a l'air résolument mal à l'aise dans son pantalon en toile repassé et sa chemise vert sapin à manches courtes. Ses bras maigres pendent bizarrement le long de son corps et ses mains sont trop petites et délicates pour avoir pu entourer aussi facilement ma gorge.

Mais je ne sais que trop bien que les apparences peuvent être trompeuses, que pour véritablement « voir », il faut parfois regarder sous la surface, pour pouvoir repérer les requins qui rôdent juste en dessous.

– Bien sûr. Par ici.

Je conduis les deux hommes jusqu'au couloir en direction de la chambre de Jade.

– Vous en voulez combien ? demande Wes en examinant minutieusement le canapé.

– Je me disais trois cents dollars.

– C'est plutôt une bonne affaire, dit Elron en passant les mains sur le tissu en velours côtelé. Mais la couleur ne va pas vraiment chez moi.

Il me lance un petit sourire entendu.

– Accepteriez-vous deux cents dollars ? demande Wes.

– Bien sûr, dis-je aussitôt.

Le canapé-lit vaut bien dix fois ça, mais je suis à deux doigts de le lui donner pour qu'il quitte mon appartement dès que possible.

– Super. Marché conclu.

Wes est sur le point de me tendre la main, puis se ravise de toute évidence.

– Bon, je devrais probablement aller travailler. Vous n'aurez qu'à me faire signe quand je pourrai passer le prendre.

Il se dirige vers la porte d'entrée.

– Merci, dis-je en murmurant à Elron tandis que nous marchons derrière lui.

– Aucun problème, murmure-t-il en retour, en penchant la tête vers moi tandis que Wes ouvre la porte.

C'est là que je sens l'odeur de bain de bouche dans l'haleine d'Elron.

Ce n'est rien, me dis-je. Ils en gardent probablement une bouteille dans le bureau de la réception. Et Elron m'a dit tout à l'heure qu'il avait un rendez-vous, il est donc normal qu'il se rafraîchisse après son service. Il était sur le point de partir quand j'ai insisté pour qu'il monte avec Wes, et c'est pour ça qu'il porte ses habits de tous les jours et non pas l'uniforme dans lequel j'ai l'habitude de le voir.

Mes yeux scrutent sa tenue décontractée, de son pull en coton bleu marine à son jean bleu foncé. Il a l'air si différent sans son uniforme. Mon pouls s'accélère. Il n'y a rien de louche ni d'inhabituel à ce qu'il porte un jean. Quel garçon de son âge ne porte pas de jean ? Il a simplement troqué un uniforme pour un autre. Mes yeux descendent le long de ses jambes jusqu'à ses baskets noires. La virgule Nike familière semble me faire un clin d'œil obscène.

Je suffoque et chancèle en arrière.

– Mademoiselle Carpenter ? demande-t-il. Quelque chose ne va pas ? Vous allez bien ?

– Il y a un problème ? demande Wes depuis le palier.

– Tu ferais mieux d'aller travailler, lui dit Elron. Je peux finir ici.

Il pousse la porte pour la refermer.

Pour la première fois, je réalise à quel point ses mains sont grandes.

– Mademoiselle Carpenter ? Qu'est-ce qui ne va pas ?

Elle est sortie aux alentours de 20 heures, a-t-il dit tout à l'heure en parlant de ma nièce. *Elle a dit qu'elle allait à une fête.* Qui connaît mieux que lui mes allers et venues ? Qui de mieux placé pour suivre mes moindres faits et gestes ?

Il me fixe, le regard sincèrement inquiet. Je me rends compte qu'il n'a pas la moindre idée de ce qu'il se passe dans ma tête. Et pourquoi l'aurait-il ? Plusieurs mois se sont écoulés depuis cette nuit-là. Il se sent en sécurité, invulnérable. Il n'a pas la moindre idée de ce que j'ai pu voir ce soir-là, pas la moindre idée de ce que je vois maintenant.

Dis-moi ce que tu vois.

Je vois un homme pas tout à fait beau, de taille et de poids moyens, avec des cheveux bruns, un homme qui a entre vingt et quarante ans, qui porte un jean et des baskets noires avec la mythique virgule Nike.

Mais je parle presque tous les jours à Elron. Comment serait-il possible que je n'aie pas reconnu sa voix, même enfouie dans un long râle de colère ?

Sauf qu'en réalité je l'ai peut-être reconnue. Mes idées s'enchaînent à toute vitesse les unes après les autres, chacune ne restant jamais plus d'une fraction de seconde. Je me remémore les nombreuses fois où nous nous sommes parlé depuis la nuit où j'ai été violée, ma panique chaque fois qu'il se présentait au téléphone, l'angoisse que j'avais chaque fois que je le voyais. J'ai attribué ces sentiments à tout ce qu'il se passait d'autre autour de moi dans ces moments-là, mais peut-être que c'était *lui* la source de mon angoisse. Peut-être que mon inconscient sait depuis le début que c'est lui qui m'a violée.

Dis-moi ce que tu vois, me répète ma mère.

Je regarde encore.

Je vois les requins de mes cauchemars m'entourer les pieds, leurs ailerons glisser toujours plus près. Et je réalise enfin ce qu'ils essaient de me dire depuis le début.

Son nom : Elron.

– Mademoiselle Carpenter, est-ce que ça va ? demande-t-il à nouveau.

– Je vais bien, lui dis-je tout doucement.

– Vous êtes sûre ? Ça n'a pas vraiment l'air d'aller.

– J'ai juste eu un petit étourdissement.

Je force mes lèvres à sourire en levant les yeux vers lui.

– Ça va mieux maintenant.

– Vous êtes un peu pâle.

– Je vais bien. Sincèrement. Vous devriez y aller. Vous avez une soirée de prévue.

– Ça peut attendre.

– Non. Je vous en prie. Je me sens déjà suffisamment coupable de vous avoir fait monter ici. Vous devriez y aller.

Il hausse les épaules.

– D'accord... si vous êtes sûre.

– Je suis sûre.

Il se tourne vers la porte, hésite puis se retourne. Son regard plonge dans le mien.

Il sait que je sais.

On bouge au même moment, presque comme si tout avait été chorégraphié d'avance. Il se jette sur moi mais je bondis hors de sa portée et me rue dans le couloir vers ma chambre. Il est juste derrière moi, les mains tendues pour attraper ma chemise. Il réussit à l'agripper au moment où nous passons le seuil de ma chambre, me retourne, me soulève sans effort et le cri qui émane de ma bouche vole dans toutes les directions. D'une façon ou d'une autre, je réussis à me défaire de son emprise, en donnant des coups de pied, en essayant désespérément d'échapper à ses poings, à sa furie. Nous tombons par terre.

– Vous savez que vous ne pourrez pas vous en sortir, cette fois-ci, réussis-je à cracher. Wes sait que vous êtes ici...

– Il sait aussi que vous êtes folle ! me hurle Elron. Tout l'immeuble le sait.

Il se relève, se penche vers moi, menaçant.

– Et les gens fous font des choses folles. Ils portent des accusations infondées, ils agressent des gens qui essayaient simplement de les aider, des gens qui n'ont pas d'autre choix que celui de la légitime défense...

C'est ça, son plan ? Me tuer et maquiller mon meurtre en accident ?

– Je n'avais pas le choix, gémit-il avec exagération, comme s'il répétait déjà ce qu'il allait dire à la police. Elle s'est jetée sur moi. Je l'ai repoussée. Elle est tombée en arrière… elle s'est cogné la tête…

Il se penche, attrape mes bras et me redresse.

Je me force à ne pas résister, je détends tous mes muscles, comme je l'ai appris dans mes cours d'autodéfense. Ce n'est qu'une fois sur mes deux pieds que je me déchaîne, en écrasant mon genou contre son entrejambe. Il se plie en deux, suffoque et me lâche les bras. Je contourne le lit en courant, je cherche les jumelles que j'ai laissées posées par terre tout à l'heure. J'ai le bras tendu pour les saisir quand il se jette à nouveau sur moi. Mes doigts réussissent à les attraper juste avant qu'il ne me plaque au sol et me retourne. Je lève le bras puis abats violemment les jumelles contre le côté de son crâne.

Ça l'abasourdit, mais pas suffisamment pour l'arrêter. Je bataille pour me relever, il m'attrape les jambes, essaie de me faire tomber tandis que je titube vers la salle de bains.

Je tends la main pour éviter de tomber, pour me retenir contre le meuble du lavabo, quand je sens les ciseaux posés au milieu d'une pile de mes cheveux éparpillés. Je les attrape tandis qu'Elron se jette à nouveau sur moi, les mains en direction de ma gorge. Je lui plante les ciseaux profondément dans le bide.

– Espèce de sale garce, marmonne-t-il, comme s'il n'arrivait pas y croire.

Puis il s'effondre par terre à mes pieds.

Je reste là, debout, pendant plusieurs secondes avant de retourner dans la chambre et de téléphoner à la réception pour dire à Wes d'appeler les secours. Puis je m'assois sur le lit et attends calmement que la police et les ambulanciers arrivent.

*
* *

Ma nièce arrive tout juste avant minuit. L'ambulance a déjà emmené Elron à l'hôpital pour qu'il se fasse opérer en urgence, et les types de la police scientifique sont en train de ranger leurs affaires. Heath est revenu en courant dès que je l'ai appelé pour lui dire ce qu'il s'était passé et il n'a pas bougé depuis.

– Putain de merde, dit Jade quand il lui raconte ce qui s'est passé. Je peux pas te laisser seule une minute.

Il faut attendre presque 2 heures du matin pour que la police soit satisfaite et que je réussisse à convaincre Heath qu'il peut rentrer chez lui. Ils voudront probablement m'interroger à nouveau demain matin, m'informe l'inspecteur Marx. Je lui réponds que ce n'est pas un problème. On pourra tout reprendre autant de fois qu'elle le voudra. Elle me demande encore une fois si je veux aller à l'hôpital et je lui répète que non. Je n'ai rien de cassé. En tout cas, rien que pourrait révéler une radiographie.

Même si on a désormais arrêté l'homme qui m'a violée, je ne suis pas assez naïve pour penser que tout est réglé, comme par magie. Je sais que je souffrirai d'autres épisodes post-traumatiques, certains familiers, d'autres nouveaux, répercussion des événements de ce soir. J'ai presque tué un homme. Et contrairement aux fantasmes que j'ai pu avoir, l'acte ne m'a procuré aucun plaisir ni aucune satisfaction. Je peux toujours sentir l'horrible retentissement des ciseaux dans ma main quand ils se sont plantés profondément dans la chair d'Elron.

Je sais que je vais traverser d'autres crises de panique et de paralysie. J'aurai d'autres cauchemars, même si l'homme qui me poursuit aura désormais un visage. Et un nom. Il ne sera plus nécessaire pour les requins de venir nager sous mes pieds.

Et je sais autre chose : je ne suis pas impuissante, je peux me défendre, je peux gagner.

Je n'ai pas la moindre idée du temps qu'il faudra avant que je me sente à nouveau complètement normale – si jamais c'était possible –, du temps qu'il faudra avant que je ne sois capable de prendre du plaisir quand un homme me caressera, du temps qu'il faudra pour à nouveau faire confiance à l'autre. Je sais que la route est longue. Elizabeth Gordon et moi allons continuer d'avancer ensemble.

– Qu'est-ce que tu fais ? je demande à Jade en la voyant grimper dans mon lit.

– Je dors avec toi jusqu'à ce que mon nouveau lit arrive.

– Tu n'as pas à faire ça.

– Je ne le fais pas pour toi, dit-elle. Ton lit est bien plus confortable que ce truc sur lequel je dors.

Claire avait raison sur une chose : Jade a beau être la plus grande gueule qui soit, elle est loin d'être aussi dure à cuire qu'elle le prétend.

– Putain de merde, lance-t-elle, comme elle l'a fait tout à l'heure.

Je me glisse dans le lit à côté d'elle.

– Je sais. Tout ça est difficile à croire.

Elle se blottit contre moi, pose une main protectrice sur ma hanche.

– Je parlais de tes cheveux.

Remerciements

La route a été longue jusqu'à la sortie de ce roman. Comme le savent la plupart de mes lecteurs, j'ai publié un livre par an ces quatorze dernières années. Mais l'an dernier, ma longue collaboration avec American Publishers a touché à sa fin, ce qui a bouleversé mon planning. Je suis heureuse d'annoncer ma toute récente association avec Ballantine Books (une branche de Random House), et j'espère que notre collaboration sera longue et fructueuse. Cette précision faite, j'ai désormais un certain nombre de personnes à remercier, en commençant par celles qui me soutiennent depuis toujours : Brad Martin, Nita Pronovost, Kristin Cochrane, Adria Iwasutiak, Val Gow, Martha Leonard et tous les membres de l'extraordinaire équipe de Doubleday, au Canada (une division de Random House), qui se sont montrés exceptionnels à tous niveaux. Particulièrement Nita, qui est une éditrice de rêve : attentionnée, diligente et parfois aussi tranchante qu'une lame. Elle ne me laisse rien passer, et je lui en suis extrêmement reconnaissante. Je remercie également mon agent Tracy Fischer et son assistant James Munro, chez William Morris Endeavor, qui travaillent sans compter à mes côtés et m'ont aidée à traverser une année parfois difficile avec grâce et délicatesse ; et tous mes éditeurs à travers le monde qui continuent de me soutenir d'une façon incroyable et avec enthousiasme. Bien que je ne puisse pas tous vous nommer individuellement, je vous remercie pour le merveilleux travail que vous faites, notamment de traduction et de promotion. J'ai noué des liens forts avec nombre d'entre vous et j'adore que nous communiquions par e-mail, autant pour des questions professionnelles que personnelles. J'espère tous vous rencontrer bientôt pour vous remercier en personne.

Concernant mon nouvel éditeur américain, vous connaissez l'expression « Rien ne se crée, rien ne se perd, tout se transforme » ? Eh bien, il semble que la boucle est bouclée. En l'an 2000, j'ai publié un roman intitulé *Ne compte pas les heures*. À l'époque, mon éditrice s'appelait Linda Marrow, une femme de talent qui a une vision d'ensemble sur les choses et savait pointer ce qui devait être amélioré dans mon manuscrit. Malheureusement, nous n'avons travaillé ensemble que sur ce livre avant qu'elle déménage. Mais, un événement en amenant un autre, nous sommes à nouveau réunies – ma mère disait toujours que les choses tendent à s'arranger d'elles-mêmes –, et, quand nous travaillons ensemble, j'ai vraiment l'impression de *ne pas compter les heures*. C'est toujours une éditrice formidable et ses commentaires sur ce livre ont été à la fois perspicaces et éclairants. Donc, merci, Linda. Je suis ravie que nous nous retrouvions. Merci aussi à son assistante, Anne Speyer, et à l'incroyable équipe de Ballantine. Je sais que vous ferez un travail formidable.

Je voudrais remercier une amie très spéciale, Carol Kriple, une psychothérapeute brillante à qui j'ai demandé conseil pour rédiger les séances de thérapie. Si celles-ci sonnent juste, c'est grâce à Carol. Nous avons joué les séances et elle m'a orientée, réplique après réplique. Si j'ai ici et là mis dans sa bouche des mots qu'elle n'utilise peut-être pas, je m'en excuse et plaide la démence passagère.

Merci à Lawrence Mirkin et à Beverly Slopen, des noms que mes lecteurs reconnaîtront sûrement, ils sont dans ma vie depuis si longtemps qu'ils font maintenant partie de ma famille. Votre perspicacité, votre patience et vos conseils ont été – et, je l'espère, continueront d'être – inestimables. Larry lit mes livres pendant que je les écris, au fur et à mesure, il veille à ce que je reste sur la bonne voie et me signale tout égarement avant qu'il ne soit trop tard. Bev lit le produit fini, son œil (de lynx) est là au moment où j'en ai le plus besoin. Tous deux prennent de leur temps pour m'aider à produire le meilleur livre possible. Merci, merci, merci. Je vous aime tous les deux.

Merci à Corinne Assayag, qui a conçu et supervise mon site Internet. Merci pour ton dévouement et tes idées lumineuses, tu es une personne extraordinaire qui fais des choses extraordinaires.

Merci d'être toujours là, et prends soin de toi. Et à Shannon Micol, qui gère mes pages Facebook et Twitter et qui est aussi une de mes premières lectrices. Quand les versions numériques de *La Vie déchirée*, du *Dernier Été de Joanne Hunter*, des *Amours déchirées* et de *Dis au revoir à maman* seront enfin disponibles pour le marché américain et qu'ils sortiront avec moins de fautes que les lecteurs n'en trouvent habituellement sous ce format, ce sera uniquement grâce au travail sans relâche de Shannon.

Et, enfin, merci à ma merveilleuse famille : Warren, mon mari incroyablement généreux depuis quarante ans (!!!), dont j'ignore peut-être parfois les conseils, mais qui a souvent raison ; mes filles, Shannon et Annie, deux des jeunes femmes les plus intelligentes et les plus jolies qui existent au monde ; mon gendre, Courtney, aussi adorable que charmant ; mes deux petits-enfants, Hayden et Skylar, qui apportent tant de joie à ma vie ; ma sœur Renee, qui est aussi une de mes meilleures amies ; et Aurora, ma gouvernante depuis plus de vingt ans, qui prend si bien soin de moi.

Et, bien sûr, merci à vous, mes lecteurs. Je peux toujours compter sur vous pour tirer le meilleur de moi-même.

Mise en pages PCA
44400–Rezé

MARQUIS

Québec, Canada

Imprimé au Canada
Dépôt légal : mai 2015
ISBN : 978-2-7499-2556-1
LAF : 2014